Los Diccionarios de las Civilizaciones

Antonio Aimi

Mayas y Aztecas

con la colaboración de Raphael Tunesi

Traducción de Juan Vivanco

Electa

Los Diccionarios de las Civilizaciones
Colección a cargo de Ada Gabucci

Página 2
Pirámide B, Tula

Título original: Maya e Aztechi

Coordinación gráfica
Dario Tagliabue

Proyecto gráfico
Anna Piccarreta

Maquetación
Morena De Filippo

Coordinación editorial
Caterina Giavotto

Redacción
Valeria Bové

Búsqueda iconográfica
Daniela Simone

Coordinación técnica
Andrea Panozzo

Control de calidad
Giancarlo Berti

Fotocomposición: Víctor Igual, S.L.

ISBN: 978-84-8156-462-4

Depósito legal: S. 646-2009

Impreso en Gráficas Varona, Salamanca

GE 64624

Las entradas sobre los mayas, salvo las ciudades comprendidas entre Ek Balam y Calakmul, se han escrito con la colaboración de Raphael Tunesi.

Agradecimientos
Quisiera dar las gracias a los especialistas y amigos que también con motivo de este libro me han brindado sugerencias útiles y explicaciones valiosas. Al no poder citarlos a todos, me limito a señalar: a Vanna Arioli, por sus análisis estéticos de las obras artísticas; a Duccio Bonavia, por sus informaciones sobre el origen de las plantas cultivadas en la América prehispánica; a Luca Bondioli, por sus indicaciones sobre antropología física; a Maria Camilla De Palma, por facilitar la valiosa fotografía tomada por el capitán D'Albertis; a Ana María González, por sus indicaciones sobre la cocina prehispánica; a Maarten Jansen, por sus observaciones sobre los códices mixtecas; a Leonardo López Luján, por sus informaciones sobre el autosacrificio en el Recinto de los Guerreros Águila; a Linda Manzanilla, por la confirmación de los datos sobre el final de Tehotihuacán; a Sandro Vitale, por sus informaciones sobre el origen de las plantas cultivadas en la América prehispánica. AA

Índice

6 Introducción
9 Personajes
89 Poder y vida pública
137 Vida cotidiana
183 Religión
239 Ciudades

Apéndices
370 Mapa de Mesoamérica
374 Museos
376 Cronología
377 Glosario
379 Índice general
380 Bibliografía
384 Referencias fotográficas

Introducción

Bien podemos, por lo tanto, llamarlos bárbaros si consideramos las normas de la razón, mas no si nos consideramos a nosotros mismos, que los superamos en toda clase de barbarie.
Michel de Montaigne, 1580

Cuando las culturas de Mesoamérica se revelaron con todo su esplendor ante los asombrados ojos de los primeros europeos, provocaron reacciones encontradas: por un lado, de horror ante los sacrificios humanos y el canibalismo ritual; por otro, de asombro al contemplar una vida urbana próspera y bien organizada, en la que no faltaba casi nada de lo que debía caracterizar la civilización según los criterios del siglo XVI*: la escritura, las matemáticas, el calendario, el arte, la arquitectura y unas organizaciones sociopolíticas basadas en el orden, la cohesión y la jerarquía. A partir del siglo* XX *estas actitudes encontradas dieron paso a una admiración creciente por las culturas precolombinas. En este contexto, es frecuente leer que los mayas eran grandes astrónomos y matemáticos, que los toltecas eran grandes arquitectos, etcétera. Bien mirado, sin embargo, este entusiasmo genera confusión y acaba traicionando la diversidad radical de estas culturas: como en la actualidad damos mucho valor a la ciencia, la técnica y el arte, proyectamos en el prójimo prehispánico nuestros juicios de valor, en este caso positivos. En realidad no debemos olvidar que, en las culturas de la antigua Mesoamérica, las ciencias como tales no existían, pues eran expresiones de una visión del mundo completamente dominada por la religión. Esto no obsta para que estas culturas alcanzaran cotas extraordinarias en el ámbito científico, técnico y artístico; pero debemos considerarlas globalmente, sin partir de los elementos que hoy nos parecen más afines. Una visión global pone en evidencia que en Mesoamérica se desarrollaron culturas que lograron inventar y hacer realidad unas formas sorprendentemente distintas de vida social. La finalidad de este libro es, precisamente, documentar todos los aspectos de esta diversidad radical.*
Si alguien quiere aventurarse en el terreno siempre resbaladizo de las comparaciones entre culturas, no debe olvidar que las poblaciones que los españoles hallaron en

el siglo XVI *no pueden compararse con sus contemporáneas del Viejo Mundo, sino con las que alcanzaron un desarrollo tecnológico semejante, es decir, las de la primera Edad del Bronce. Y en tal caso, incluso quienes no son especialistas se dan cuenta de que sería difícil encontrar algo tan articulado y suntuoso en el resto del mundo.*

Guía para la lectura

La conversión de las fechas de los calendarios indígenas al calendario juliano/gregoriano se ha hecho siguiendo estos criterios:
para las fechas en cuenta larga, se ha usado la correlación 584283;
para los años anteriores al 1 d.C., se han seguido los criterios historiográficos, que omiten el año cero, en vez de los astronómicos, que lo incluyen;
para las fechas del calendario de Tenochtitlán, se ha usado la correlación Caso;
para las fechas de los demás calendarios mesoamericanos, se ha tenido en cuenta la bibliografía existente.
Dado que, como ocurre a menudo en el ámbito arqueológico y etnohistórico, las fuentes proporcionan datos distintos y a veces muy discordantes, hemos creído oportuno seguir no solo las interpretaciones que el autor juzga más correctas, sino también las de la fuente iconográfica elegida en cada caso para ilustrar un tema o asunto.
Por motivos de espacio, en las citas se omiten los puntos suspensivos que indican los cortes.
Para los términos en náhuatl, zapoteco, etc., se ha adoptado la grafía más común.
Para los términos mayas y la traducción de los glifos, se han usado las normas alfabéticas de la Academia Maya de Guatemala, aunque los topónimos, los nombres de los días y los meses y otros términos usuales (como Popol Vuh*) se escriben siguiendo el modo tradicional.*
*Los nombres de los reyes mayas se escriben al principio completos y luego con la traducción abreviada o la forma más usual (*Pakal el Grande*, etc.).*

Personajes

Sihyaj Chan K'awiil II
Pakal el Grande
K'inich Kan B'ahlam II
Jasaw Chan K'awiil
Itzamnaaj B'ahlam IV
Ix K'ab'al Xook
Yaxuun B'ahlam IV
K'ah'k Tiliw Chan Yopaat
Yuhknoom Took' K'awiil
Aj Maxam
Yax Pasaj Chan Yopaat
8 Venado Garra de Jaguar
6 Mono Quechquémitl de Guerra
Acamapichtli
Nezahualcóyotl
Tlacaélel
Motecuhzoma Ilhuicamina
Axayácatl
Tízoc
Nezahualpilli
Ahuítzotl
Motecuhzoma Xocóyotl
Cuauhtémoc

◀ Dintel 14, Yaxchilán, cultura maya, período clásico.

El rey que logró un equilibrio entre las influencias tebotihuacanas y la tradición maya.

Sihyaj Chan K'awiil II

Sihyaj Chan K'awiil II (K'awiil Nacido en el Cielo II)
Rey de Tikal
Área maya
Período clásico

Cronología
Coronación:
26 de noviembre de 411
Muerte: 3 de febrero de 456

Voces relacionadas
Tikal

Tras el intervalo de su padre, que había abierto Tikal a la influencia teotihuacana, Sihyaj Chan K'awiil II (K'awiil Nacido en el Cielo II) recuperó la iconografía maya tradicional para la ciudad. Sin embargo, el cambio iconográfico fue también un cambio político, social y cultural, cuyo significado era que la ciudad, aunque aceptara un linaje de origen extranjero, volvía a sus raíces mayas. El regreso al pasado de K'awiil Nacido en el Cielo II es evidente en su monumento más célebre, la estela 31, que representa tanto la consolidación del nuevo linaje real como el fin de las influencias extranjeras y el predominio de los elementos mayas típicos. En la estela, K'awiil Nacido en el Cielo II se hace representar no solo con un estilo típicamente maya, sino incluso con rasgos mayas arcaicos, para subrayar que su poder nace de sus gloriosos antepasados y es legitimado por ellos. Todo empezó en 378, cuando una expedición de Teotihuacán conquistó Tikal, mató al señor local y entronizó al nuevo rey, el padre de K'awiil Nacido en el Cielo II. Desconocemos los motivos de esta vuelta inesperada a la tradición, pero es evidente que el hijo quería recordarles a todos que era la expresión del pasado, el presente y el futuro de Tikal.

► El padre de K'awiil Nacido en el Cielo II, vestido como un dignatario teotihuacano, con un tocado en forma de cabeza de cocodrilo que representa su nombre: Yax Nuun Ayin (Primer ? Cocodrilo).
Estela 31 (detalle de los lados), cultura maya, período clásico, Museo de Sitio Sylvanus Morley, Tikal.

K'awiil Nacido en el Cielo II lleva en la mano el tocado de su padre.

En el tocado del rey se distingue el glifo de su nombre.

K'awiil Nacido en el Cielo II. La estela fue «cortada» como si fuera un árbol durante una incursión enemiga. Después, en el siglo VII, *se colocó en una estructura que acabó incluida en el templo 33.*

La cabeza de jaguar y el pequeño jaguar forman el nombre de su madre: Ix Unen B'ahlam (Señora Bebé Jaguar).

► Estela 31 anverso, cultura maya, período clásico, Museo de Sitio Sylvanus Morley, Tikal.

«Contento está tu corazón a causa de tus descendientes» (inscripción de Palenque)

Pakal el Grande

K'inich Janaab' Pakal (Janaab' Escudo Solar), llamado Pakal el Grande
Rey de Palenque
Área maya
Período clásico

Cronología
Nacimiento: 23 de marzo de 603
Coronación: 26 de julio de 625
Muerte: 28 de agosto de 683

Momentos fundamentales
Construcción del palacio de Palenque y del templo de las Inscripciones.
Conquistas en el curso bajo del Usumacinta

Voces relacionadas
Palenque

► Pakal el Grande, cultura maya, período clásico, Museo Nacional de Antropología, Ciudad de México.

A pesar de la abundancia de monumentos conmemorativos, los orígenes del linaje real de Palenque y de su principal rey están envueltos en tinieblas. La lista de sus antepasados es ambigua y parece confeccionada artificiosamente. En una cultura netamente patrilineal es sorprendente ver que la madre de Pakal se presenta como fuente legítima de poder a la vez que se dice que su padre y su abuelo eran simples nobles. No es fácil entender cómo llegó a ser rey Pakal el Grande. La respuesta quizá sea bien sencilla: no había muchos otros candidatos, dado que en los años de su juventud Calakmul había saqueado Palenque y probablemente había matado a la mayoría de los miembros de la realeza. En cuanto fue entronizado, Pakal se propuso vengar su ciudad. Aliado con Escudo Jaguar II de Yaxchilán, logró reconquistar los territorios ribereños del Usumacinta, en el actual Tabasco. De esta región se trajo Pakal a dos reyes prisioneros, uno de Pomona y el otro de Santa Elena, que fueron sacrificados en Palenque. Sin embargo, Pakal el Grande, más que por sus conquistas militares, es famoso por sus proyectos monumentales y por el extraordinario impulso que dio a las artes durante su reinado.

Breve texto que menciona el nombre de la madre de Pakal el Grande: Señora de K'uk' (Blanco Quetzal).

La tablilla oval era el respaldo del trono de piedra instalado en el edificio E, al que los mayas llamaban Sak Nuhkul Naaj (Casa de la Piel Blanca).

Glifos con el nombre de Pakal el Grande: el predilecto K'inich Janaab' Pakal, rey de Palenque.

Trono con dos cabezas de jaguar.

La madre de Pakal, arrodillada ante su hijo, le tiende la corona real de Palenque.

▲ Tablilla oval del palacio de Palenque, cultura maya, período clásico.

En la segunda estancia del templo se encuentra el acceso a la escalinata que lleva a la cripta que contiene los restos mortales de Pakal el Grande. Empinada y resbaladiza, parece llevar realmente al inframundo.

Los cuatro pilares centrales están decorados con figuras del heredero de Pakal el Grande, Serpiente Jaguar II, y de otros miembros de la familia real. Serpiente Jaguar tiene seis dedos en el pie. Probablemente se trataba de una malformación genética.

► Templo de las Inscripciones, cultura maya, período clásico, Palenque.

Dentro del templo cimero están los paneles con textos grabados que dan nombre al edificio. Cuentan la historia de Palenque y de Pakal por katunes (ciclos de veinte años de 360 días).

En este edificio, que se alza delante de una ladera escarpada, se construyó la cripta donde fue sepultado Pakal. La famosa tumba se comunicaba con el mundo exterior, una vez selladas las escaleras con tierra y piedras, mediante un conducto de piedra llamado «psicoducto». El alma del rey podía ponerse en contacto con los vivos a través del «psicoducto».

El monumento de la cultura maya más conocido y que más aparece en los textos es la losa sepulcral de Pakal el Grande. Por su tamaño y su peso, fue colocada en la tumba antes de que se construyera la pirámide, que rodeó la cripta.

La Deidad Ornitomorfa Principal, Itzamnaaj Muut, está posada en el árbol del centro del mundo, como álter ego *y representación de la deidad suprema maya, Itzamnaaj.*

El axis mundi, *árbol cósmico que estaba en el centro del mundo.*

El rostro del dios de la Tierra sobre las fauces del inframundo. En la cabeza lleva una bandeja para las ofrendas votivas, en la que aparece recostado el cuerpo de Pakal, con los atavíos de jade del dios del Maíz Resucitado.

Las fauces de la escolopendra gigante se abren para dar acceso al más allá. Para los mayas, la escolopendra era un ser temible que estaba asociado a la muerte y a la ultratumba

▲ Lápida sepulcral de Pakal el Grande, cultura maya, período clásico, Palenque.

«El día 8 Ok, 3 K'ayab' [5 de enero de 684] fue rey el hermano mayor, el príncipe, el jugador de pelota, Serpiente Jaguar II» (inscripción de Palenque)

K'inich Kan B'ahlam II

K'inich Kan B'ahlam II (Serpiente Jaguar II) heredó de su padre, Pakal el Grande, el floreciente reino de Palenque. Terminó las últimas obras del templo de las Inscripciones y empezó la construcción del «Grupo de la Cruz», un conjunto arquitectónico formado por tres templos principales: templo de la Cruz, el de la Cruz Enramada y el del Sol. Estos proyectos monumentales estuvieron acompañados de una vasta operación militar en la zona del Usumacinta y un plan de expansión hacia el sur que hizo inevitable el choque con la ciudad de Toniná, que controlaba las tierras altas de Chiapas, alrededor del moderno Ocosingo. Los guerreros de Serpiente Jaguar saquearon Toniná. Sin embargo, esta victoria, inmortalizada en un célebre panel de Palenque, no fue provechosa para la familia real, ya que varios años después el nuevo rey de Toniná, K'inich B'aaknal Chahk, venció y capturó al hermano menor de Serpiente Jaguar, que le había sucedido en el trono. Curiosamente, aún no se ha encontrado la tumba de Serpiente Jaguar.

K'inich Kan B'ahlam II
(Serpiente Jaguar II)
Rey de Palenque
Área maya
Período clásico

Cronología
Nacimiento: 20 de mayo de 635
Coronación: 5 de enero de 684
Muerte: 16 de febrero de 702

Momentos fundamentales
Saqueo de Toniná, antigua ciudad rival.
Construcción de los templos del «Grupo de la Cruz»

Voces relacionadas
Palenque

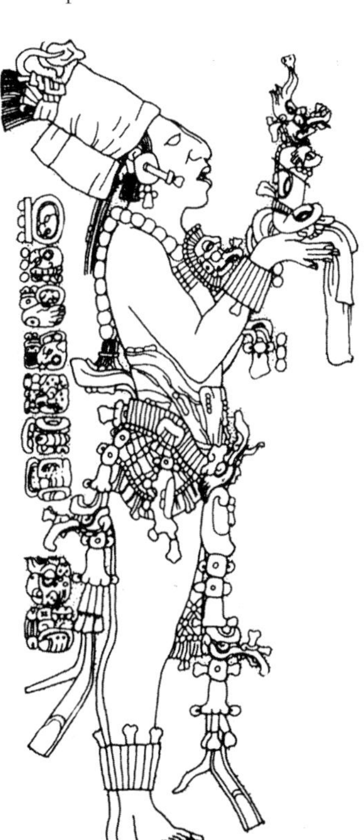

◄ Serpiente Jaguar II con su «cetro maniquí», Tablero de la Cruz Foliada, cultura maya, período clásico, Palenque.

El Tablero de la Cruz decora el interior del sanctasanctórum del templo de la Cruz. En esta obra se legitima el linaje real de la ciudad, que se hace remontar a los mitos cosmogónicos con un hilo directo entre el rey y unos antepasados reales y míticos, en algunos casos anteriores a la creación del mundo, el 6 de septiembre de 3114 a.C.

Serpiente Jaguar, de niño, con un amplio manto ceremonial de bordes recogidos, lleva una ofrenda de la que emana una sustancia preciosa.

Serpiente Jaguar II, ya adulto, lleva en brazos al dios Sak Hunal (Él el Blanco), símbolo de la autoridad real.

▲ Tablero de la Cruz (detalle), cultura maya, período clásico, Palenque, Museo Nacional de Antropología, Ciudad de México.

El árbol del axis mundi.

El templo de la Cruz. Dentro del templo superior se encontraba el Tablero de la Cruz. Hoy se ha colocado allí una réplica.

El templo del Sol. La crestería sostenía decoraciones de estuco.

El templo de la Cruz Enramada, cuya fachada se derrumbó hace varios siglos.

En los rellanos de los cuerpos de la pirámide se encontraban los famosos braseros de barro con los rostros de las deidades de Palenque.

Cada templo del grupo tiene una capilla que era el sanctasanctórum donde los señores de Palenque veneraban a la tríada de Palenque.

▲ El Grupo de la Cruz dedicado por Serpiente Jaguar II a la tríada de Palenque, cultura maya, período clásico, Palenque.

«El día 11 Iksihom 11 Chen se bajaron los pedernales y los escudos de Yich'aak' K'ahk' sagrado rey de Calakmul» (inscripción de Tikal)

Jasaw Chan K'awiil

Jasaw Chan K'awiil
(K'awiil que Limpia el Cielo)
Rey de Tikal
Área maya
Período clásico

Cronología
Coronación: 3 de mayo de 682

Momentos fundamentales
3 de agosto de 695: vence a Calakmul, la otra gran superpotencia del mundo maya y eterna rival de Tikal.
Construcción de los templos más importantes de Tikal

Voces relacionadas
Tikal

Jasaw Chan K'awiil (K'awiil que Limpia el Cielo) subió al trono el 3 de mayo de 682, en uno de los momentos más negros de la historia de Tikal. Su tío, el rey de Dos Pilas, se había aliado años atrás con el poderoso Calakmul, entonces gobernado por el rey Sacudidor de la Cueva. Las dos ciudades hicieron una tenaza por el norte y el sur contra Tikal y, tras una guerra muy cruenta, con victorias en los dos bandos, el padre de K'awiil que Limpia el Cielo fue derrotado y Tikal tuvo que pagar tributo a Calakmul. Pero, cuatro años después de su coronación, a la muerte del señor de Calakmul, K'awiil que Limpia el Cielo buscó y obtuvo la revancha. No sabemos exactamente lo que ocurrió, pero sí que «se bajaron los pedernales y los escudos de Calakmul». En la retórica bélica maya, es la manera de describir la derrota total. Para Tikal, la victoria fue una sacudida que liberó una energía extraordinaria, reflejada en un imponente programa arquitectónico que cambió el rostro de la ciudad con la construcción, entre otros, de los templos 1, 2 y 33, el altar 5 y la estela 16. La tumba de K'awiil que Limpia el Cielo estaba en el templo 1, donde fue descubierta en los años sesenta. Contenía un rico ajuar funerario de espléndidas vasijas cilíndricas de jade y una serie de fémures humanos grabados con figuras e inscripciones de esmerada factura, que relatan las gestas de varios reyes de Tikal y otras ciudades mayas. Destaca por su expresionismo la representación de un prisionero, el señor de Hixil, capturado por su parentesco con el rey de Calakmul.

◄ El templo 1, cultura maya, período clásico, Tikal.

El rey K'awiil que Limpia el Cielo recibe la visita del embajador de Calakmul sentado en el trono. Su indumentaria es sorprendentemente sencilla. Solo viste una faldilla y el gorro típico de sacerdote. Lleva un cordel colgado del cuello con dos cuentas de jade.

Pájaro de Fuego Jaguar, embajador de Calakmul, con una «mochila» de piel de jaguar que quizá contenga más tributos.

Bolsa con el número de las semillas de cacao que contiene: tres veces ocho mil.

▲ Desarrollo de vaso cilíndrico (detalle), colección privada, cultura maya, período clásico.

Paje de corte quemando una pequeña antorcha de madera perfumada.

El texto conmemorativo de la victoria de Tikal sobre Calakmul el día 9.13.3.7.18 11 Ets'nab'11 Ch'en *(3 de agosto de 695).*

La enorme figura que está detrás del rey podría ser el propio dios Jaguar, que participaría en la batalla.

K'awiil que Limpia el Cielo, sentado en un trono cilíndrico, empuña un «cetro maniquí».

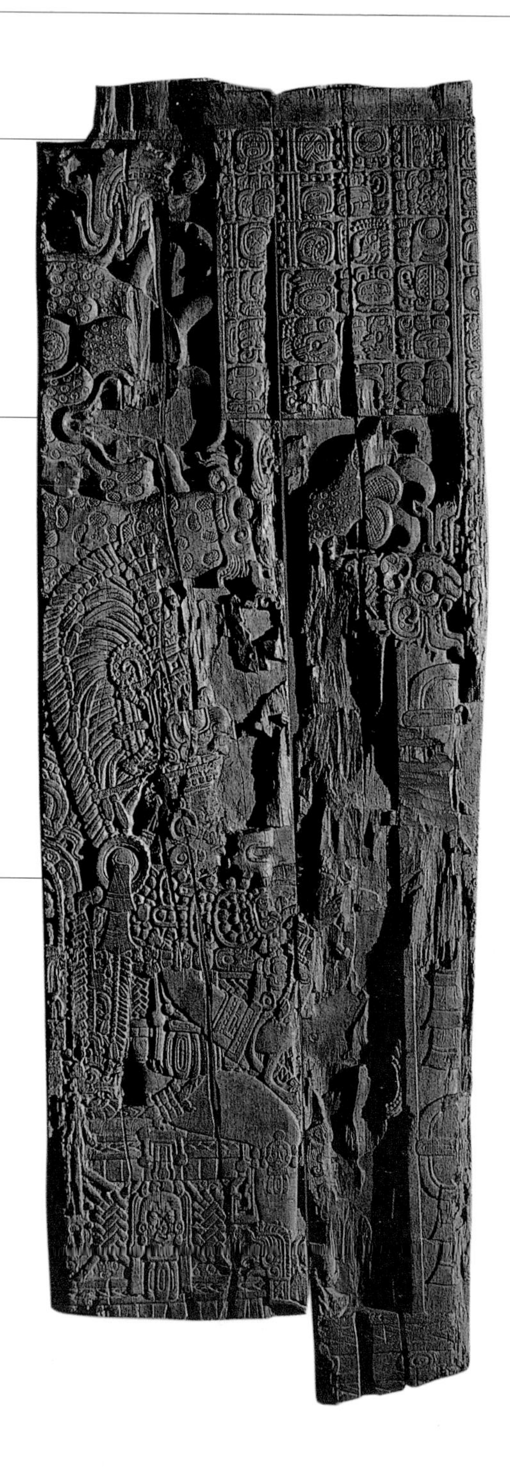

► Dintel 3, templo 1, cultura maya, período clásico, Tikal, Museum der Kulturen, Basilea.

«Es apresado Aj K'an Usiij, Señor de B'uktuun, él es el prisionero de Escudo *Jaguar II, sagrado señor de "Yaxchilán"» (inscripción de Yaxchilán)*

Itzamnaaj B'ahlam II

Itzamnaaj B'ahlam II (Escudo Jaguar II) fue un rey guerrero y constructor. Durante su reinado, que duró 60 años, su ciudad alcanzó un esplendor sin precedentes. Sin embargo, el reinado empezó en un momento difícil para la ciudad, como muestra el que todos los monumentos dedicados a su padre sean póstumos. Con Escudo Jaguar II, la situación no cambió durante cerca de 40 años, un período muy largo, acentuado por el silencio de la historia oficial que relatan los monumentos de Yaxchilán. Luego, de pronto, sin datos que expliquen el cambio brusco, Escudo Jaguar II empezó a construir y a guerrear. En los últimos veinte años de su reinado se construyeron monumentos y templos, y las victorias militares fueron numerosas; pero a pesar de la suntuosa y obsesiva representación del «rey soldado», conviene aclarar que muchos de los lugares conquistados no eran demasiado importantes en la región. No obstante, lo que cuenta hoy es la extraordinaria belleza de muchos de los monumentos conmemorativos que dejó el grupo de escultores a su servicio, quienes también realizaron gran cantidad de monumentos que representan a las esposas del rey, algo bastante insólito. Una de ellas, Ix K'ab'al Xook (Tiburón con Manos), fue su favorita.

Itzamnaaj B'ahlam II
(Escudo Jaguar II, literalmente Itzamnaaj Jaguar)
Rey de Yaxchilán
Área maya
Período clásico

Cronología
Coronación: 20 de octubre de 681
Muerte: 15 de junio de 742

Momentos fundamentales
Encargo de los dinteles 23, 24, 25 y 26 de la estela 18, obras maestras del arte maya

Voces relacionadas
Yaxchilán

◄ Escudo Jaguar II acompañado de su esposa Señora Luna del Cielo, dintel 32, cultura maya, período clásico, Yaxchilán.

Pájaro Jaguar IV empuña un estandarte utilizado en una ceremonia religiosa llamada «evento del borde».

El breve texto habla de la erección de la estela por Pájaro Jaguar IV.

Escudo Jaguar II con un rico collar de jade, una rodela y un estandarte ritual. Los glifos con su nombre le tocan el pie. Con este recurso estilístico se distinguen unos personajes muy parecidos.

El relato de la coronación del hijo de Escudo Jaguar IV. Las gestas del rey empiezan en la fecha 9.16.1.0.0 11 Ajaw y 8 Tsek, *que corresponde al 27 de abril de 752.*

▲ Escudo Jaguar II y su hijo Pájaro Jaguar IV, estela 11, lado oriental, cultura maya, período clásico, Yaxchilán.

El texto introductorio explica que estamos viendo una danza ritual. Pese a la aparente fijeza de la imagen, el rey baila con un «cetro maniquí».

La reina Luna del Cielo lleva una bolsa con los ornamentos religiosos usados en el ritual.

Escudo Jaguar II con el cetro maniquí, que es una pequeña imagen del dios K'awiil, deidad tutelar de los monarcas.

▲ Dintel 53, cultura maya, período clásico, Yaxchilán.

La reina Tiburón con Manos, además de ser la esposa preferida de Escudo Jaguar II, fue la mujer más influyente y conocida de los reinos mayas.

Ix K'ab'al Xook

Ix K'ab'al Xook
(Tiburón con Manos)
Reina de Yaxchilán
Área maya
Período clásico

Cronología
Primera mitad
del siglo VIII

Momentos fundamentales
Casa con Itzamnaaj B'ahlam II (Escudo Jaguar II).
Rituales de autosacrificio con su marido

Voces relacionadas
Yaxchilán

Reina de Yaxchilán, esposa favorita de Escudo Jaguar II y descendiente de familias nobles de la región del Usumacinta, Ix K'ab'al Xook (Tiburón con Manos) gozó sin duda de un prestigio enorme, semejante al de figuras del Viejo Mundo como Nefertari o Cleopatra. Muy pocas mujeres fueron representadas tantas veces en posiciones tan destacadas, a menos que fueran reinas por propio derecho. Probablemente el matrimonio con Escudo Jaguar II fue ventajoso para ambos. El rey había subido al trono en circunstancias políticas difíciles, y es posible que la familia de Tiburón con Manos le prestara un gran respaldo para afianzar su precaria posición de poder. El padre de Tiburón con Manos era general, y la madre era reina de un lugar que desconocemos. Estas informaciones sobre su familia están esculpidas en el dintel 23 del templo 33. La ostentación de la genealogía de la reina muestra claramente la intención y el interés por hacer públicos estos datos, ya que, además, el templo 33 fue el primer proyecto monumental de Escudo Jaguar II. En este edificio se han encontrado unos dinteles muy famosos, que en la actualidad se encuentran en el British Museum, en los que se ve a la reina participando con su marido en rituales de autosacrificio. Aunque los textos hablan sobre todo de las actividades del monarca, las imágenes dan más importancia a Tiburón con Manos, convirtiéndola en protagonista del ritual.

► Después de un ritual de autosacrificio, la reina Tiburón con Manos (o su álter ego) se transforma en una divinidad que sale de las fauces de un ciempiés.
Dintel 25, cultura maya, período clásico, Yaxchilán, British Museum, Londres.

El texto glífico afirma que Escudo Jaguar II, señor de Yaxchilán, anudó el tocado con forma de jaguar.

Tiburón con Manos entrega un casco pardiantropo a su marido Escudo Jaguar II, que se prepara para la guerra.

La firma del artista: Aj Sak Muwaan. Curiosamente, de los tres dinteles del templo 33, solo dos están firmados. Una comparación del estilo y las firmas de los autores de los dinteles 24 y 26 muestra que deben atribuirse a artistas distintos.

Armadura de algodón comprimido finamente decorado con bordados, plumas preciosas y jade.

Escudo Jaguar II empuña un largo puñal de pedernal.

▲ Maestro Chaahk Aj Sak Muwaan, dintel 26, cultura maya, período clásico, Yaxchilán, Museo Nacional de Antropología, Ciudad de México.

«El día 1 Eb' 0 Mol [14 de junio de 768] baila con Jasaw Chan el soberano de los tres katun, Pájaro Jaguar IV, el que capturó a Aj Uk» (inscripción de Yaxchilán)

Yaxuun B'ahlam IV

Yaxuun B'ahlam IV
(Pájaro Jaguar IV)
Rey de Yaxchilán
Área maya
Período clásico

Cronología
Nacimiento: 23 de agosto de 709
Coronación: 29 de abril de 752

Momentos fundamentales
Promueve grandes obras arquitectónicas en el centro ceremonial de Yaxchilán, como los templos 20 y 21 y los dinteles 9, 16, 17 y 41

Voces relacionadas
Yaxchilán

Aunque las inscripciones de Yaxchilán callan por completo sobre los acontecimientos posteriores a la muerte de Escudo Jaguar II, parece que Yaxuun B'ahlam IV (Pájaro Jaguar IV), hijo del famoso Escudo Jaguar II, no heredó el trono de su padre. Gracias a un panel de una ciudad enemiga de Yaxchilán, la belicosa Piedras Negras, sabemos que entre Escudo Jaguar II y Pájaro Jaguar IV hubo otro rey que probablemente reinó un mínimo de diez años. En Yaxchilán, sin embargo, la historia oficial pasa por alto este período, seguramente al considerar que el predecesor de Pájaro Jaguar IV fue un rey pelele colocado por la ciudad enemiga. Después de su coronación, Pájaro Jaguar IV desató una auténtica *damnatio memoriae* contra aquella figura tan impresentable. En cambio, intentó vincularse con la grandeza de Escudo Jaguar IV y encargó una serie de obras en las que se exaltaban sus virtudes guerreras (a menudo le llaman Él de los Veinte Prisioneros) y aparecía, a menudo con sus esposas, en los mismos rituales que habían servido para legitimar el poder de su padre. En realidad sus victorias fueron de escasa importancia y el rey quizá merecería ser recordado sobre todo por las grandes obras que promovió en el centro ceremonial de la ciudad, aunque en ellas predomina la cantidad sobre la calidad.

► Pájaro Jaguar IV con tres prisioneros de guerra, estela 11, lado occidental, cultura maya, período clásico, Yaxchilán.

El texto con el nombre del prisionero, su título y su origen. Arriba se pueden ver los glifos del calendario ritual y del año solar que indican que Yax (?) Took' ha caído prisionero el 6 Caban 5 Pop *(4 de febrero de 752).*

El texto añade que Yax (?) Took' es comandante militar del rey de Wak'ab'.

Pájaro Jaguar IV con una armadura de algodón y una lanza.

El prisionero, un noble del pequeño reino de Wak'ab', se muerde los dedos en señal de sumisión. Los puntos en las mejillas y la nariz representan la sangre de las heridas.

El nombre y los títulos de Pájaro Jaguar IV.

▲ Pájaro Jaguar IV y Yax (?) Took', dintel 16, cultura maya, período clásico, Yaxchilán, British Museum, Londres.

La estela 11 y el edificio 40, construidos por encargo de Pájaro Jaguar IV.

La estela 11, recién liberada de la espesa vegetación tropical.

El edificio 40 está en buen estado de conservación, pero ha perdido su decoración de estuco y el «esqueleto» de piedra que la sostenía está a la vista.

Los lacandones, que hasta mediados del siglo XX vivían aislados en la selva, prácticamente sin contacto con el exterior, habían escogido Yaxchilán como lugar de culto. Creían que la ciudad era la residencia de los dioses.

▲ Estela 11 in situ y el edificio 40, en una fotografía de la expedición de Alfred Maudslay.

El rey que con una emboscada a traición liberó Quiriguá del yugo secular del poderoso Copán y propició un efímero esplendor de la ciudad.

K'ah'k Tiliw Chan Yopaat

Quiriguá está a la orilla del río Motagua, importante vía comercial del sur del área maya. El río tuvo mucha importancia para la ciudad; favoreció su desarrollo, pero también la asoló varias veces con sus crecidas. Una de ellas, en el siglo VI, anegó todo el centro ceremonial de la ciudad y obligó a sus habitantes a reconstruirlo en una zona próxima más segura. Poco después, Quiriguá fue sometida por su vecino Copán. Las tornas cambiaron cuando K'ah'k Tiliw Chan Yopaat (Yopaat Es el Fuego que Arde en el Cielo) capturó y decapitó a Dieciocho Son las Imágenes de K'awiil durante una visita de este último a Quiriguá. Para Copán, fue un golpe durísimo, y para Quiriguá, una liberación que desató una energía artística enorme. Mientras Copán trataba de recuperarse, en Quiriguá se erigieron las estelas más altas del mundo maya. Después Fuego que Arde en el Cielo se alió con otros vasallos de Copán descontentos con el pago de tributos; uno de ellos era el rey de Xukuy, ciudad que unos años antes había saqueado Dieciocho Son las Imágenes de K'awiil. Gracias a estas alianzas el rey de Quiriguá pudo controlar la vía comercial y estratégica del río Motagua sin tener que compartir con nadie las cuantiosas ganancias. Al cabo de 60 años de reinado, el «padre de la patria» sintió que se acercaba la muerte. Su sucesor representó en un monolito colosal el traspaso de poder y celebró en su honor unos funerales suntuosos.

K'ah'k Tiliw Chan Yopaat (Yopaat Es el Fuego que Arde en el Cielo)
Rey de Quiriguá
Período clásico

Cronología
Coronación: 29 de diciembre de 724
Muerte: 27 de julio de 785

Momentos fundamentales
Se rebela contra el rey de Copán Dieciocho Son las Imágenes de K'awiil y lo vence.
Monumentos principales: estelas F, D y E

Voces relacionadas
Copán

◄ Estela C (detalle), Fuego que Arde en el Cielo, cultura maya, período clásico, Quiriguá.

Tocado con varios mascarones que simbolizan cuatro estratos del cielo.

Foto tomada por Alfred Maudslay. Uno de sus porteadores se subió a la estela para poner en evidencia su tamaño. Con 7,5 m es la estela maya más alta. Representa a Fuego que Arde en el Cielo con la rodela y el cetro del dios K'awiil, símbolos de la victoria y el poder.

Pequeña rodela que recuerda al observador las victorias militares de Fuego que Arde en el Cielo.

Sandalias refinadas y lujosas con rostro de deidad.

▲ La estela E tal como aparecía a finales del siglo XIX, cultura maya, período clásico, Quiriguá.

Turbante típico de los monarcas de Copán. Las mujeres indígenas de la meseta guatemalteca todavía usan este tocado.

La barra bicéfala de cuyos extremos, con forma de cabeza de serpiente, surgen pequeñas deidades.

Alrededor del rey aparecen pequeñas deidades y seres sobrenaturales. Indican que el monarca celebra un ritual religioso y está en otros mundos.

Los signos redondos junto a los tobillos representan el glifo de la montaña, porque el rey está en el lugar mitológico de la Montaña de los Grandes Guacamayos.

▲ Dieciocho Son las Imágenes de K'awiil, el rey de Copán apresado y sacrificado por Fuego que Arde en el Cielo, estela B, cultura maya, período clásico, Copán.

Intentó cerrar filas y mantener la posición en un momento difícil para Calakmul. Su esfuerzo no fue vano.

Yuhknoom Took' K'awiil

Yuhknoom Took' K'awiil (K'awiil que Sacude el Pedernal)
Rey de Calakmul
Período clásico

Cronología
Citado en un texto de 730

Momentos fundamentales
Restablece la preponderancia de Calakmul después de la derrota de su predecesor.
Monumentos principales: estelas 51 y 54.

Voces relacionadas
Calakmul

De Yuhknoom Took' K'awiil (K'awiil que Sacude el Pedernal) sabemos poco, y pocos son los textos que narran sus hazañas. De todos modos, está comprobado que, tras la grave derrota de su predecesor, Garra de Jaguar de Fuego, la situación de Calakmul y del nuevo monarca no era envidiable, porque la fuerza militar y el sistema de alianzas que habían aupado a Calakmul como superpotencia hegemónica del mundo maya se habían hecho añicos, y sus mayores aliados, Masul y El Perú, habían sufrido sendas derrotas. La vergüenza de la derrota solía acarrear la pérdida del prestigio que en la política maya garantizaba la supervivencia de las frágiles alianzas típicas del período clásico. Pero no todos osaron volver la espalda al gigante herido: Dos Pilas, su aliado principal en la lucha contra Tikal por el predominio en el Petén, acogió a K'awiil que Sacude el Pedernal para la celebración de un ritual, aunque la erosión del texto nos impide saber de qué tipo. En todo caso, parece que el rey de Calakmul logró evitar el desmoronamiento de un poder que hasta dos generaciones antes estaba en plena expansión.

► Máscara de jade de la estructura II, cultura maya, período clásico, Calakmul, Museo Histórico Fuerte de San Miguel, Campeche.

La estela 51 es la mejor conservada de Calakmul. Pese a la enorme cantidad de estelas halladas aquí (más de 150), la lista de los monumentos que se han conservado bien es corta. La piedra con que se construyeron era demasiado blanda y se erosionó muy deprisa.

Parece que el rey tiene el pelo rizado, un rasgo insólito en la iconografía maya.

K'awiil que Sacude el Pedernal sujeta con firmeza la lanza como advertencia al enemigo. La punta de la lanza podría ser un hueso humano afilado.

Las firmas de los artistas que tallaron la estela. No era infrecuente que varios maestros colaborasen para realizar monumentos que requerían un gran esfuerzo.

Manto multicolor de plumas de aves tropicales.

► Estela 51, cultura maya, período clásico, Calakmul, Museo Nacional de Antropología, Ciudad de México.

Aj Maxam fue quizá el máximo exponente del arte maya de pintar vasijas cilíndricas. No hay pintor en el panorama maya que se le iguale.

Aj Maxam

Aj Maxam
(Él de Naranjo)
Pintor y escriba maya
Área maya
Período clásico

Cronología
Activo alrededor de 755 en la corte de K'ahk' Ukalaw Chan Chahk, rey de Naranjo

Obras conocidas
Vaso de las Flores del Alma; Vaso de las Siete Divinidades; Vaso del Danzante de Holmul

Una lectura equivocada del texto que recorre el Vaso de las Flores del Alma hizo creer, hasta hace unos años, que Aj Maxam (Él de Naranjo) era el hijo del rey de Naranjo y la reina Yaxa'. Como sucede a menudo, sobre esta base tan frágil se había escrito un guión muy sugerente, en el que se aventuraba la hipótesis de que los hijos menores de los linajes reales eran encauzados hacia la carrera artística y por ese motivo los *ah tz'ihb'* (escribas: en las lenguas mayas, la palabra para la escritura y la pintura es la misma) y los *itz'aat* (sabios) del mundo maya gozaban de un prestigio especial. Pero esta suposición se vino abajo en el momento en que se descubrió que en realidad el pasaje dice: «Él de Naranjo, hijo de la reina de Yaxa' [...] esta es la escritura de Yali lit (?) el sabio», y no: «Esta es la escritura de Yali lit (?) el sabio, Él de Maxam (Naranjo), hijo de la reina de Yaxa'». Por lo tanto, no estamos en presencia de un príncipe, sino de un pintor y escriba que dedicaba sus vasijas a los príncipes. La fama de un artista, como la de la mayoría de los artistas occidentales, no se debía a su origen noble, sino a la belleza de sus obras.

► Vaso de las Siete Divinidades, cultura maya, período clásico, colección privada.

El texto vertical asocia al dios del Maíz con Machaquila, cuyo glifo-emblema está dibujado en el fondo de la columna.

El dios del Maíz.

La Deidad Ornitomorfa Principal.

Enano de corte, una figura bastante frecuente en los palacios de los señores mesoamericanos. Como los enanos se relacionaban con la hechicería, su presencia aumentaba el valor sagrado de la corte y permitía al rey controlar a unos personajes que por su función religiosa podían convertirse en «peligros ambulantes». Además, los creían capaces de entrar en los pasadizos que llevaban al inframundo.

▲ Vaso del Danzante de Holmul (detalle), cultura maya, período clásico, Art Institute, Chicago.

Los seis dioses del inframundo se cruzan de brazos en señal de sumisión.

▲ Desarrollo del Vaso de las Siete Divinidades, cultura maya, período clásico, colección privada.

Lista de los dioses del inframundo que han acudido. Por desgracia, no se conoce la correspondencia entre los nombres y las figuras representadas.

El glifo indica el contenido del vaso: el kakaw, *es decir, el cacao. Los mayas y otros pueblos usaban las semillas del árbol del cacao para producir varias bebidas y como moneda de cambio.*

El sombrero típico del dios L estaba hecho con plumas y con el cuerpo de un ave de presa. Era el símbolo de su rango y poder.

El dios L, como se ve a menudo en la iconografía clásica, fuma un cigarro. Además de ser el dios soberano del más allá, poseía todas sus riquezas. El dios L era el protector de los mercaderes, y a menudo se lo representa con una bolsa de mercancías.

El trono con forma de jaguar quizá represente una de las piedras que los dioses habían colocado durante los rituales de la creación.

Mascarones del dios de la Montaña. Con este recurso iconográfico se señala que la residencia del dios L estaba bajo tierra o en una cueva.

Este es el vaso que durante décadas ha confundido a los especialistas sobre el rango de Aj Maxam.

Las flores que flotan sobre fondo blanco representan el alma de los difuntos que nadan en las aguas de Xib'alb'a, el inframundo.

Los glifos utz'ihb' yali (?) – lit (esta es la escritura de Yali [?] Lit).

▲ Vaso de las Flores del Alma, cultura maya, período clásico, Art Institute, Chicago.

El glifo de Maxam: «Él de Naranjo».

«El día 8 Ajaw se terminó la Casa de las Raíces, llegó la obsidiana, a causa del sílex, y de la Serpiente de la Guerra, le sucedió a Yax Pasaj Chan Yopaat» (inscripción de Copán)

Yax Pasaj Chan Yopaat

Yax Pasaj Chan Yopaat (Primer Amanecer del Cielo de Yopaat) fue el último rey de Copán. Después de él desapareció el sistema político que había gobernado Copán desde 430, y el fin de la monarquía divinizada basada en la supremacía del linaje real provocó el colapso de la que podríamos llamar sociedad civil. La ciudad entró en una fase de decadencia que en el transcurso de pocas décadas la despobló por completo y la dejó a merced de la selva pluvial. El aspecto más evidente de esta crisis política —el llamado misterio del final del período clásico, que ha suscitado tantos interrogantes y modelos interpretativos— fue la suspensión total de la construcción de estelas y monumentos con la Cuenta Larga, que ensalzaban a los reyes y conectaban directamente los linajes reales con los acontecimientos de los mitos cosmogónicos. Esta situación, común a las demás ciudades mayas de las llanuras meridionales, tuvo en Copán un carácter especial, porque al parecer el rey de la ciudad fue consciente de que era el último representante de una etapa histórica que terminaba. Intentó frenar la decadencia mejorando sus relaciones con Quiriguá, la ciudad que había traicionado y matado a su predecesor 35 años antes. Primer Amanecer del Cielo fue recibido por Cielo de Jade, señor de Quiriguá, quizá en un intento de unir fuerzas contra los sucesos que estaban sellando el fin del período clásico; pero este último esfuerzo diplomático también fue inútil.

Yax Pasaj Chan Yopaat
(Primer Amanecer del Cielo del Yopaat)
Rey de Copán
Área maya
Período clásico

Cronología
Coronación: 28 de junio de 763
Muerte: 821

Momentos fundamentales
Su muerte señala el fin de la dinastía real de Copán.
Monumentos principales: altares Q y T; estela 11

Voces relacionadas
Copán

◄ El altar T celebra los primeros veinte años de reinado de Primera Alba del Cielo de Yopaat, cultura maya, período clásico, Copán.

El hacha de pedernal, símbolo del dios K'awiil, clavada en la frente, significa que el rey se ha convertido en dios. En los rituales de las culturas mesoamericanas los reyes compartían la naturaleza de los dioses. Como se ha señalado, existía una suerte de consustancialidad intermitente entre ambos.

El rey de Copán, Primer Amanecer del Cielo.

La barba simboliza la edad venerable del difunto y su parecido con el maíz maduro.

▲ Estela 11 (detalle), cultura maya, período clásico, Copán.

El extraordinario altar Q es uno de los monumentos más importantes de Primer Amanecer del Cielo. Resume la historia dinástica de Copán y ensalza el linaje real mostrando a todos los reyes que habían gobernado la ciudad.

K'awiil que Llena el Cielo de Fuego, el predecesor de Primer Amanecer del Cielo. Reinó durante algo más de diez años.

El fundador de la dinastía entrega el cetro de mando a Primer Amanecer del Cielo, sentado sobre el glifo de su nombre.

Cabeza de Estera, segundo rey de Copán.

Sagrado Quetzal Guacamayo Verde, el fundador de la dinastía de Copán. Los «anteojos» señalan que se representaba y legitimaba a sí mismo como representante o enviado de Teotihuacán.

▲ Altar Q, Copán, cultura maya, período clásico.

El rey que reunió los principados de mixtecas en un gran reino.

8 Venado Garra de Jaguar

Rey de Tilantongo
Área: Oaxaca
Período posclásico

Cronología
Nacimiento: 1063
Rey de Tututepec: 1096
Rey de Tilantongo: 1098
Muerte: 115

Momentos fundamentales
Gracias a una serie de brillantes victorias militares, llegó a ser el soberano más poderoso de la región mixteca. El rey «tolteca» de Cholula lo nombró *tecuhtli* (señor)

8 Venado Garra de Jaguar era hijo de la segunda esposa del Señor 5 Cocodrilo, sumo sacerdote de Tilantongo. Aunque no era heredero directo del trono, tras haber conquistado muchas ciudades y derrotado en el juego de pelota a un importante noble tolteca, en 1096 se convirtió en señor de Tututepec, un estado de cierta importancia a la orilla del Pacífico. Pero como el mismo año habían muerto el rey de Tilantongo y, durante un ritual chamánico, el heredero legítimo, 8 Venado decidió aspirar al trono del reino donde había nacido. Para sus fines fue decisiva la intervención en la política mixteca de 4 Jaguar, señor de Cholula. Con su apoyo, 8 Venado consiguió que lo coronasen rey de Tilantongo. Los dos aliados participaron después en varias expediciones a la costa del Golfo y, al parecer, hicieron una peregrinación a Chichén Itzá. Mientras, el hermano de 8 Venado fue asesinado por un sicario en el baño de vapor ritual. En 1101, exactamente un año después de la muerte de su hermano, 8 Venado, sospechando de sus primos, posibles rivales por el dominio de toda la región mixteca, les declaró la guerra a ellos y a la Señora 6 Mono, en cuya corte se habían refugiado. Después de la venganza y de otras gloriosas campañas militares con su aliado de Cholula, a 8 Venado Garra de Jaguar también le llegó el momento de reunirse con sus antepasados. Lo sepultaron en el cementerio de los reyes, la cueva de Chalcatongo, el día *12 Casa* del año *12 Caña*. Corría el año 1115.

► 8 Venado Garra de Jaguar con el glifo de la primera parte de su nombre, *códice Nuttall*, 44, siglos XIV-XV, British Museum, Londres.

8 Venado Garra de Jaguar y 4 Jaguar conquistan una ciudad en una isla, probablemente situada en la zona de la laguna de Términos, en la región del Golfo.

9 Agua, un rey de la región conocedor del terreno, guía a 8 Venado Garra de Jaguar y a 4 Jaguar hacia la isla.

Los glifos de los días de la expedición: 10 Serpiente, 11 Muerte *y* 12 Ciervo. *Es el año* 8 Conejo, *que corresponde a 1098.*

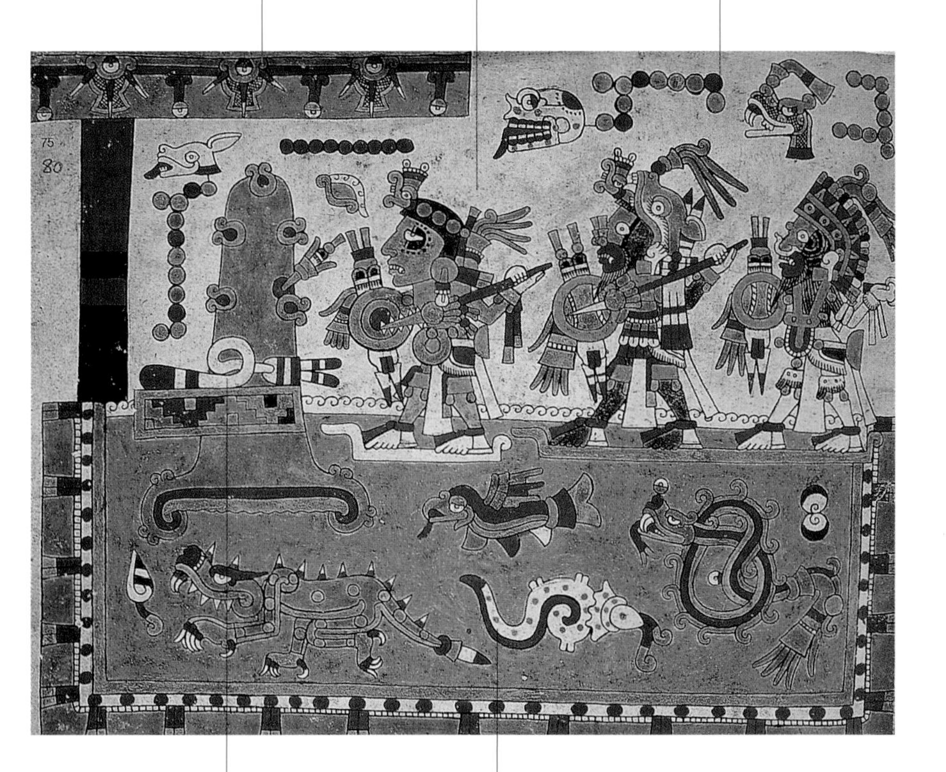

El glifo de la ciudad, que significa Isla del Taparrabo (el taparrabo está en la base del cerro).

Los animales, míticos y reales del medio marino que rodea la isla. Se pueden reconocer un cocodrilo, un Strombus spp., *una Serpiente Emplumada y un ave (?) acuática.*

▲ *Códice Nuttall*, 75, siglos XIV-XV, British Museum, Londres.

8 Venado Garra de Jaguar y 4 Jaguar de Cholula, retratados en una de sus expediciones político-militares junto a un templo del Sol. Hoy se cree que este templo corresponde a un lugar del área maya, quizá el cosmopolita Chichén Itzá.

El glifo del día del encuentro: 7 Movimiento.

El templo del Sol. Dentro se quema una ofrenda de copal.

El sumo sacerdote del templo, vestido con los atavíos del dios del Sol. Frente a él está 8 Venado; debajo, 4 Jaguar. Los dos llevan ofrendas.

El día 7 Perro *del año* 9 Caña *(1099), 8 Venado Garra de Jaguar y 4 Jaguar encienden un fuego ritual, quizá el que marca el principio de un ciclo de 52 años.*

▲ *Códice Nuttall*, 78, siglos XIV-XV, British Museum, Londres.

La reina vencida por el más grande de todos los reyes mixtecas, 8 Venado Garra de Jaguar, el joven guerrero con quien había estado a punto de casarse.

6 Mono Quechquémitl de Guerra

La infancia de 6 Mono Quechquémitl coincidió con un período difícil para su familia, porque el reino de su padre, señor de Jaltepec, fue atacado por fuerzas enemigas y sus hermanos murieron intentando defenderlo. La joven princesa creció bajo la tutela de su maestro, el sacerdote 10 Lagarto, hasta que estuvo lista para tomar las riendas del poder. Quizá por esto, en el año *6 Serpiente* (1083) visitó con su hermano 8 Venado Garra de Jaguar a 9 Hierba, guardiana del templo de la Muerte. Cuando parecía probable un matrimonio con el joven heredero del reino de Tilantongo, 9 Hierba separó sus caminos y ordenó a 8 Venado Garra de Jaguar que marchara a la Costa del Pacífico para conquistar el reino de Tututepec. Poco después, por consejo de 9 Hierba o, según otras fuentes, de 6 Aura, un viejo hechicero que vivía en una cueva, la princesa se casó con 11 Viento, rey de una ciudad de la que solo conocemos el nombre glífico: Haz de Cañas. El matrimonio tuvo dos hijos, 4 Viento y 1 Cocodrilo. 6 Mono enviudó el año *9 Caña* (1099). El año *12 Casa* (1101) tuvo que enfrentarse con 8 Venado Garra de Jaguar, que mientras tanto se había convertido en el monarca más poderoso de la región mixteca. La reina, vencida, al parecer fue sacrificada, aunque los códigos tienden un velo sobre su muerte. En cambio, sus hijos se salvaron o se les perdonó la vida; pero uno de ellos, 14 años después, vengó a su madre matando a 8 Ciervo en una emboscada.

Princesa de Jaltepec, reina de la ciudad Haz de Cañas
Área: Oaxaca
Período posclásico

Cronología
Nacimiento: alrededor de 1062
Muerte: 1101 (?)

Momentos fundamentales
Se casa con 11 Viento, rey de la ciudad Haz de Cañas

◄ 6 Mono Quechquémitl de Guerra con el glifo de su nombre, *Códice Nuttall*, 44, siglos XIV-XV, British Museum, Londres.

El día 9 Viento *los sacerdotes ofician rituales funerarios.*

El día 2 Aura *se queman los restos de los sacrificados.*

El día 1 Caña *asaetean con propulsores a 6 Casa, uno de los hijastros de 6 Mono, atado a unos postes.*

▲ Las últimas vicisitudes del reinado de 6 Mono, *Códice Nuttall*, 83-84, siglos XIV-XV, British Museum, Londres.

10 Perro, uno de los hijastros de 6 Mono, está atado a la piedra del sacrificio gladiatorio. 8 Venado Garra de Jaguar, con traje de guerrero jaguar, lo mata.

8 Venado Garra de Jaguar captura a 4 Viento, primogénito de 6 Mono.

El día 6 Serpiente *del año* 12 Conejo *(1102), se depositan ritualmente los símbolos de la dinastía junto al Tlachtli Celeste del Cerro del Águila.*

El principio del final: el día 12 Mono *del año* 11 Casa *(1101), cae la ciudad Haz de Cañas, situada en el Cerro de las Flores Blancas.*

«[Señor de Colhuacán], te rogamos que nos des como rey a Acamapichtli, porque desciende de un linaje de mexicanos y soberanos de Colhuacán» (Diego Durán)

Acamapichtli

Acamapichtli (Mano que Empuña un Haz de Dardos)
Rey de Tenochtitlán
Área: meseta central
Período posclásico

Cronología
Coronación: 1383
Muerte: 1396

Momentos fundamentales
Supera las pruebas del rey de Azcapotzalco y somete las ciudades de Cuauhnahuac, Mizquic, Cuitlahuac y Xochimilco

Voces relacionadas
Tenochtitlán

Con Acamapichtli las biografías de los personajes se vuelven más detalladas, y en los anales aparecen datos de la *histoire événementielle* que dan la impresión de haber salido de las nieblas anteriores. No obstante, conviene ser cautos, porque, como ha señalado Clendinnen (1991), para los mexicas y las demás culturas mesoamericanas, «la precisión histórica (según nuestros parámetros) no solo era un concepto ajeno, sino también irrelevante». Esto se puede aplicar no solo al período anterior a 1428, cuando los mexicas, después de la victoria de Azcapotzalco, quemaron los libros para volver a escribir la historia a su manera, sino también para las propias etapas de la conquista. En el caso de Acamapichtli, la intención didáctica de la historiografía es patente. En dos ocasiones Tezozómoc, el rey de Azcapotzalco del que fueron tributarios los mexicas, trató de humillar a Acamapichtli pidiéndole que reuniera en una sola noche un tributo imposible (una balsa llena de árboles de alto fuste y toda clase de hortalizas, y otra balsa con un ánade y una garza con sus huevos). Las dos veces Acamapichtli, con la ayuda del dios Huitzilopochtli, logró superar las pruebas y seguir siendo rey de Tenochtitlán, dotándolo de casas, calles y acueductos.

► Los mexicas aceptan como rey a Acamapichtli, *Códice Durán*, siglo XVI, Biblioteca Nacional, Madrid.

En 1376, Cihuacóatl (Mujer Serpiente: véase el glifo de la serpiente con cara de mujer) ocupa el cargo más elevado del reino después del monarca. El glifo del nombre está detrás de su cabeza.

El escudo atravesado de venablos es una de las metáforas de la guerra. La metáfora y el poder de Tenochtitlán se completan con las siete bolas de plumas representadas en el escudo.

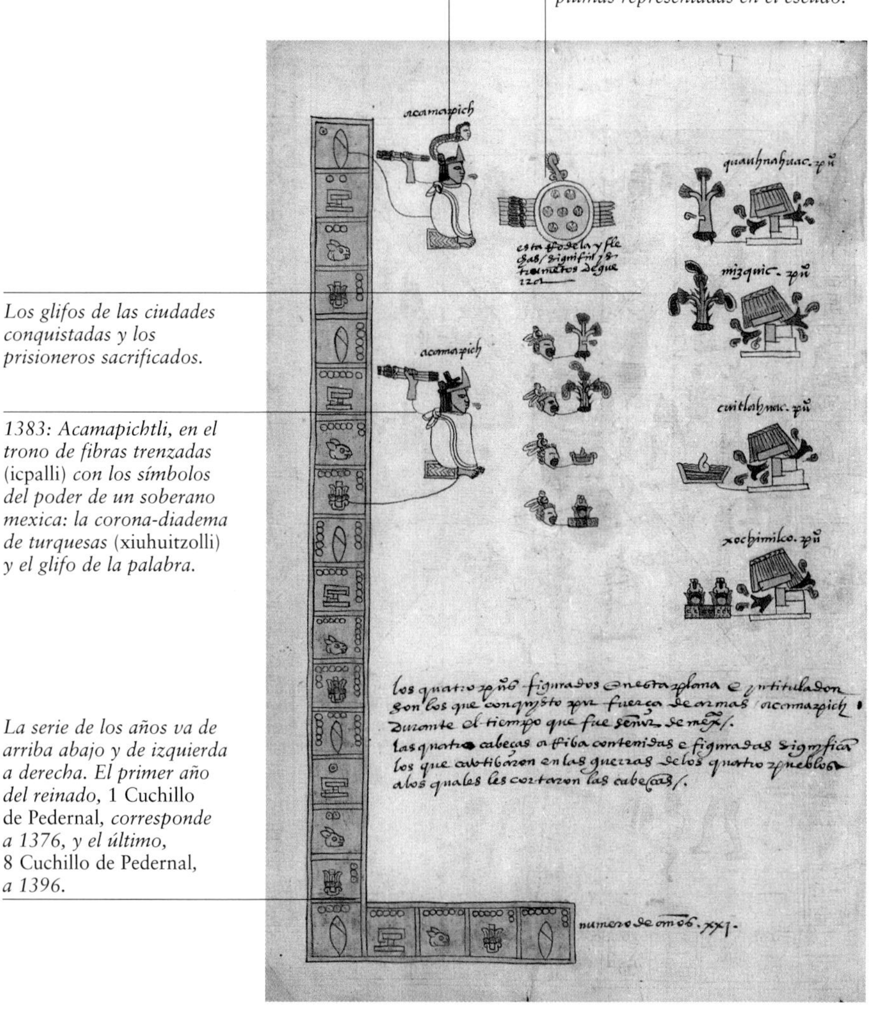

Los glifos de las ciudades conquistadas y los prisioneros sacrificados.

1383: Acamapichtli, en el trono de fibras trenzadas (icpalli) *con los símbolos del poder de un soberano mexica: la corona-diadema de turquesas* (xiuhuitzolli) *y el glifo de la palabra.*

La serie de los años va de arriba abajo y de izquierda a derecha. El primer año del reinado, 1 Cuchillo de Pedernal, *corresponde a 1376, y el último,* 8 Cuchillo de Pedernal, *a 1396.*

▲ *Códice Mendoza*, 2v, Los años y las principales hazañas del primer señor de Tenochtitlán, Bodleian Library, Londres.

«Amo el canto del cenzotle, *ave de innumerables voces, amo el color del jade y el perfume embriagador de las flores, pero más amo a mi hermano: el hombre» (Nezahualcóyotl)*

Nezahualcóyotl

Nezahualcóyotl
(Coyote Hambriento)
Rey de Texcoco
Área: meseta central
Período posclásico

Cronología
Nacimiento: 1402
Coronación: 1431
Muerte: 1472

Momentos fundamentales
Se alía con los mexicas y vence a Maxtla, rey de Azcapotzalco.
Participa en la creación de la Triple Alianza, confederación entre Tenochtitlán, Texcoco y Tlacopán, que constituye el imperio azteca

Voces relacionadas
Texcoco

Poeta, arquitecto, legislador, hechicero, valiente guerrero y rey ilustrado, Nezahualcóyotl fue sin duda uno de los personajes más completos y polifacéticos de la historia de Mesoamérica. Sin embargo, su adolescencia fue muy dura, porque cuando aún era niño, vio desde un árbol cómo los tepanecas de Azcapotzalco mataban a su padre Ixtlilxóchitl (Flor Negra), rey de Texcoco, y conoció la angustia y la amargura de quien es acosado y desterrado. La hora de la revancha llegó en 1428, cuando Tenochtitlán se rebeló contra Maxtla, rey de Azcapotzalco, la ciudad tepaneca que ejercía una hegemonía indiscutible en todo el valle de México. En muy poco tiempo Nezahualcóyotl y los mexicas lograron organizar una vasta alianza de todas las ciudades dominadas por Azcapotzalco, algo bastante frecuente en la historia de Mesoamérica, y vencieron al odiado Maxtla. Poco después de su victoria, en 1431, nació la Triple Alianza, una confederación de Tenochtitlán, Texcoco y Tlacopán que formó el imperio azteca. La verdadera naturaleza de la relación entre Tenochtitlán y Texcoco no está muy clara. Algunas fuentes parecen señalar a una alianza concebida en pie de igualdad (se cree que los tributos se repartían así: un quinto para Tlacopán y dos quintos para Tenochtitlán y Texcoco), pero otras hablan de conflictos de corta duración (quizá guerras floridas para capturar prisioneros y sacrificarlos). En todo caso, el prestigio y el carisma personal de Nezahualcóyotl contuvieron en parte el afán hegemónico de Tenochtitlán.

► Nezahualcóyotl entrega a Motecuhzoma Ilhuicamina la corona-diadema de turquesas que simboliza el poder, *Códice Durán*, siglo XVI, Biblioteca Nacional, Madrid.

El rey lleva un botón labial ornitomorfo y empuña un escudo y una macuahuitl, *la «espada» de madera con cuchillas de obsidiana incrustadas.*

El cuerpo está protegido con una armadura de algodón decorada con plumas. Lleva a la espalda un tambor de guerra.

El dibujo denota cierta influencia europea, sobre todo en la perspectiva, no del todo lograda.

▲ *Nezahualcóyotl en batalla, Códice Ixtlilxóchitl*, 106r, siglo XVI, Bibliothèque Nationale, París.

No lejos de Texcoco, Nezahualcóyotl había transformado un cerro en un retiro donde las casas, las esculturas, los baños, los juegos de agua y los templos estaban inmersos en un espléndido jardín, una especie de Tlalocán artificial. Un acueducto llevaba el agua desde unos 6 kilómetros.

El canal de entrada del agua, que llegaba desde un acueducto y fluía por un conducto subterráneo.

La piscina circular está en parte excavada en la roca. A la derecha se ven los restos de una escultura que representa una rana. Se cree que había otras dos, para representar las capitales de la Triple Alianza.

► Baño de la Reina, Texcotzinco, cultura azteca-texcoca, período posclásico.

«Digo yo, Tlacaélel, que a nuestro dios no le son gratas las carnes de esas gentes bárbaras. Tiénelas en lugar de pan blanco y duro, y como pan desabrido y sin sazón, de bárbaros»
(Diego Durán)

Tlacaélel

Tlacaélel (Furor Humano u Hombre de Corazón [literalmente de Hígado])
Cihuacóatl (Mujer Serpiente) de Tenochtitlán
Área: meseta central
Período posclásico

Cronología
Pasa a ser Cihuacóatl en 1428
Muerte: poco después de 1487

Momentos fundamentales
Protagonista de la lucha por liberar Tenochtitlán del dominio de Azcapotzalco.
Es el «guía» de cinco emperadores

Voces relacionadas
Tenochtitlán

Tlacaélel, hijo de Huitzilhuitl, segundo rey de Tenochtitlán, a diferencia de otros miembros de su linaje, no quiso ser ni fue emperador (se puede hablar de imperio tras la victoria sobre Azcapotzalco en 1428 y la creación de la Triple Alianza en 1431), pero durante unos sesenta años fue el señor indiscutible de la política de Tenochtitlán, superando con creces las prerrogativas del cargo de Cihuacóatl. Según la versión de las fuentes recopiladas en la llamada *Crónica X*, que probablemente refleja la tradición de sus descendientes, Tlacaélel proponía a los emperadores y los guiaba con mano firme, sabia y casi infalible en la política exterior y en las reformas internas impuestas por la rápida expansión de la ciudad. Debía este poder al valor demostrado en las guerras por la hegemonía en el valle de México y, sobre todo, a su intervención en la lucha contra Azcapotzalco: cuando todos estaban dispuestos a aceptar el enésimo abuso de la ciudad hegemónica, Tlacaélel alentó al rey Itzcóatl a pelear. Para convencer a los campesinos que se disponían a marcharse de Tenochtitlán, propuso el siguiente pacto: «Si perdemos, nos entregaremos y haréis con nosotros lo que queráis; pero si ganamos, vosotros y vuestros descendientes seréis para siempre nuestros servidores». Sin embargo, más allá de sus hazañas y su perspicacia política, es evidente que encarna el modelo de la ética mexica: valor militar, humildad, prudencia y, sobre todo, devoción religiosa.

► Escena de la guerra contra Azcapotzalco, *Códice Tovar*, siglo XVI, John Carter Brown Library, Providence.

Un cuauhxicalli *(vaso del águila), el recipiente, no siempre en forma de águila, como en este caso, donde se guardan los corazones de los sacrificados. En el lado superior se representa el motivo solar.*

Axayácatl, con el glifo de su nombre junto a su cabeza.

Tlacaélel, con el glifo del Cihuacóatl junto a su cabeza.

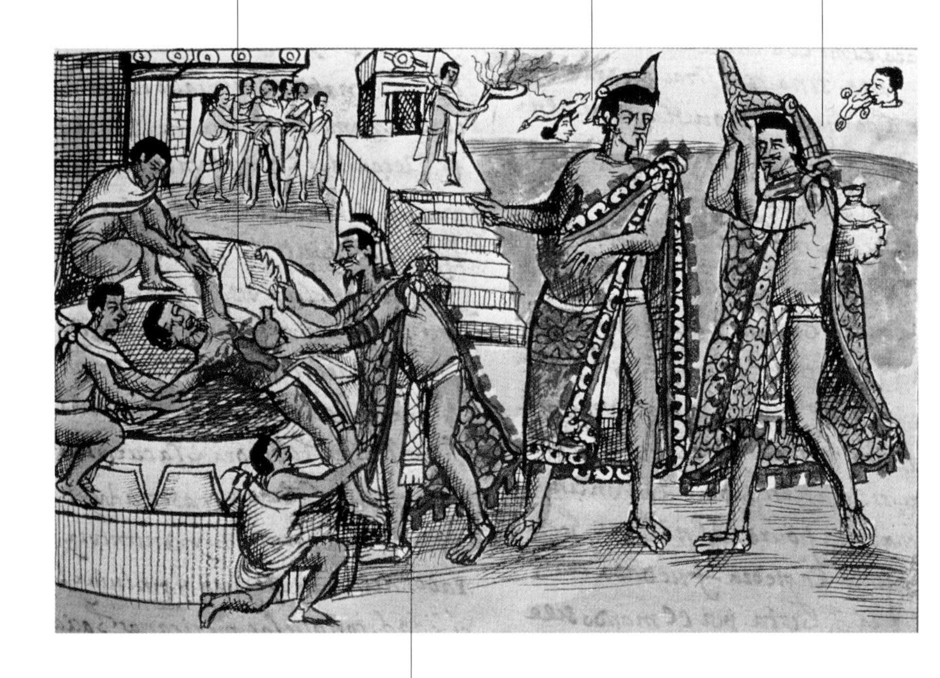

Un sacerdote saca el corazón al prisionero sacrificado.

▲ Tlacaélel y Axayácatl en el sacrificio para la consagración de un *cuauhxicalli* monumental. *Códice Durán*, siglo XVI, Biblioteca Nacional, Madrid.

«Por cuanto la corte de Tenochtitlán estuviese regida por el orden, [Motecuhzoma] promulgó nuevas leyes, para dejar la sociedad lo más ordenada posible» (Diego Durán)

Motecuhzoma Ilhuicamina

Motecuhzoma Ilhuicamina (Señor Airado que Lanza Dardos al Cielo)
Emperador azteca
Área: meseta central
Período posclásico

Cronología
Coronación: 1441
Muerte: 1469

Momentos fundamentales
Conquistó más de 30 ciudades y llevó los confines del imperio hasta la costa del Golfo y Oaxaca

Voces relacionadas
Tenochtitlán

La historia mexica presenta a Motecuhzoma Ilhuicamina, también llamado Huehue Motecuhzoma (Motecuhzoma el Viejo) para distinguirlo de su homónimo que recibió a Cortés, como el modelo del emperador sabio y prudente, en armonía con los dioses y con Tlacaélel, el poderoso Cihuacóatl, que promovió su elección y lo guió con sus justos consejos. Esta presentación quizá se deba a que, entre los señores de Tenochtitlán, de Acamapichtli a Motecuhzoma el Joven, él ocupaba una posición central, como la del sol al mediodía (el dios étnico de los mexicas representa al sol triunfante en el apogeo de su recorrido). Fue el único emperador capaz de organizar una misión extraordinaria: el envío de 60 «hechiceros» a Chicomoztoc (Las Siete Cavernas), el mítico Lugar de los Orígenes, donde vivía la diosa Coatlicue, madre del dios de los mexicas. No obstante, Motecuhzoma el Viejo también tuvo otros méritos: transformó la Triple Alianza, una de tantas confederaciones de ciudades típicas del posclásico, en un imperio destinado a alcanzar una dimensión hasta entonces desconocida en Mesoamérica. Pero, en el año *1 Conejo* (1454), su reino padeció una terrible sequía que destruyó las cosechas y provocó una hambruna gravísima. La catástrofe fue tan grande, que los analistas aztecas inventaron el neologismo «unoaconejarse» para indicar la falta de comida.

◄ Motecuhzoma Ilhuicamina en el trono de fibras trenzadas, tocado con la corona-diadema que en este caso representa una parte de su nombre, *Códice tellerianus-remensis*, 31v, siglo XVI, Bibliothèque Nationale, París.

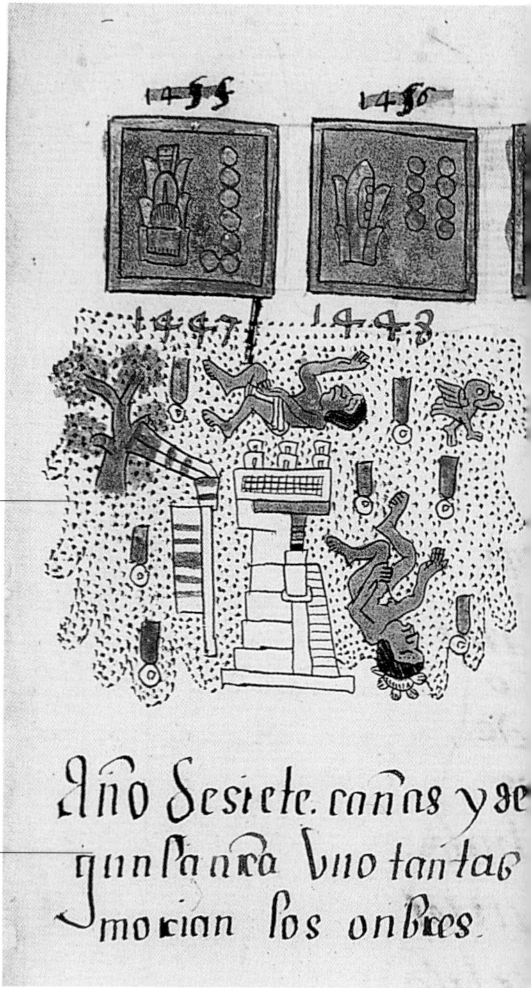

En 1447, a causa de nevadas y lluvias intensas (los puntos azules y los símbolos con forma de punto de exclamación), se inundan campos (el árbol y el pájaro) y ciudades (el templo y los estandartes). Hay muchas víctimas entre la población (los cuerpos con los ojos cerrados).

La acotación del Códice tellerianus-remensis *dice: «año 17* Caña *y 1447 según el nuestro [calendario] hubo tanta nieve, que morían los hombres».*

► Los hechos más importantes del reinado de Motecuhzoma Ilhuicamina entre 1447 y 1454, *Códice tellerianus-remensis*, 32r, siglo XVI, Bibliothèque Nationale, París.

Nezahualcóyotl, sobre cuya cabeza hay otra variante del glifo de su nombre: el collar de cuerda, símbolo del ayuno, está sobre la cabeza del coyote. La colocación del rey de Texcoco en esta página es un error evidente.

Las consecuencias de la sequía del año 1 Conejo: *los cadáveres de dos hombres y una mujer muertos de hambre, y remolinos de polvo levantados por el viento.*

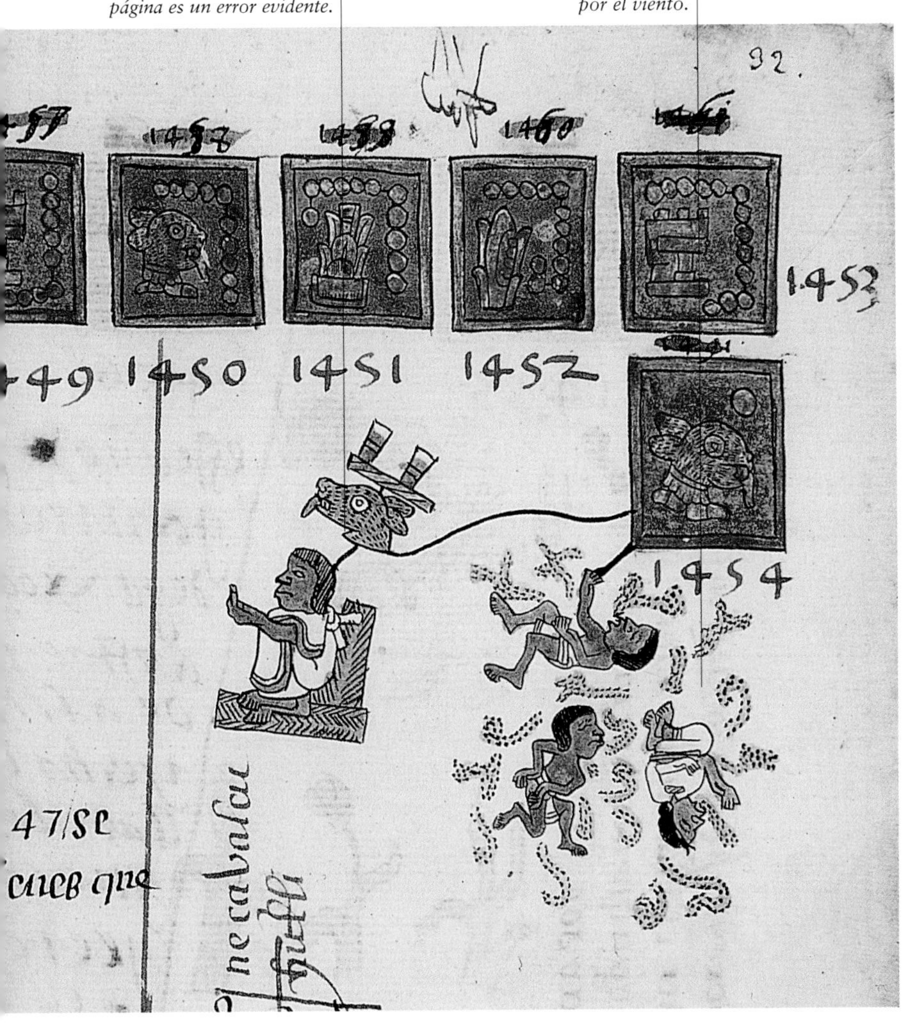

La piedra de Motecuhzoma Ilhuicamina es un cuauhxicalli *monumental. También se llama* piedra del Arzobispo, *porque se encontró en el palacio arzobispal de Ciudad de México,* o piedra de Axayácatl, *porque también se atribuyó a este emperador.*

En las cenefas superior e inferior se suceden con irregularidad distintos glifos (muerte, corazón, navaja de pedernal, movimiento...).

Nótese el suave y sorprendente abombamiento del cuauhxicalli, *que contrasta con la búsqueda rigurosa de simetría de las piezas análogas y de la escultura azteca en general. Podría deberse a una saltadura que se pulió y se disimuló para salvar la piedra.*

▲ Piedra de Motecuhzoma Ilhuicamina, cultura mexica, período posclásico, Museo Nacional de Antropología, Ciudad de México.

Cavidad para los corazones de los sacrificados.

Motivo solar de los aztecas.

La banda central presenta unos recuadros en los que se representa a un guerrero o al propio tlatoani *mexica con el pie serpentino de Tezcatlipoca agarrando la cabellera de un rey enemigo, escena que en la iconografía azteca representa explícitamente la conquista militar. Los glifos de las ciudades vencidas, claramente legibles sobre las cabezas de los enemigos capturados, hacen pensar que la piedra, más que enaltecer al emperador, ensalza en general las virtudes guerreras de los mexicas.*

«¿Es que ya estaba cansado, / venció acaso la fatiga al dueño de la casa, / al dador de la vida? / A nadie hace él resistente sobre la tierra» (Axayácatl)

Axayácatl

Axayácatl
(Cara de Agua)
Emperador azteca
Área: meseta central
Período posclásico

Cronología
Coronación: 1470
Muerte: 1481 o 1483

Momentos fundamentales
Hijo o nieto de Motecuhzoma Ilhuicamina.
Conquistó 37 ciudades, entre ellas la vecina e importantísima Tlatelolco (1473), pero en 1479 los tarascos le vencieron

Voces relacionadas
Tenochtitlán, Tlatelolco

Axayácatl fue un rey con un comportamiento muy alejado de la austera ética que debía observar un *tlatoani* mexica. De él dice resumidamente el *Códice Mendoza*: «Fue muy valiente y arrojado en batalla y con gran vicio de las mujeres. Por eso tuvo muchas esposas e hijos. Fue soberbio y orgulloso, y por eso fue muy temido de sus vasallos». Igual de contradictorios fueron los resultados de su política exterior. Los comienzos fueron brillantes, porque impuso el dominio de Tenochtitlán sobre Tlatelolco, la ciudad gemela que surgía a pocos kilómetros de distancia. Según las fuentes, que tienden a ocultar las verdaderas causas de la guerra, probablemente motivada por el deseo de Tenochtitlán de apoderarse de la próspera red comercial de Tlatelolco, la causa del enfrentamiento fueron unos pleitos triviales que Moquihuix, rey de Tlatelolco y cuñado de Axayácatl, supo aprovechar para provocar descaradamente a Tenochtitlán. Después de la victoria, Axayácatl reanudó las campañas expansionistas de su predecesor y conquistó la región de Toluca. Sin embargo, en 1479 la expansión hacia occidente de los aztecas chocó con los tarascos, que infligieron una durísima derrota al ejército de la Triple Alianza. Para el emperador azteca, fue un golpe tremendo y, aunque al regresar de la guerra lo recibieron con todos los honores, no logró recuperarse. Después de otra pequeña campaña militar poco brillante enfermó y murió (o es posible que le ayudaran a morir los propios sacerdotes mexicas).

► Axayácatl en el trono de fibras trenzadas, con el glifo de su nombre detrás de él, *Códice florentino*, II, 251v, siglo XVI, Biblioteca Medicea Laurenziana, Florencia.

La serie de los años va de arriba abajo. El primer año del reinado, 4 Conejo, *corresponde a 1470, y el último,* 2 Casa, *a 1481.*

La conquista de Tlatelolco (Montón de Tierra). El templo Mayor está dibujado sobre el glifo de la ciudad, y el rey Moquihuix (Cara Sucia o El Borracho) es arrojado desde lo alto del templo.

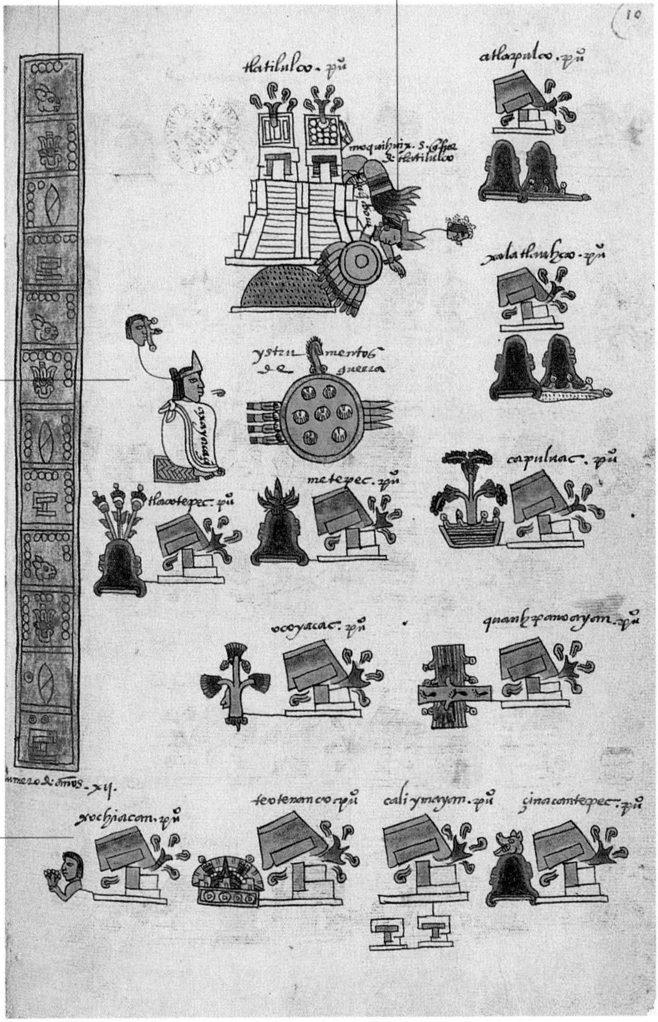

Axayácatl y el glifo de la palabra. Detrás de su cabeza, el glifo de su nombre.

Los glifos de algunas ciudades conquistadas.

► Los años del reinado y algunas de las principales hazañas de Axayácatl, *Códice Mendoza*, 10r, Bodleian Library, Oxford.

Lucha entre un guerrero de Cuetlaxtlán (Lugar de la Piel Curtida) y un guerrero de Tenochtitlán con un casco cónico de estilo huaxteca. Sobre el glifo del cerro, que indica genéricamente un topónimo, está dibujado el glifo de la ciudad.

La acotación de uno de los comentadores del códice dice así: «En el año 10 Caña *[error evidente, se trata de* 9 Caña*] y* 1475 *según el nuestro [calendario], la provincia de Cuetlaxtlán [Lugar de la Piel Curtida] que los mexicanos habían sujetado los años pasados se alzó, y volvieron a sujetarla de nuevo».*

► Los acontecimientos más destacados del reinado de Axayácatl en los años 9 *Caña* (1475) y 10 *Cuchillo de Pedernal* (1476), *Códice tellerianus-remensis*, 37r, siglo XVI, Bibliothèque Nationale, París.

El motivo solar incompleto indica un eclipse parcial de sol. Efectivamente, el 19 de agosto de 1476, a las 6.39 hubo un eclipse de sol.

Lucha entre un guerrero de Ocuillan (Entre las Orugas), una ciudad otomí de la región de Toluca, y un guerrero de Tenochtitlán con el penacho de pelo cuadrado de los soldados de alto rango. Sobre el glifo del cerro están dibujadas las orugas que denotan el topónimo.

La acotación de uno de los comentadores del códice dice así: «En el año 11 Navaja *[Cuchillo de Pedernal; error evidente, se trata de* 10 Cuchillo de Pedernal*] y 1476 según el nuestro [calendario], sujetaron los mexicanos a la provincia de Ocuillan. En este año hubo un eclipse de sol».*

«Hermanos [dijo Tízoc], yo vengo á ver y probar mis fuerças con estos de Metztitlan: quiero que hagáis una cosa y es, que salgáis á dalles guerra vosotros solos» (Diego Durán)

Tízoc

Tízoc (Ensangrentado)
Emperador azteca
Área: meseta central
Período posclásico

Cronología
Coronación: 1482
Muerte: 1486

Momentos fundamentales
Hermano de Axayácatl. Conquistó 14 ciudades, varias de las cuales eran rebeldes tras haber sido sometidas por sus predecesores

Voces relacionadas
Tenochtitlán

«Dice la ystoria, que en cuatro ó cinco años que reynó, que su exercicio era estarse encerrado, sin mostrar brío en cosa nenguna, antes mucha pusilanimidad y cobardía y que propuso, por importunaciones de Tlacaelel, de acauar de edificar el templo, que no estaua acauado un gran pedaço del edificio, pero que antes que lo empeçase, viéndole los de su corte tan para poco, y no nada republicano, ni deseoso de engrandecer ni ensanchar la gloria mexicana, que creen que le ayudaron con algún bocado, de lo cual murió muy moço y de poca edad.» Con este pasaje sorprendente de la *Historia de las Indias de Nueva España* (uno de los textos que se remite a las fuentes de la familia de Tlacaélel) termina la descripción del corto reinado de Tízoc y se muestra de un modo palmario la contradicción intrínseca de la monarquía electiva, el sistema político de Tenochtitlán, que debía mantener un equilibrio, necesariamente inestable y precario, entre el rey y la oligarquía, que, al haberlo elegido y considerarlo un *primus inter pares*, se reservaba el derecho a juzgarlo y en última instancia a matarlo si su comportamiento podía poner en peligro el equilibrio del cosmos. Es prácticamente imposible conocer las verdaderas razones que tuvo la casta electoral para deshacerse de este *tlatoani*. Solo podemos suponer que una serie de decisiones erradas, como las que tomó en la guerra que entabló contra Meztitlan, debilitaron el poder imperial y fomentaron las rebeliones.

► Tízoc en el trono de fibras trenzadas, con una de las variantes del glifo de su nombre detrás de él; *Códice florentino*, II, 232r, siglo XVI, Biblioteca Medicea Laurenziana, Florencia.

Las cenefas celestes con símbolos de las estrellas, la «piedra preciada» y la lluvia.

Una variante del glifo de Tízoc: la pierna ensangrentada.

El glifo de Matlatzinco: una red.

En uno de los 15 recuadros que recorren el canto del cuauhxicalli *se representa al propio Tízoc con el pie serpentino de Tezcatlipoca y una gran diadema de plumas, agarrando por el pelo al rey de Matlatzinco.*

La superficie de la tierra con las máscaras estilizadas de Tlatecuhtli.

▲ Piedra de Tízoc (detalle), cultura mexica, período posclásico, Museo Nacional de Antropología, Ciudad de México.

Tízoc en el trono de fibras trenzadas; tras él se ve la mortaja del emperador anterior, Axayácatl. Sobre sus cabezas están dibujados los glifos de sus nombres. El de Tízoc, en alusión a la sangre del autosacrificio, suele mostrar sus instrumentos (púas de maguey, punzones de piedra o de metal...) junto a la parte del cuerpo que sangra (por lo general, una pierna o una oreja) o en su lugar. En este caso, el nombre se representa fonéticamente con una piedra (tépetl) *y el punzón usado para sangrar* (zo).

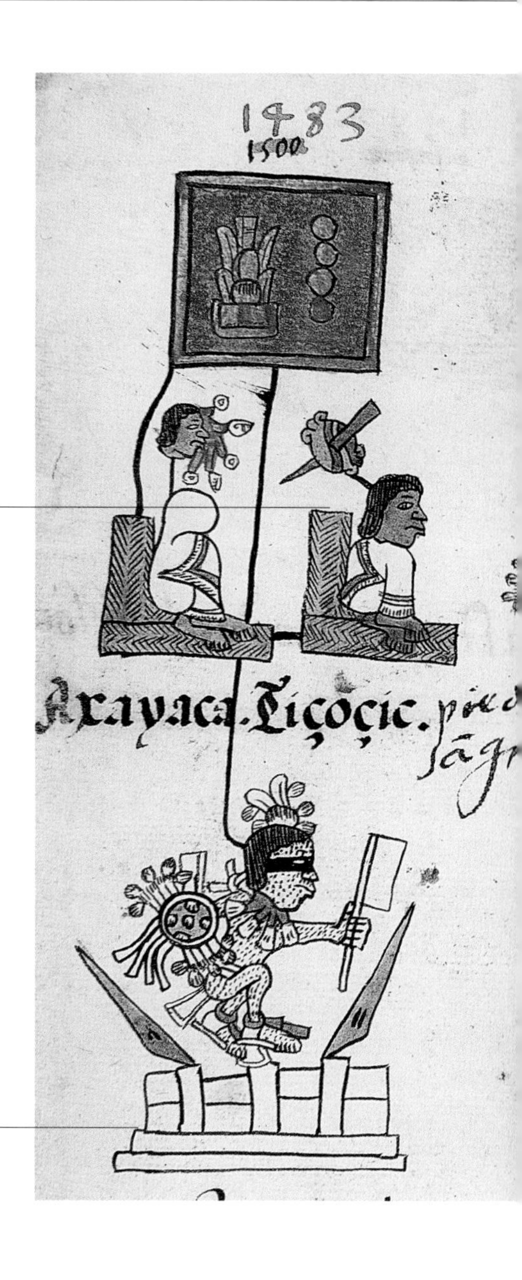

Inicio de una de las ampliaciones del templo Mayor. Nótense la base del edificio y el guerrero pintado de blanco con un estandarte de papel blanco que representa a los prisioneros sacrificados en aquella ocasión.

► Los acontecimientos más importantes del reinado de Tízoc en los años *4 Caña* (1483) y *5 Cuchillo de Pedernal* (1484), *Códice tellerianus-remensis*, 37r, siglo XVI, Bibliothèque Nationale, París.

Una fase más adelantada de las obras: la ampliación del templo Mayor ha llegado a la cima y solo faltan los adoratorios de Huitzilopochtli y Tláloc; en su lugar se ha dibujado el glifo de Tenochtitlán. A la izquierda, el mismo guerrero pintado de blanco; a la derecha, el sacrificio de una mujer.

«El rey de Tezcuco, Neçaualpilli, estaua en opinión de nigromático ó hechicero, y la opinión más verdadera es, que él tenía sus pactos y alianzas con el demonio» (Diego Durán)

Nezahualpilli

Nezahualpilli (Príncipe que Ayuna)
Rey de Texcoco
Área: meseta central
Período posclásico

Cronología
Nacimiento: 1465
Coronación: 1472
Muerte: 1515

Momentos fundamentales
Hijo de Nezahualcóyotl. Participó en diez campañas militares. Reviste especial importancia su victoria sobre Huejotzinco, cuando solo tenía 21 años.

Voces relacionadas
Texcoco

Rey, guerrero, legislador, astrólogo-astrónomo y, sobre todo, chamán de enorme prestigio, Nezahualpilli reinó durante más de cuarenta años y fue una de las figuras más prestigiosas de la Triple Alianza. Nezahualcóyotl lo eligió como sucesor y lo coronó cuando solo tenía siete años. Tras la muerte de su padre, huyendo de sus hermanos mayores que querían apoderarse del trono, se refugió en Tenochtitlán bajo la protección de Axayácatl y del rey de Tlacopán. Un anecdotario abundante y difícil de valorar nos presenta la imagen de un rey contrario a los sacrificios humanos, justo pero severo, caritativo con los pobres pero implacable al aplicar la ley, aun tratándose de sus propios parientes, pues no le tembló el pulso para ejecutar a su hijo predilecto y a una de sus jóvenes esposas, hija de Axayácatl, que acostumbraba a engañarlo con jóvenes a los que mataba para transformarlos luego en «estatuas» (huelga decir que este detalle solo puede ser una deformación risible de algún aspecto de la historia indígena que los cronistas no comprendieron). Sin embargo, a pesar de su enorme prestigio (era el encargado de coronar a los monarcas de Tenochtitlán), el peso de Texcoco en la Triple Alianza sufrió un desgaste lento pero inexorable, aunque no cayó al nivel de Tlacopán, que había tenido un papel claramente secundario desde el principio.

► Nezahualpilli en el trono de fibras trenzadas, con el glifo de parte de su nombre detrás de él, *Códice florentino*, II, 257v, siglo XVI, Biblioteca Medicea Laurenziana, Florencia.

El rey lleva orejeras cilíndricas, un botón labial de piedra y un taparrabo. El peinado está adornado con un quetzallapiloni *(ornamento de plumas de quetzal) o un* tlalpiloni, *decoración para el pelo reservada a los guerreros principales y los reyes. Eran rarísimos, aparecen entre los tributos de las provincias de Coaxtlahuacan y Cuextlan a razón de uno por año.*

Ramillete de flores o (más probable) penacho de plumas que simulan un ramo de flores.

El manto de turquesas (xiuhtilmatli). *El nombre sugiere que estaba hecho con cuentas de turquesa cosidas a la tela, tal como se ve en el dibujo. Según otros, era una tela azul decorada con la técnica del teñido por reserva.*

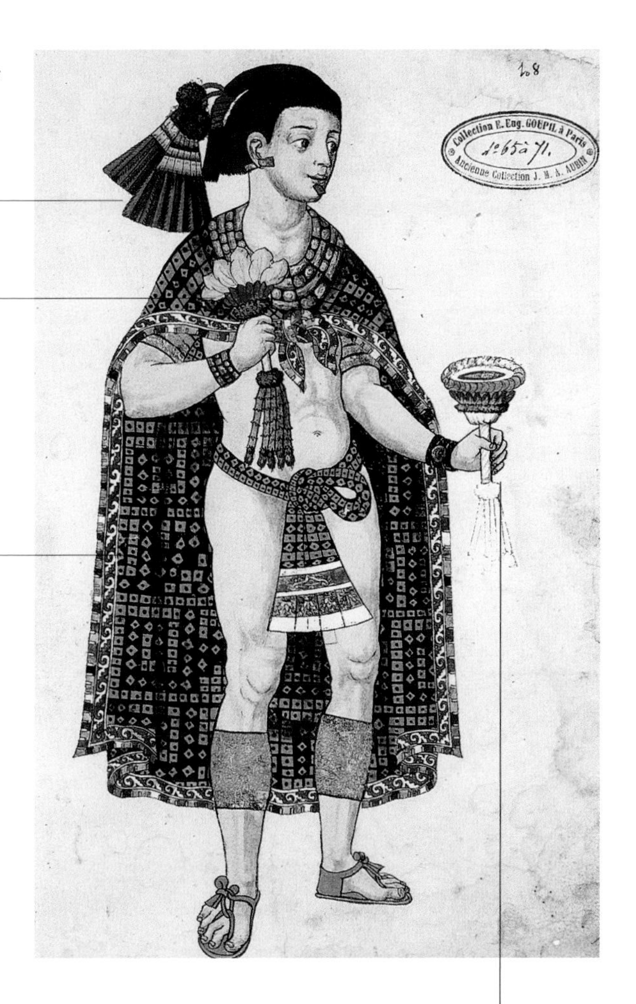

Flor de plumas con la parte inferior, la blanca, sin terminar o enmendada.

▲ Nezahualpilli, *Códice Ixtlilxóchitl*, 108r, siglo XVI, Bibliothèque Nationale, París.

«Para eso existimos los mexicas: para conquistar a todos los pueblos. Con el tiempo, también a nosotros nos conquistarán, porque así lo pronosticó el propio Huitzilopochtli» (*Ahuítzotl*)

Ahuítzotl

Ahuítzotl (el nombre indica un mítico animal acuático semejante a la nutria)
Emperador azteca
Área: meseta central
Período posclásico

Cronología
Coronación: 1487
Muerte: 1502

Momentos fundamentales
Hermano de Tízoc. Conquistó 45 ciudades y la importantísima región de Soconusco, en la vertiente pacífica de lo que hoy son Chiapas y Guatemala

Voces relacionadas
Tenochtitlán

«Ahuítzotl fue el octavo señor de Tenochtitlán por tiempo de dieciocho años y en su tiempo se anegó la ciudad de México, porque él mandó que se abriesen cinco fuentes que están en los términos de los pueblos de Coyoacan y de Huitzilopochco, y las fuentes tenían estos nombres: Acuecuéxcatl, Tlílatl, Huitzílatl, Xochcóatl y Cóatl, y esto aconteció cuatro años antes de su muerte y veintidós años antes de la venida de los españoles. Y también en su tiempo acaeció muy grande eclipse de sol a mediodía, casi por espacio de cinco horas hubo muy grande oscuridad, porque aparecieron las estrellas; y las gentes tuvieron muy grande miedo, y decían que habían de descender del cielo unos monstruos que se dicen *tzitzimime*, que habrían de comer a los hombres y mujeres. El dicho Ahuítzotl conquistó [muchas] provincias.» Esta es la breve síntesis del reinado de Ahuítzotl que aparece en el *Códice florentino*. El contenido y el tono sugieren que después de los problemas creados por Tízoc, la casta sacerdotal mexica encontró a un señor adecuado pero con pocos conocimientos hidráulicos. No obstante, el hecho de que le acusen de algo inverosímil (las fuentes mencionadas ya vertían a la laguna de Texcoco, y otros explican que la crecida se debió a unas lluvias extraordinarias) da a entender que al final de su reinado había vuelto a estallar el conflicto entre el *tlatoani* y los sacerdotes encargados de vigilar su comportamiento.

► Piedra de Ahuítzotl, cultura mexica, período posclásico, Museo Nacional de Antropología, Ciudad de México.

La piedra de Acuecuexatl conmemora la consagración de un nuevo acueducto construido por orden de Ahuítzotl para llevar el agua de la fuente Acuecuexatl hasta Tenochtitlán.

Una Serpiente Emplumada, símbolo de Quetzalcóatl, dios que entre sus múltiples aspectos también representa el poder fecundador del agua.

Ahuítzotl, sentado con las piernas cruzadas, se perfora una oreja en un ritual de autosacrificio.

El glifo de Ahuítzotl. El animal mítico que da nombre al emperador está caracterizado por las corrientes de agua con caracoles y el símbolo de la «piedra preciada» (jade, agua) y la cola enrollada que contiene una mano.

El glifo del año 7 Caña *(1499).*

▲ Piedra de Acuecuexatl, cultura mexica, período posclásico, Museo Nacional de Antropología, Ciudad de México.

Los guerreros pintados de blanco representan a los prisioneros sacrificados. A su lado están los glifos de las ciudades de donde proceden: Cuetlaxtlan, Tzapotitlan y Xiuhcoac.

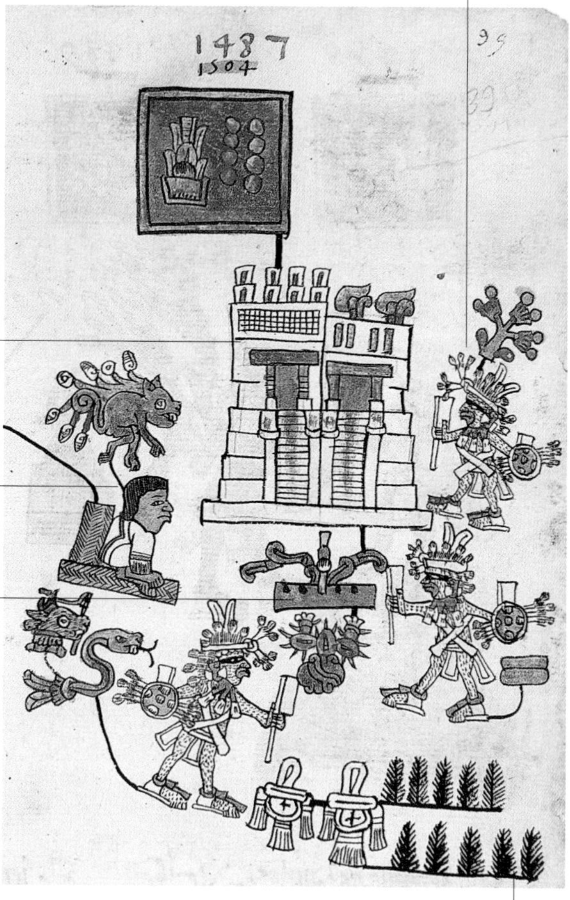

El templo Mayor con los adoratorios de Huitzilopochtli (izquierda) y Tláloc (derecha). En el dibujo la posición real de los dos adoratorios está invertida, porque la escalinata estaba orientada al oeste y los dos edificios estaban al sur y al norte respectivamente.

Ahuítzotl y su glifo.

Los glifos del Fuego Nuevo y de Tenochtitlán. Como la ceremonia del Fuego Nuevo debió de celebrarse en 1507, la inclusión del glifo en este contexto es incomprensible.

Los glifos que indican el número de prisioneros sacrificados. Como una bolsa de copal es el glifo del número 8.000 y el motivo de rama de helecho al del número 100, las víctimas tendrían que ser 20.000 (80.400 según otras fuentes). Pero se ha observado que en ninguna ciudad preindustrial de esas dimensiones (Tenochtitlán tendría entonces 100.000 habitantes) era técnicamente posible semejante hecatombe.

▲ La consagración de una de las ampliaciones del templo Mayor en el año *8 Caña* (1487), *Códice tellerianus-remensis*, 39r, siglo XVI, Bibliothèque Nationale, París.

«Sucedió a Ahuítzotl por su seriedad y gravedad y engrandeció en extremo el estado. De todos sus vasallos era muy temido y nadie osaba mirarle a la cara» (Códice Mendoza)

Motecuhzoma Xocóyotl

Motecuhzoma Xocoyotl (Señor Airado el Joven)
Emperador azteca
Área: meseta central
Período posclásico

Cronología
Nacimiento: 1468
Coronación: 15 de julio de 1503
Muerte: mayo-junio de 1520

Momentos fundamentales
Hijo de Axayácatl. Conquistó 44 ciudades. Según las fuentes indígenas, Cortés le hizo prisionero el 8 de noviembre de 1519

Voces relacionadas
Tenochtitlán

Con una sorprendente coincidencia, las fuentes indígenas y las españolas presentan a Motecuhzoma Xocóyotl como una especie de Hamlet tropical, abrumado por un destino ineluctable que transforma a un rey cegado por el orgullo y una soberbia desmedida en un ser asustadizo y vacilante que se deja «hipnotizar» por Cortés, por los presagios que anuncian su llegada y por la creencia de que los conquistadores eran emisarios de Quetzalcóatl. Pero las investigaciones recientes han mostrado que este retrato es el resultado de dos mentiras convergentes: la de los sacerdotes, que fueron hostiles al Señor Airado el Joven desde el primer momento, y la de los españoles, que tuvieron que legitimar unos actos contrarios a sus propias leyes. En realidad, Motecuhzoma Xocóyotl se limitó a tratar de gobernar tal como lo requería la situación sociopolítica de Mesoamérica, limitando el poder de la oligarquía y la casta sacerdotal para crear un Estado absoluto. Su acción tropezó con una resistencia creciente que, en el momento decisivo del encuentro con los invasores, restó coherencia y eficacia a la política exterior del imperio y presentó como vacilaciones personales del Señor Airado el Joven los avatares del conflicto que laceraba la cúspide del imperio azteca.

◄ La llamada diadema de Motecuhzoma, cultura mexica, período posclásico, Museum für Völkerkunde, Viena.

La corona-diadema de turquesa (xiuhuitzolli), *símbolo del poder. Su forma es más o menos prehispánica, pero la decoración es netamente europea.*

Esta es la única imagen no estilizada y de estilo naturalista de Motecuhzoma Xocóyotl. El retrato lo hizo en México un pintor del siglo XVI *que probablemente tomó como modelo un dibujo prehispánico hoy perdido, interpretando con fantasía los elementos iconográficos indígenas que no entendía.*

Para el pintor, la flecha que sujeta el emperador debía de representar el poder. Este elemento, sin embargo, no solo era extraño a la iconografía azteca, sino que también estaba ausente en la de los códices del primer período colonial, en los que se sustituía la flecha por un dardo o un bastón de mando.

Escudo decorado con plumas que forman un dibujo ajeno a la tradición azteca.

▲ Motecuhzoma Xocóyotl, México, siglo XVI, Museo degli Argenti, Florencia.

El glifo del Quinto Sol: el Sol 4 Movimiento. «El nombre de este Sol es 4 Movimiento. *Este ya es de nosotros, de los que hoy vivimos», dice la* Leyenda de los Soles.

El glifo del día 1 Cocodrilo, *día de la coronación de Motecuhzoma Xocóyotl.*

El glifo del año 11 Caña, *año de la coronación de Motecuhzoma Xocóyotl. El día* 1 Cocodrilo *del año* 11 Caña *corresponde al 15 de julio de 1503.*

Para los aztecas, desde la creación del mundo habían habido cinco creaciones sucesivas, a las que llamaban Soles. Las cuatro primeras, que habían tomado el nombre del día de la destrucción del mundo según el calendario ritual, se llamaban 4 Jaguar, 4 Viento, 4 Lluvia *y* 4 Agua. *Los glifos de estas cuatro eras se leen en sentido antihorario en las esquinas de la piedra, empezando por abajo a la derecha.*

▲ Piedra de la Coronación de Motecuhzoma Xocóyotl, cultura mexica, período posclásico, Art Institute, Chicago.

Motecuhzoma Xocóyotl en el trono de fibras trenzadas. Detrás está la mortaja del emperador anterior, Ahuítzotl. Sobre sus cabezas, los glifos de sus nombres; en el caso de Motecuhzoma solo se dibuja el glifo de la primera parte del primer nombre.

Un prisionero de Tehuantepec (Cerro del Animal Salvaje), la última conquista de Ahuítzotl, sacrificado en el templo.

► Los acontecimientos más importantes del reinado de Motecuhzoma Xocóyotl en los años *10 Conejo* (1502) y *11 Caña* (1503), *Códice tellerianus-remensis*, 41r, siglo XVI, Bibliothèque Nationale, París.

El glifo de Tlachquiauhco (Donde Llueve sobre el Tlachtli, la cancha del juego de pelota, representada con el motivo en forma de I), una de las conquistas de Motecuhzoma.

El glifo de Miahualtan (Lugar del Maíz en Flor), otra de las conquistas de Motecuhzoma Xocóyotl.

Los glifos de un terremoto y un eclipse parcial de sol. En efecto, el 2 de enero de 1508, a las 8.24, se produjo un eclipse de magnitud 30. No olvidemos que el año 2 Caña *iba del 28 de enero de 1507 al 27 de enero de 1508.*

Los glifos de la ceremonia del Fuego Nuevo y del lugar donde se celebraba este ritual: Huixachtitlan (Lugar de las Acacias, hoy Cerro de la Estrella), al sur de Tenochtitlán. El prisionero sacrificado en esta ocasión procedía de Tecuhtepec (Cerro del Rey).

Dos mil (los cinco ramos de helecho) guerreros se ahogaron en un aluvión del río del Loro Amarillo (se ven las plumas en el agua y el pájaro a la izquierda).

► Los acontecimientos más importantes del reinado de Motecuhzoma Xocóyotl en los años *2 Caña* (1502), *3 Cuchillo de Pedernal* (1508) y *4 Casa* (1509), *Códice tellerianus-remensis*, 42r, siglo XVI, Bibliothèque Nationale, París.

La mixpamitl *(bandera de nubes o claridad nocturna), uno de los presagios de la conquista. Que el mismo fenómeno se describa y dibuje en otras fuentes como un cometa y aquí como una columna de humo que sale de la tierra y llega al cielo demuestra que el presagio no fue la transformación de un fenómeno natural, sino una invención posterior que mediante un complicado juego de alusiones simbólicas atribuía el desastre de la conquista a la soberbia de Motecuhzoma.*

Una mortaja de un rey de un lugar no identificado.

La lucha entre un guerrero de Tzotzollan (Lugar de las Codornices) y un guerrero de Tenochtitlán, con el típico mechón de pelo de los soldados de su rango.

El glifo de un eclipse parcial de sol. En efecto, el 1 de noviembre de 1510, a las 13.04, hubo un eclipse de sol de magnitud 20.

Un prisionero sacrificado en Tlachquiauhco (Donde Llueve sobre el Tlachtli, la cancha del juego de pelota, representada con el motivo en forma de I) tras la conquista de la ciudad. Las dos nubes con gotas de lluvia dibujadas encima de la figura están claramente asociadas a este topónimo).

Una mortaja, probablemente de un rey cuyo nombre contenía la expresión «espejo de obsidiana».

► Los acontecimientos más importantes del reinado de Motecuhzoma Xocóyotl en los años *5 Conejo* (1510), *6 Caña* (1511) y *7 Cuchillo de Pedernal* (1512), *Códice tellerianus-remensis*, 42v, siglo XVI, Bibliothèque Nationale, París.

La lucha por la conquista de Icpatepec (Cumbre de la Colina). El guerrero mexica lleva un casco cónico de estilo huaxteco y sube por una escala para saltar la muralla defensiva de la ciudad.

El meteoro en el cielo, otro de los presagios de la conquista. También en este caso se puede decir lo mismo que del presagio del «estandarte de nubes».

Un prisionero sacrificado en Nopallan (Lugar de los Nopales) tras la conquista de la ciudad.

«El 13 de Agosto de 1521, heroicamente defendido por Cuauhtémoc, Tlatelolco cayó en las manos de Hernán Cortés. Fue el doloroso nacimiento del pueblo mestizo que es el México de hoy» (Lápida de la plaza de las Tres Culturas)

Cuauhtémoc

Cuauhtémoc (Águila que Baja)
Último emperador azteca
Área: meseta central
Período posclásico

Cronología
Nacimiento: 1495 o 1500
Coronación: 30 (?) de enero de 1521
Muerte: 28 de febrero de 1525

Momentos fundamentales
Se casó con la hija legítima de Motecuhzoma Xocóyotl. Sucedió a Cuitláhuac, que había ocupado el puesto de Motecuhzoma Xocóyotl. Encabezó la lucha contra los españoles

Voces relacionadas
Tenochtitlán

La fascinación que produce la figura del último emperador azteca y su desesperada resistencia contra los españoles, paradójicamente, han dificultado la formación de un juicio histórico sereno sobre su actuación y, en particular, sobre su relación con la casta sacerdotal, las divisiones que estallaron entre los mexicas durante el asedio y la finalidad de oponer una resistencia hasta el último hombre, desde el punto de vista del pensamiento mesoamericano. Para complicar aún más las cosas, los datos que tenemos sobre Cuauhtémoc son muy escasos. Se sabe que era hijo de Ahuítzotl y nieto del último rey independiente de Tlatelolco, y quizá por esto lo habían nombrado señor de esta ciudad cuando Motecuhzoma decidió devolverle cierta autonomía limitada. Cuando se acercaba el enfrentamiento final con los españoles, intentó en vano ganarse aliados y retener a los que, en número creciente, se pasaban a las filas enemigas. Después de la rendición de la ciudad, trató de huir, pero lo capturaron y lo llevaron ante Hernán Cortés, quien le preguntó por qué había permitido la destrucción de la ciudad y la pérdida de tantas vidas. Diego Durán escribe que Cuauhtémoc contestó: «Decidle al capitán que yo he hecho lo que era obligado por defender mi ciudad y reino, como él hiciera en el suyo si yo se lo fuera á quitar; pero pues que no pude y me tiene en su poder, que tome este puñal y me mate».

► Cuauhtémoc en el trono de fibras trenzadas, con el glifo de su nombre detrás de él, *Códice florentino*, II, 254r, siglo XVI, Biblioteca Medicea Laurenziana, Florencia.

Aunque la obra, pintada sobre tela, revela una evidente influencia europea, esta imagen del asedio sigue los modelos de los cosmogramas prehispánicos, quizá para presentar los acontecimientos como el fin de una época.

El templo estilizado representa Tenochtitlán, situado en el centro de la laguna de Texcoco y del universo.

Los glifos de las ciudades (Xochimilco, Coyoacan, Tlacopan, Tecpatepec) donde está acampado el ejército español-tlaxcalteca.

▲ *Lienzo de Tlaxcala*, 42, *El asedio de Tenochtitlán*, Museo Nacional de Antropología, Ciudad de México.

Guerreros mexicas en canoas defienden la ciudad.

Las ciudades rebeladas contra los mexicas proporcionan a la mayoría de los soldados asediantes.

Tetlepanquetzal, el rey de Tlacopán, da muestras de sufrimiento mientras espera que Cuauhtémoc lo autorice a «hablar».

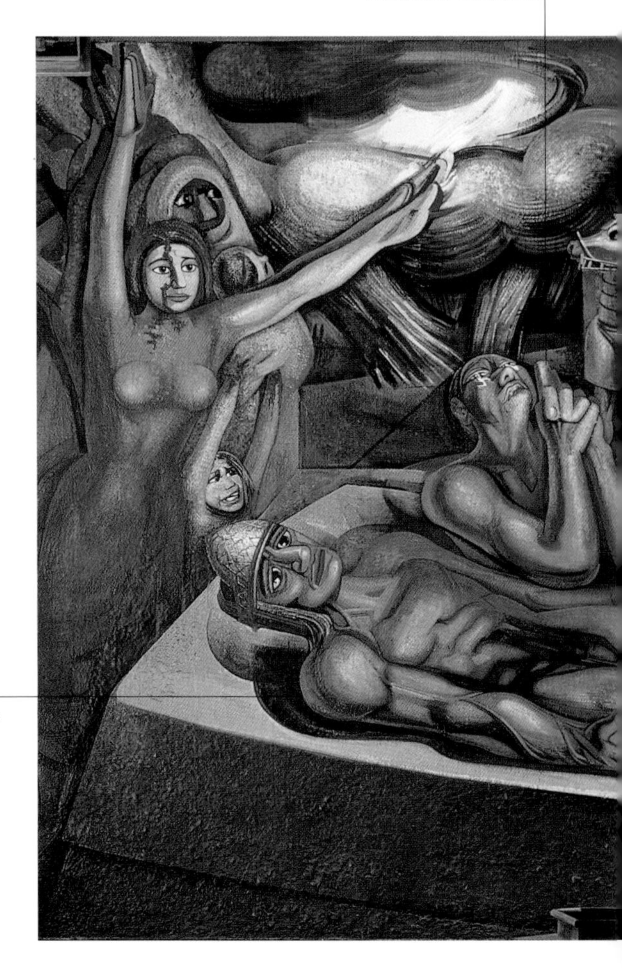

Cuauhtémoc. Cuenta Francisco López de Gómara, el cronista que fue capellán de Hernán Cortés, que Cuauhtémoc, ante las quejas de Tetlepanquetzal, lo miró con desprecio y dijo: «¿Y crees que yo estoy en algún deleite o baño?».

▲ David Alfaro Siqueiros, *El tormento de Cuauhtémoc*, 1951, Palacio de Bellas Artes, Ciudad de México.

Tras la toma de Tenochtitlán, como los españoles hallaron menos oro del que esperaban, les quemaron los pies a Cuauhtémoc y Tetlepanquetzal, rey de Tlacopán, para obligarles a decir dónde habían escondido el oro de la ciudad.

fiesta sobre la chiera de todos
los papas del cu / de tantos a
tantos dias.

Poder y vida pública

Chamanes
Sacerdotes
Autosacrificio
Sacrificios para la lluvia
Sacrificios a Tezcatlipoca
Sacrificio gladiatorio
Calendario
Fiesta del Fuego Nuevo
Fiestas
Juego de pelota
Teocalli
Teocalli de la Guerra Sagrada
Incensarios y braseros
Piedra del Sol
Cabezas colosales

◄ *Códice borbonicus*, 26, siglo XVI, Bibliothèque Nationale, París.

«El nahualli *[el chamán] es un brujo que de noche espanta a los hombres y chupa [el alma] a los niños» (Bernardino de Sahagún)*

Chamanes

Profundización
Las obras de arte de las culturas mesoamericanas brindan información muy variada sobre el componente chamánico de las religiones, desde los objetos rituales hasta las posturas de trance, en el momento culminante de la transformación del chamán en su álter ego

Los dioses, por supuesto, eran el centro de las religiones mesoamericanas. Se podía entrar en contacto con ellos y con las fuerzas-esencias de la naturaleza a través de los chamanes y, en las sociedades estatales más jerarquizadas, a través de los sacerdotes y los propios reyes, que en varias ocasiones seguían oficiando rituales claramente chamánicos. Durante el sueño o en los estados alterados de conciencia provocados por la danza, el autosacrificio o la ingestión de sustancias psicotrópicas, el chamán tenía acceso al pasado, al futuro, al conocimiento, a los lugares donde estaban las almas de los enfermos y los difuntos. El chamán, una figura que la bibliografía antropológica define como «técnico del éxtasis», era quien podía «viajar» a los Otros Mundos, de los que la realidad aparente diaria era una vaga y pálida sombra. El que «viajaba», naturalmente, no era el cuerpo del chamán sino su doble, su álter ego, que solía ser un animal pero también una llama, un molinillo de viento... Los aztecas lo llamaban *nahualli*, palabra de étimo incierto y controvertido que podría derivar del verbo *naua*, «danzar» o «engañar», o de *náhuac*, «a mi alrededor» y, por extensión, «mi vestido», «mi imagen». El término no indicaba una figura concreta, sino más bien un conjunto de figuras muy diferentes (López Austin distingue «cuarenta tipos de magos en el mundo náhuatl») que, con su rica articulación social, reflejaban la profunda penetración del chamanismo en las culturas mesoamericanas.

►Chamán en postura de trance, de la tumba 154 de Tlatilco, cultura olmeca, período preclásico, Museo Nacional de Antropología, Ciudad de México.

El luchador *de Uxpanapa es una obra maestra del arte olmeca y precolombino, porque logra combinar elementos contrapuestos con una armonía extraordinaria.*

El cuerpo atlético del personaje hizo pensar que se trataba de un jugador de ulama, *pero no tiene ninguno de los arreos ni posturas que aparecen en las representaciones de los jugadores.*

Aunque esta estatua descubierta en Uxpanapa en 1933 se conoce como El luchador, *según una interpretación reciente y más convincente podría representar a un chamán en una serie de posturas o movimientos para llegar al trance.*

La barba y el bigote son bastante insólitos, pero a veces aparecen en la iconografía olmeca.

La posición de los brazos sugiere que el chamán está ejecutando una serie de movimientos rápidos y repetidos de los brazos y la cabeza para entrar en trance, algo que se ha observado en otras sociedades indígenas americanas.

▲ *El luchador* de Uxpanapa, cultura olmeca, período preclásico, Museo Nacional de Antropología, Ciudad de México.

Las «cejas-de-fuego» y la cresta doble del sombrero son la estilización del penacho de plumas que eriza el águila cuando está alerta (el modelo de los olmecas era la arpía).

Los ojos cerrados y la postura indican que el chamán probablemente está en trance.

Las comisuras de los labios hacia abajo son uno de los estilemas típicos del arte olmeca, un elemento pardiantropo que aparece a menudo en las figuras olmecas de hombres y deidades.

La piel que lleva puesta el chamán es uno de los elementos esenciales del ritual e indica que el álter ego en que se transforma está asociado al llamado Dragón Olmeca *—en parte jaguar, en parte cocodrilo, en parte águila, que domina los tres niveles del cosmos—, representado con el criterio de la* pars pro toto.

▲ **Chamán con la piel de un** animal mítico, quizá el llamado *Dragón Olmeca*, cultura olmeca, período preclásico, Museo Nacional de Antropología, Ciudad de México.

Este cactus, típico de las regiones áridas, se utilizaba sobre todo en el norte de Mesoamérica.

«Hay unos honguillos en esta tierra que se llaman teonanácatl. *Críanse debaxo del heno en los campos o páramos. Son redondos, y tienen el pie altillo y delgado y redondo. Comidos son de mal sabor; dañan la garganta y emborrachan. Son medicinales contra las calenturas y la gota. Hanse de comer dos o tres, no más. Los que los comen ven visiones y sienten vascas del coraçón, y ven visiones a las vezes espantables y a las vezes de risa. A los que comen muchos de ellos provocan a luxuria» (Bernardino de Sahagún).*

▲ Vasija con doble fila de peyotes (*Lophophora williamsii*), cultura colimense, Comala, período protoclásico-clásico, Museo Nacional de Antropología, Ciudad de México.

▲ Hongos alucinógenos (*Stropharia cubensis* y *Psilocybe spp.*), *Códice florentino*, 283r, siglo XVI, Biblioteca Medicea Laurenziana, Florencia.

«Sacerdotes, yo os pregunto: ¿de dónde vienen las flores que embriagan al hombre, el canto que embriaga, el suave canto?» (poema azteca)

Sacerdotes

Profundización
Los sacerdotes están presentes en todas las sociedades estatales mesoamericanas. Los aztecas los llaman *teopixqui* (los que sirven al dios); los zapotecas, *pixana*, los mixtecas, *yahui* y los mayas, *ajk'uhunn*

Como en todas las sociedades premodernas cuya religión no era un hecho privado sino un rasgo cultural omnipresente y omnicomprensivo, en Mesoamérica los sacerdotes no solo eran especialistas del culto y representaban a la comunidad ante los dioses y a estos ante la comunidad, sino que también eran quienes, directa o indirectamente, custodiaban el saber. Probablemente fueron los inventores de la escritura y el calendario, y eran los encargados de interpretarlo para saber cuáles eran los días propicios a cada empresa. Uno de sus cometidos era escrutar los movimientos de los astros para saber cuándo había que hacer los rituales agrícolas; también se encargaban de recoger e interpretar los hechos históricos para transformarlos en la memoria histórica de las distintas etnias, educar a los jóvenes de la nobleza y transmitirles el arte del gobierno del Estado. Dada la dimensión totalizadora de la religión, no es de extrañar que los sacerdotes trataran de ocupar una posición hegemónica frente a los monarcas y oligarcas, ya fuera porque los reyes, en algunas ceremonias, también tenían una función sacerdotal, o porque el *cursus honorum* de los miembros de la realeza, al parecer, permitía con cierta frecuencia el paso de las funciones específicamente sacerdotales a las «civiles» y militares.

► Sacerdote rodeado por una serpiente de cascabel con cresta y las fauces abiertas, monumento 19, La Venta, cultura olmeca, periodo preclásico, Museo Nacional de Antropología, Ciudad de México.

▲ Sacerdote de Cocijo (Relámpago), el dios de la Lluvia de los zapotecas, cultura zapoteca, período clásico, Museo de las Culturas, Oaxaca.

Cuchillo de pedernal o de obsidiana, que ensarta el corazón de un sacrificado del que caen tres gotas de sangre.

El glifo de la palabra, que en este caso representa una oración o un canto ritual.

Gran tocado con plumas de quetzal y de guacamayo (?) (las rojas).

Adorno dorsal con plumas de quetzal y de guacamayo (?) (las rojas).

▲ Trípode estucado y decorado con la imagen de un sacerdote de la Gran Deidad, cultura Teotihuacán, período clásico, Museo Nacional de Antropología, Ciudad de México.

Símbolos de la «piedra preciada» (chalchihuitl) *y del agua.*

«Nanahuatl] esforçóse y cerrando los ojos arremetió y echóse en el fuego, y luego començó a rechinar y respendar en el fuego, como quien se asa» (Bernardino de Sahagún)

Autosacrificio

En las culturas mesoamericanas, para evitar el colapso del cosmos, el hombre debía ofrecer continuamente lo más preciado que tenía. A veces se pedía la vida, aunque normalmente bastaba con la sangre. A pesar de que en los tiempos aurorales de la creación algunos dioses o héroes culturales habían ofrecido su vida, a los hombres no se les exigía el sacrificio supremo: bastaba con el de un prisionero o un esclavo. Sin embargo, la ofrenda de la propia sangre no se podía delegar, y los nobles, de acuerdo con la ética religiosa de las sociedades antiguas, no solo no estaban exentos de este sacrificio sino que debían hacerlo con mayor frecuencia que el pueblo, porque el equilibrio del cosmos dependía de sus sacrificios y autosacrificios. En el ámbito de Mesoamérica había varias clases de autosacrificio. Los reyes mayas debían herirse el pene con púas de raya o punzones de piedra, y los reyes y guerreros aztecas debían perforarse las orejas, la lengua, las rodillas o los codos con púas de maguey o de hueso que luego se clavaban en la *zacatapayolli*, una bola de paja especial. La ofrenda no podía ser simbólica, sino que la sangre debía manar copiosamente. Algunos especialistas creen que ciertas formas de autosacrificio especialmente sangrientas y dolorosas producían un estado alterado de conciencia.

Profundización
Los principales rituales de autosacrificio de los reyes tenían lugar durante las coronaciones de un nuevo soberano, al final de algún ciclo temporal importante o cuando se evocaba a los dioses o los antepasados. El autosacrificio de los sacerdotes era mucho más frecuente y estaba asociado a las actividades normales del culto establecidas por el calendario ritual

◄ Un sacerdote, identificado por la tira de cuero que le ata la coleta, se atraviesa la lengua, *Códice tellerianus-remensis*, 9r, siglo XVI, Bibliothèque Nationale, París.

El texto dice así: «El día 5 Eb', 15 Mak [22 de octubre de 709] esta es la imagen del sacrificio con la lanza ardiente, hecho por Escudo Jaguar II».

La «lanza ardiente» que sostiene Escudo Jaguar II en realidad es una antorcha larga de pino.

Nombre y título de Tiburón con Manos.

Con una línea delicada y elegante, el artista ha firmado su obra con su nombre, Aj Chahkil Aj Ho'l.

La reina Tiburón con Manos se pasa a través de la lengua una cuerda espinosa en un ritual de autosacrificio que servía para entrar en trance.

▲ Maestro Aj Chahkil Aj Ho'l, dintel 24, autosacrificio de la reina Tiburón con Manos, Yaxchilán, cultura maya, período clásico, British Museum, Londres.

«Con sonajeros de niebla / le llevan al Tlalocán»
(poema azteca)

Sacrificios para la lluvia

Entre los aztecas, los sacrificios a las deidades de la lluvia empezaban a mediados de la estación seca, seguían en el mes de *atlcahualo*, que en 1519 empezaba el 14 de febrero (debido a la falta de bisiestos, los calendarios precolombinos se adelantan un día cada cuatro años, de modo que, para saber en qué estación cae un mes, hay que saber el año) y culminaban el 26 de marzo, fiesta de Tláloc, el dios de la Lluvia. Era el momento en que la estación seca se acercaba a su culminación, cuando más se sentía la necesidad de agua para dar comienzo a una nueva estación agrícola. Cuando empezaba la estación de las lluvias, para que fueran copiosas, se hacían más sacrificios en honor a Chalchiuhtlicue, la diosa de las aguas terrestres, que terminaban con una procesión de canoas hacia un remolino que había en medio del lago, donde se arrojaban los corazones de los sacrificados y otras ofrendas. En estos rituales se mataba a prisioneros y a niños, a los segundos sobre todo para las ceremonias de *atlcahualo* y de la fiesta de Tláloc. Cuenta Bernardino de Sahagún que en estas ocasiones los sacerdotes les «compraban» a las madres los niños de pecho y, después de ponerles ricos atavíos, los llevaban en unas literas adornadas con plumajes y flores hasta las cumbres de los montes destinados al culto de los dioses de la lluvia. Si durante el viaje los niños lloraban mucho, se consideraba un pronóstico de lluvias abundantes.

Profundización
Los sacrificios de los niños a los dioses de la lluvia son un rasgo cultural que parece constante en la historia de Mesoamérica. No está claro si en todos los casos —como está documentado arqueológicamente en Tlatelolco y Tenochtitlán— los niños sacrificados padecían graves enfermedades y tenían pocas posibilidades de sobrevivir

Voces relacionadas
Dioses de la lluvia

◄ Unos personajes con niños gesticulantes, quizá destinados al sacrificio, altar 5, La Venta, cultura olmeca, período preclásico, Parque Museo La Venta, Villahermosa.

Los sacerdotes, de pie en las canoas, hacen sonar unas caracolas.

Al final de la fiesta en honor a Chalchiuhtlicue, tiran los corazones de los sacrificados y las ofrendas de papel, plumas y chalchihuitl *(jade y piedras verdes, símbolos de la «piedra preciada») a un remolino de la laguna de Texcoco llamado Pantitlán.*

La olla con los corazones de los sacrificados. Solía estar pintada de azul, el color de los dioses del agua, pero el dibujante lo ha pasado por alto.

Un sacerdote quema con un incensario las ofrendas de papel antes de tirar el incensario y las ofrendas al remolino. Es el momento final del rito, pero el dibujante ha concentrado momentos distintos en una sola imagen.

Los remos usados para llegar hasta Pantitlán estaban pintados de azul y salpicados con gotas de hule. También en este caso el dibujante ha olvidado los detalles.

▲ El momento final de la fiesta en honor a Chalchiuhtlicue, *Códice florentino*, I, 99v, siglo XVI, Biblioteca Medicea Laurenziana, Florencia.

«Esta fiesta [del Txocatl] era la principal de todas las fiestas: era como pascua y caía cerca de la pascua de Resurrección» (Bernardino de Sahagún)

Sacrificios a Tezcatlipoca

La fiesta de Tezcatlipoca se celebraba el primer día del *tóxcatl*, quinto mes del año, que en 1519 empezaba el 5 de mayo. El momento culminante de esta fiesta era el sacrificio de un joven guerrero de cuerpo perfecto, escogido un año antes y tratado durante un año con mucha consideración e instruido en cantar y tocar la flauta. También tenía que aprender todos los refinamientos de los nobles: hablar un lenguaje culto, caminar con gracia, fumar y apreciar el perfume de las flores. Cuando caminaba por la calle, todos se inclinaban a su paso porque se lo consideraba *ixiptla*, el representante del dios en la tierra. Un mes antes del sacrificio lo casaban con cuatro muchachas muy hermosas a las que habían puesto los nombres de cuatro diosas. Debía tener «conversación carnal» con ellas todos los días anteriores al sacrificio. Cinco días antes de morir, mientras el emperador, con una especie de contrapaso, se retiraba en su palacio, el representante participaba en bailes y banquetes rituales en los lugares más sagrados de la ciudad, cada día en un barrio distinto. El día de su muerte, lo llevaban a Tlacochcalco, un islote de la laguna, donde había un oratorio. Allí, lejos de la muchedumbre que lo había adorado hasta el día anterior, subía las gradas hasta la piedra del sacrificio mientras rompía las flautas que había tocado en su época de «prosperidad». Una vez llegado a la cima, le arrancaban el corazón y lo ofrecían al sol, y ensartaban su cabeza en el *tzompantli*, la empalizada con las calaveras de los sacrificados.

◄ El representante de Tezcatlipoca, *Códice florentino*, I, 85r, siglo XVI, Biblioteca Medicea Laurenziana, Florencia.

Profundización
Según Sahagún, «esto significaba que los que tienen riquezas y deleites en su vida, al cabo de ella han de venir en pobreza y dolor». La observación seguramente es correcta, porque Tezcatlipoca, entre otras cosas, era el dios omnipotente que se divertía levantando y bajando a los hombres. No obstante, quizá había otros significados, teológicos o de otro tipo, que aún no se han podido descifrar

Voces relacionadas
Tezcatlipoca

Los glifos de las palabras. Los instructores están enseñando al representante el lenguaje palaciego.

Al representante le ofrecen comida y bebida, pero no puede engordar.

Uno de los instructores del representante.

El representante está dibujado más alto que los instructores porque representa al dios. Su cuerpo debe ser hermoso y bien proporcionado; su piel, sin tachas ni cicatrices.

▲ Preparación del prisionero elegido como representante de Tezcatlipoca, *Códice florentino*, I, 85r, siglo XVI, Biblioteca Medicea Laurenziana, Florencia.

Uno de los instructores da explicaciones al representante, seguramente le está enseñando a tocar la flauta.

El representante aprende a tocar la flauta.

El otro instructor muestra al representante cómo se toca la flauta.

▲ Prosigue la preparación del representante de Tezcatlipoca, *Códice florentino*, I, 85r, siglo XVI, Biblioteca Medicea Laurenziana, Florencia.

Todos muestran reverencia al paso del representante. En primer plano se ven dos nobles, los que llevan la corona-diadema.

El aztaxelli, *tocado bipartito hecho con plumas de garza, oro y piel de conejo. Aquí el dibujante ha pintado las plumas blancas de garza como si fuesen plumas verdes de quetzal.*

El tlachialoni, *uno de los símbolos de Tezcatlipoca y de Xiuhtecuhtli.*

Las cuatro esposas del representante.

En el Códice Florentino *no hay nada parecido a la especie de «mono» que viste el representante. No está claro si el dibujante tenía sus propias informaciones o dio rienda suelta a su imaginación, atribuyendo a la imagen de Tezcatlipoca un traje demasiado parecido al de de Xipe Tótec y sus sacerdotes.*

▲ El representante por las calles de Tenochtitlán en los días previos al sacrificio, *Códice florentino*, I, 84v, siglo XVI, Biblioteca Medicea Laurenziana, Florencia.

«Ha bajado aquí la muerte florida, / se acerca ya aquí, / en la Región del color rojo la inventaron / quienes antes estuvieron con nosotros» (Axayácatl)

Sacrificio gladiatorio

Cuenta Durán que el inventor del sacrificio gladiatorio fue Tlacaélel, quien, para celebrar la victoria sobre los huaxtecas, mandó tallar una *temalacatl*, una gran «rueda de piedra» que debía ensalzar las virtudes guerreras de los mexicas. Era casi idéntica a los *cuauhxicalli* que se conocen como *piedras de Motecuhzoma Ilhuicamina* y *de Tízoc*. La única diferencia era el orificio del centro, por el que se pasaba una cuerda que se ataba al tobillo del prisionero, limitando sus movimientos. La víctima, durante el sacrificio gladiatorio, después de beber pulque con sustancias psicotrópicas, se subía a la *temalacatl* armada con una rodela, varias bolas de madera y una *macuahuitl* (espada azteca) con plumas en vez de cuchillas de obsidiana. Desde allí debía pelear con uno o varios guerreros mexicas bien armados. En cuanto herían al prisionero, entraban en escena los sacerdotes, que lo tendían boca arriba en la *temalacatl* y le arrancaban el corazón. Luego desollaban el cadáver y le entregaban la piel a quien lo había capturado, o bien se la enfundaban unos sacerdotes de Xipe Tótec durante un mes (recuérdese que en Mesoamérica los meses eran de 20 días). A pesar de la vertiente que podríamos llamar «deportiva», no era un pasatiempo cruento, sino un ritual religioso. No obstante, por su espectacularidad, se celebraba delante de una multitud de todas las clases sociales.

Profundización
Aunque el ritual del sacrificio gladiatorio también podía celebrarse en muy variadas ocasiones, era uno de los momentos culminantes de la fiesta en honor a Xipe Tótec (Nuestro Señor el Desollado). Esta fiesta caía al principio del segundo mes del año, que en 1519 empezaba el 6 de marzo

▼ *Temalacatl* con motivo solar, cultura azteca, período posclásico, Museo Nacional de Antropología, Ciudad de México.

Dos mercaderes sentados en escabeles de estera asisten al sacrificio gladiatorio.

Un sacrificio gladiatorio durante una fiesta de mercaderes. Según los cronistas, algunos prisioneros se negaban a combatir en un duelo tan desigual, mientras que otros conseguían ponérselo difícil a sus adversarios. Cuentan que un guerrero tlaxcalteca, Tlahuicole, mató a ocho enemigos e hirió a veinte antes de sucumbir.

El prisionero con su macuahuitl *(espada azteca) sin cuchillas de obsidiana. El dibujante ha olvidado la cuerda atada al tobillo.*

Dos guerreros jaguar, un guerrero águila y un guerrero coyote (?). Todos ellos blanden una macuahuitl *(espada azteca) con cuchillas de obsidiana.*

▲ Sacrificio gladiatorio, *Códice florentino*, II, 315r, siglo XVI, Biblioteca Medicea Laurenziana, Florencia.

La piedra del sacrificio gladiatorio, la temalacatl.

Dos ciclos que se entrelazan en un solo calendario con un concepto hipercíclico del tiempo.

Calendario

Sorprendentemente, en Mesoamérica se usaba un sistema de calendario completamente distinto de los conocidos en el resto del mundo. Se basaba en la interacción de dos ciclos: el año solar de 365 días sin bisiesto y el calendario ritual de 260 días, basado en los pasos cenitales del sol en la latitud de Izapa y Copán. Al combinarse, estos ciclos formaban un período de 18.980 (mínimo común múltiplo de 260 y 365) días, es decir, un período de 52 años, que se podría llamar, forzando un poco el concepto, «siglo mesoamericano». Cuando terminaba el «siglo mesoamericano», el calendario empezaba de nuevo con días que se llamaban igual que 52 años antes. Es evidente, pues, que este sistema respondía a un concepto hipercíclico del tiempo. No obstante, aunque el sistema era el mismo en toda Mesoamérica, el modo de llamar a los días y años cambiaba de unas culturas y unas ciudades a otras. Las culturas epiolmecas y, sobre todo, la cultura maya del período clásico añadieron a este calendario la Cuenta Larga (CL), un ciclo larguísimo de 5.125,3658 años, que había empezado a «girar» el 6 de septiembre de 3114 a.C., cuando marcaba 0.0.0.0.0. en un día *4 Ajaw 8 Kumku'*, y que terminará el 21 de diciembre de 2012. Pero no hay nada que temer, el fin del mundo no llegará entonces, porque los mayas ya habían calculado fechas posteriores a esa, que caerá en un insignificante día *4 Ajaw 3 K'ank'in*. En la Cuenta Larga el día se indicaba con cinco números, que indicaban los días, los *uinales* (meses de 20 días), los *tunes* (años de 360 días), los *katunes* (períodos de 20 *tun*) y los *baktunes* (períodos de 20 *katunes*).

Profundización
Dada nuestra idea lineal del tiempo, puede parecernos extraño y complicado un calendario sin año bisiesto, basado en la combinación de otros dos calendarios, pero a los pueblos mesoamericanos les parecía un sistema maravillosamente armonioso, porque lograba combinar fenómenos astronómicos (el año solar y el paso cenital del sol) con los números (4, 5, 13, 18, 20) que eran la base de su medida del tiempo

◄ Placa de Leiden. De arriba abajo, después del glifo introductor, aparecen las fechas 8 14 3 1 12 (CL) y 1 *Eb 0 Yaxchin* (CR) (14.9.320); cultura maya, período clásico, Rijkmuseum voor Volkenkunde, Leiden.

Los emperadores Tízoc y Ahuítzotl, durante un rito de sacrificio celebrado el día 7 Caña *del año* 8 Caña, *el 2 de abril de 1487 o el 18 de diciembre de 1487, fecha esta última cercana al solsticio de invierno y, por lo tanto, más probable. Es casi seguro que los dos emperadores no participaron conjuntamente en el ritual representado. La piedra reúne dos sacrificios separados por varios años. El primero tuvo lugar al principio de las labores; el segundo, en la consagración del* teocalli.

El glifo del día 7 Caña.

Ahuítzotl participa con Tízoc en el sacrificio. Detrás de su cabeza está el glifo de su nombre.

Tízoc, con la bolsa de copal de los sacerdotes, se perfora una oreja con un punzón de hueso. La sangre cae en un brasero humeante y luego en las fauces de Tlaltecuhtli. Detrás de su cabeza está el glifo de su nombre.

La zacatapayolli, *bola de paja erizada de púas de hueso.*

El glifo del año 8 Caña. *En la iconografía mexica, los glifos de los años se distinguen de los de los días en que siempre están dentro de un marco cuadrado.*

▲ Piedra de la Consagración labrada para celebrar una ampliación del templo Mayor; cultura mexica, período posclásico, Museo Nacional de Antropología, Ciudad de México.

El primer día del calendario ritual: 1 Cipactli *(*1 Cocodrilo*).*

Cada renglón presenta los días de la trecena, el ciclo más importante del calendario ritual.

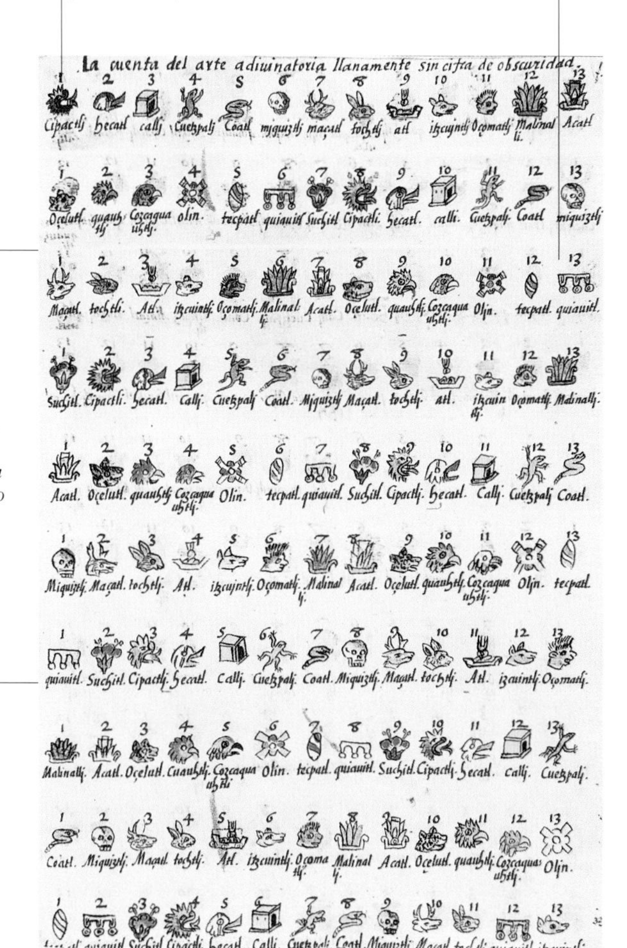

Al final del cuarto libro de la Historia General, *dedicado a la «astrología judiciaria» y al «arte de adivinar» (es decir, al* tonalpouhalli, *cómputo del destino, el calendario ritual de 260 días), Bernardino de Sahagún confecciona una tabla sintética donde la serie de los días progresa linealmente de un renglón a otro; es un instrumento excelente para mostrar a los profanos cómo se suceden los días del calendario ritual.*

Como puede verse fácilmente, el calendario ritual está formado por la combinación de los primeros 13 números con los 20 signos del día.

▲ Los primeros 130 días del calendario ritual, *Códice florentino*, I, 329r, siglo xvi, Biblioteca Medicea Laurenziana, Florencia.

«En el segundo año, después del diluvio, Tezcatlipoca quiso hacer fiesta a los dioses y para eso sacó lumbre de los palos» (Historia de los Mexicanos por sus Pinturas)

Fiesta del Fuego Nuevo

Profundización
La Fiesta del Fuego Nuevo se celebraba en los años *2 Canna* del calendario de Tenochtitlán. Curiosamente, el nuevo siglo empezaba con un numeral 2 en vez de 1, como hubiera podido esperarse. Sin embargo, esto probablemente se debía a que se quería insistir en lo acaecido en los momentos aurorales de la creación, cuando Tezcatlipoca había encendido el primer fuego del cosmos, en el año *2 Canna*

Mientras que en la noción europea del tiempo, el día 9 de noviembre de 1519, por ejemplo, es irrepetible, en la azteca la combinación *9 Quecholli 8 Viento*, que representaba el mismo día, respectivamente, en el calendario solar y en el ritual, se repetía cada 52 años. Obviamente el final de este ciclo, de lo que hemos llamado el «siglo mesoamericano», era un acontecimiento muy importante para gran parte de los pueblos de Mesoamérica. Los mexicas concedían especial importancia a esta fecha y la celebraban con la ceremonia del Fuego Nuevo o Atado de Años. Antes de la ceremonia, en todas las casas de Tenochtitlán se apagaban los fogones y se echaban al agua de la laguna las imágenes de los dioses tutelares de la casa y las piedras que servían para cocinar. Luego, al anochecer, una procesión solemne, en la que probablemente participaba el propio *tlatoani*, subía al cerro de Huixachitlán (Lugar de las Acacias, hoy Cerro de la Estrella), donde a medianoche se encendía ritualmente el primer fuego del nuevo «siglo mesoamericano».

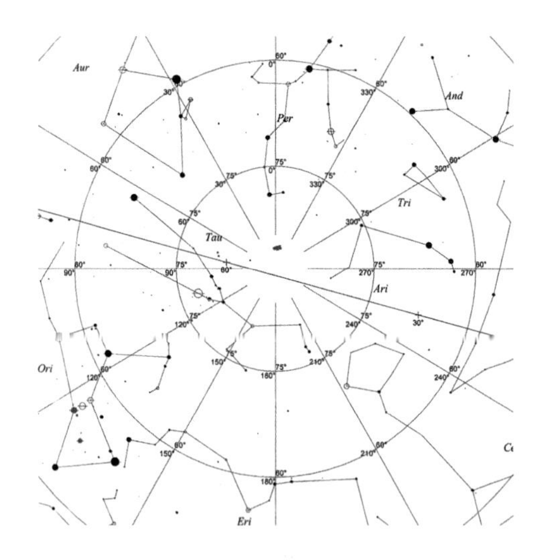

► El cielo sobre Tenochtitlán a las 20.57 del 26 de diciembre de 1507. Las Pléyades están en el cénit, la espada y el cinto de Orión representan los palos usados por Tezcatlipoca para encender el primer fuego.

En recuerdo de las ceremonias del Atado de Años, los mexicas esculpían estas piezas, los xiuhmolpilli *(atados de años), unos haces de 52 cañas que representaban el ciclo de 52 años recién terminado.*

Los mexicas creían que el momento del paso de un «siglo mesoamericano» a otro era muy peligroso y por eso, durante la ceremonia del Atado de Años, escrutaban el firmamento con ansiedad. Si a medianoche las Pléyades no habían superado el cénit, era la señal de que se había detenido la rotación de la bóveda celeste y que al día siguiente el sol no saldría, la tierra quedaría envuelta en tinieblas perpetuas y unas terribles criaturas femeninas destruirían a la humanidad.

Este xiuhmolpilli, *con las* 1 Muerte 2 Caña *que podrían referirse a muchos Fuegos Nuevos de la época prehispánica, puede datarse con bastante seguridad cruzando datos estilísticos, de calendario y astronómicos. De todos ellos se deduce que se refiere al último Fuego Nuevo anterior a la conquista, que seguramente no se celebró en la medianoche del 10 de noviembre de 1507, el momento «oficial» del paso cenital de las Pléyades, sino a las 20.57 del 26 de diciembre de 1507.*

▲ *Xiuhmolpilli*, cultura mexica, período posclásico, Museo Nacional de Antropología, Ciudad de México.

El prisionero, sacrificado justo después de encender la primera lumbre.

Las Pléyades han sobrepasado el cénit: el fin del mundo se ha retrasado otros 52 años. Un sacerdote prende la primera lumbre del «siglo mesoamericano» haciendo girar rápidamente con las manos una varilla (que en el dibujo parece un palo) sobre una madera muy seca puesta en el pecho del prisionero.

Los ayudantes del sacerdote inmovilizan a la víctima sujetándola de pies y manos.

Otro sacerdote sostiene una tea de madera de pino para encender la gran hoguera en el Cerro de la Estrella, que tiene que verse desde Tenochtitlán. Justo después, unos veloces corredores con teas encendidas llevan el Fuego Nuevo a la capital.

▲ El momento culminante de la ceremonia de la Fiesta del Fuego Nuevo, *Códice florentino*, II, 245v, siglo XVI, Biblioteca Medicea Laurenziana, Florencia.

El glifo del año 2 Caña. Al lado, el glifo del mes, el templo Mayor y Huitzilopochtli.

El glifo que indica genéricamente el Lugar del Fuego Nuevo. Al lado, el glifo de la acacia.

Los sacerdotes de los otros templos de Tenochtitlán han venido a tomar el Fuego Nuevo con antorchas de palos atados como las cañas de los xiuhmolpilli.

El Tlillan Calmécac (Calmécac Negro). Bernardino de Sahagún dice de esta construcción: «Era un oratorio hecho a honra de la diosa Cioacóatl; en este edificio habitavan tres sátrapas que servían a esta diosa, la cual visiblemente les aparescía».

Cuatro sacerdotes del dios de la Noche, patrono del cinturón y la espada de Orión, la constelación que usó Tezcatlipoca para encender el primer Fuego Nuevo.

Los glifos de los verbos de movimiento que indican el recorrido de las antorchas del Fuego Nuevo.

Una instantánea de los momentos anteriores al encendido del Fuego Nuevo. La población espera angustiosa en sus casas con máscaras de hojas de maguey. En los silos de maíz encierran a las mujeres embarazadas porque pueden convertirse en monstruos. Los hombres con «espadas» están listos para enfrentarse con los monstruos.

▲ Llegada del Fuego Nuevo al templo de Cihuacóatl, en Tenochtitlán, *Códice borbonicus*, 34, siglo xvi, Bibliothèque Nationale, París.

«¿En qué tierra del mundo ha habido ni hay que con tanta reverencia y acatamiento y temor tratasen los sacerdotes y ministros de sus dioses?» (Diego Durán)

Fiestas

Profundización
En Tenochtitlán las fiestas jalonaban las divisiones del calendario solar y, sobre todo, las del calendario ritual, que, más allá de su naturaleza religiosa común, tenían funciones bastante diferentes. En algunos casos las fiestas eran ritos de identidad, en otros marcaban el ciclo de las labores agrícolas, y en otros eran complejos ritos de paso

En unas culturas donde la religión era el fundamento de la vida social, las fiestas no tenían más función que la de alabar a los dioses que protegían a la comunidad y aseguraban su supervivencia. No obstante, que las fiestas fuesen exclusivamente religiosas no significa que se tratase de manifestaciones austeras de multitudes beatas. Por supuesto, nunca sabremos «por experiencia directa» cómo se vivían emotivamente ni si en ellas prevalecía, por decirlo en términos de Ruth Benedit, un espíritu apolíneo o dionisíaco. Pero al observar la realidad que conocemos mejor, la de la sociedad urbana mexica, vemos no solo unas fiestas muy frecuentes (¿acaso Tenochtitlán, como la antigua Roma, era una sociedad del espectáculo anticipada?), sino también unas explosiones de rituales, bailes y cantos en los que la sangre de los sacrificados, que corría por las gradas de los templos, se diluía en los vivos colores de las pirámides y de los cientos de estandartes multicolores que ondeaban en el cielo; en los que la rigidez de los ritos se transformaba en un extraordinario teatro barroco; en los que los gestos que reproducían el comportamiento de los dioses estaban sublimados por un juego refinadísimo de metáforas; en los que un paisaje jalonado por imponentes esculturas de piedra se adornaba con la ligereza de las coloridas decoraciones de papel y plumas; unas fiestas que no alcanzaban la dimensión bulliciosa de un carnaval, pero donde lo horrible y lo sublime (según nuestros parámetros, inevitablemente etnocráticos) se fundían en un acontecimiento completamente distinto.

► Escena anecdótica de una fiesta con un ritual de trepar a un alto poste, cultura Ixtlán del Río, período protoclásico-clásico, Yale University Art Gallery, New Haven.

Los edificios del pequeño centro ceremonial se sitúan en los puntos cardinales.

Templo troncocónico típico de las culturas de México occidental; en el centro había un poste alto, como el de la página anterior.

Aunque hace ya tiempo se comprendió que el arte de México occidental es sustancialmente ritual, piezas como esta parecen excepciones que muestran una escena de la vida cotidiana.

En total hay tres perros y 45 personas, ninguna de las cuales mira hacia el templo troncocónico. El hecho de que entre la muchedumbre haya mujeres que ofrecen comida y un grupo de músicos, así como el carácter colectivo de la celebración, hace pensar que se representa el momento anterior o posterior al ritual que tiene lugar en el templo.

▲ Escena anecdótica que representa una fiesta en un pueblo de México occidental, cultura Ixtlán del Río, período protoclásico-clásico, colección privada.

La fiesta de Xocol Huetzi, el décimo mes del año, que en 1519 empezaba el 13 de agosto. Se celebraba la maduración del maíz. Además, como se había llegado a la mitad de los 20 meses del calendario del año solar, se hacían sacrificios a Xiuhtecuhtli, que también era el dios del Año y en este caso se superponía a Otontecuhtli, el dios étnico de los otomíes.

El poste levantado para la fiesta no solo representa, como siempre, el árbol cósmico, sino también, en este caso, el árbol de la vida. Está decorado con banderas de papel y penachos de plumas y en lo alto tiene un pequeño tronco transversal con una figura de Xiuhtecuhtli-Otontecuhtli hecha con semillas de amaranto, tres grandes tamales, un escudo, propulsores y dardos.

Una fila de jóvenes bailan alrededor del poste. Los mayores guían al grupo.

Un músico toca el tambor vertical.

▲ Fiesta de Xocol Huetzi, con la que se celebraba la maduración del maíz, *Códice borbonicus*, 28, siglo XVI, Bibliothèque Nationale, París.

La fiesta de Izcalli *empezaba el décimo día del mes, que en 1519 caía el 30 de enero.*

Todos se invitan mutuamente a sus casas, donde han preparado tamales que deben comerse el mismo día.

Cada cuatro años, la fiesta se celebra de un modo especial. Entre otras cosas, se perforan las orejas de los niños nacidos en ese año y en los tres años anteriores. Antes de la fiesta, los padres intercambian regalos con los padrinos y las madrinas que deben acompañar a los niños en la perforación.

Los lóbulos de las orejas se perforan con punzones de hueso.

Tras la perforación, se celebra un banquete con los padrinos y las madrinas. El pulque pasa de boca en boca: es la única ocasión en que está permitido beberlo.

▲ Varios momentos de la fiesta del *Izcalli*, último mes del año. *Códice florentino*, I, 158r, 158v, 159r, siglo XVI, Biblioteca Medicea Laurenziana, Florencia.

«Muchas veces he visto jugar este juego, [pero] era vello agora a lo que en su infidelidad solía ser como difiere lo vivo á lo pintado» (Diego Durán)

Juego de pelota

Profundización
Lo único que se sabe de las reglas del juego durante el período posclásico es que la pelota no debía tocar el suelo ni salir del campo de juego. En los rarísimos casos en que un equipo lograba hacer que la pelota pasara por los anillos suspendidos sobre el campo, ganaba el partido y al capitán del equipo perdedor le cortaban la cabeza

El juego de pelota o *ulama* (del náhuatl *ullamaliztli*, juego con pelota de hule o caucho) es una de las manifestaciones religiosas más importantes y significativas de Mesoamérica. Se jugaba en espacios abiertos o en los *tlachtli*, unas estructuras alargadas en forma de I, delimitadas por muros bajos o grandes construcciones con paredes inclinadas o verticales donde a partir del epiclásico se insertaban unos anillos. Era la repetición de acontecimientos de los mitos cosmogónicos cuyos protagonistas eran los héroes culturales y los propios dioses. Para los mayas, la derrota de los dioses del inframundo había comenzado con una serie de partidos de *ulama*. Para los aztecas, Huitzilopochtli había matado en un *tlachtli* a Coyolxauhqui y había hecho brotar el agua que había dado fertilidad a un lugar semiárido como Tula. El *ulama* estaba asociado al agua y la fertilidad de la tierra. No es descabellado suponer que la pelota en movimiento también representaba el movimiento de los cuerpos celestes pues de estos movimientos, y de la posición del sol, dependían las lluvias cenitales. Con el tiempo, el *ulama* fue volviéndose más profano y hedonista, y ya en vísperas de la conquista, según cuentan las crónicas, las partidas congregaban a una afición apasionada que hacía apuestas.

► En 1528, cuando Cortés volvió a España, se llevó consigo varios jugadores de *ulama*, que hicieron una exhibición en Toledo ante Carlos V. Christoph Weiditz, *Trachtenbuuch 10-11*, Germanisches National Museum, Núremberg.

K'ahk' Yipyaj Chan K'awiil construyó todo el complejo.

La estela 2 y el altar L. El segundo se construyó durante el reinado del último monarca de Copán, Ukit Took, en 822. La estela 2, en cambio, fue erigida por Humo Jaguar en la época de máximo esplendor de la ciudad.

El templo erigido en el lado oeste del Tlachtli *A III.*

Como el resto de los tlachtli *del período clásico, el* Tlachtli *A III carece de anillos y tiene paredes oblicuas en las que rebotaba la pelota.*

Una de las espléndidas cabezas de guacamayo que, con los marcadores colocados en el terreno, señalan la mitad del campo.

▲ *Tlachtli* A III, cultura maya, período clásico, Copán.

Un marcador del juego de ulama, *considerado una obra maestra del arte precolombino por la armonía de la composición y la nitidez de las líneas de la figura y los glifos.*

En la inscripción del borde aparecen las fechas 9.7.17.12.14 11 Ix 7 Zotz, *que corresponden al 17 de mayo de 591.*

El dios del Número Cero y del Sacrificio, una de las deidades de Xibalba, juega al ulama golpeando con la cadera la cabeza-pelota de Hunahpu'.

▲ Disco de Chinkultic, cultura maya, período clásico, Museo Nacional de Antropología, Ciudad de México.

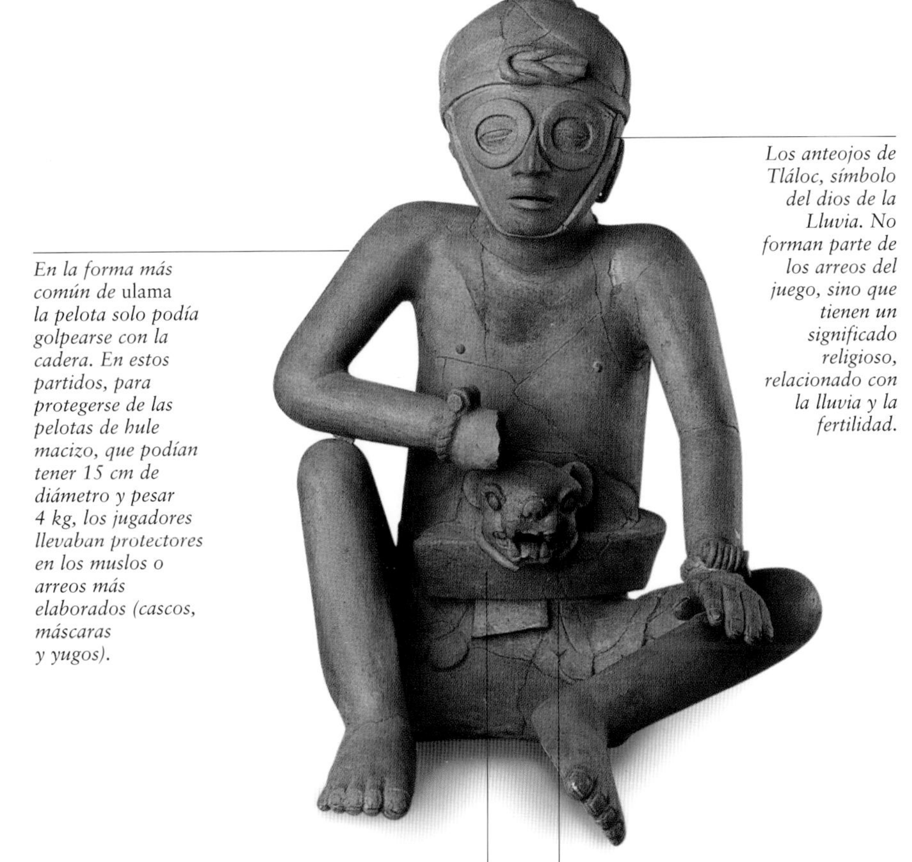

▲ Jugador de *ulama*, cultura Veracruz Remojadas, período clásico, Rijksmuseum voor Volkenkunde, Leiden.

Un momento del ritual posterior al partido: el representante del equipo perdedor es sacrificado. Se trata de un espléndido ejemplo del horror vacui *característico del arte mesoamericano, que alcanza un gran refinamiento en El Tajín.*

Urna sobre el agua, de la que surge un esqueleto con plumas en la calavera. Probablemente representa una deidad asociada al agua y al inframundo.

Tlachtli, *visto en sección. Nótese el perfil de los taludes y las cornisas. En la cancha de juego, dos jugadores están decapitando al «capitán» del equipo perdedor. El de la izquierda lo sujeta por los brazos y el de la derecha blande un gran puñal de pedernal. Se aprecian los yugos con sus hachas (o palmas) que llevan la víctima y los sacrificadores.*

► Tablero 6 del Juego de Pelota Sur, El Tajín, cultura El Tajín, período clásico.

Un dios de la muerte baja de las Fauces del Cielo, abiertas para devorar a la víctima.

Personaje de rango elevado con casco y bastón de mando, sentado en la grada derecha del tlachtli.

En esta variante del ulama *se usaba una pelota de gran tamaño (cerca de un metro de diámetro) que probablemente estaba hecha de piel inflada. El pintor logra transmitir vivacidad y dinamismo, pero es un pésimo escriba, porque los glifos son casi incomprensibles.*

Las rayas horizontales representan las gradas. En este caso, el partido se juega en un tlachtli *con las tradicionales paredes inclinadas, en una cancha delimitada por las escalinatas de dos edificios cercanos o en un* tlachtli *con graderíos.*

▲ Desarrollo de un vaso cilíndrico, cultura maya, período clásico, Saint Louis Art Museum, Saint Louis.

«Se ha bajado», grita un aficionado. Probablemente se refiere a que la pelota ha tocado el suelo.

Los dos espectadores no parecen muy interesados en el partido.

Los jugadores llevan protectores de piel en los muslos, un yugo, una rodillera (generalmente en la pierna derecha) y gorros zoomorfos. Algunos también llevan brazaletes.

Donde se repetían todos los días los acontecimientos de los mitos cosmogónicos; donde, según los cronistas, los dioses se aparecían visiblemente a los reyes y sacerdotes.

Teocalli

Profundización
En Mesoamérica, la orientación de los templos respondía a reglas precisas que los integraban en los centros ceremoniales. Por lo general, el punto de referencia era el sol, tanto en su recorrido celeste como en sus posiciones en el horizonte durante los solsticios y los equinoccios. En la meseta central, los *teocalli* del período posclásico, con forma de pirámide doble, solían orientarse en el eje este-oeste

El paisaje de gran parte de Mesoamérica en vísperas de la conquista estaba jalonado de miles de pirámides truncadas que representaban las montañas de los acontecimientos aurorales de la creación, o el *tonacatépetl*, el cerro mítico que guardaba en su seno las semillas de maíz y de las demás plantas cultivadas, o las montañas que retenían las nubes y proporcionaban lluvia. Significativamente, las ciudades se llamaban *altépetl*, una difrasismo que combina el agua (*atl*) con el cerro (*tépetl*). La construcción de templos con forma piramidal no se debía a limitaciones técnicas, sino a la voluntad de construir *Tlachihualtépetl*, Cerros Hechos por el Hombre, por decirlo con la misma expresión que usaban los pueblos nahuas para referirse a la gran pirámide de Cholula. Al alterar significativamente el paisaje, representaban ante los fieles la fuerza de los dioses, tal como hoy representan la grandeza de las culturas prehispánicas ante los visitantes. Estos cerros artificiales solían tener forma de pirámides truncadas, pero en Cuicuilco, en Occidente y en Huaxteca eran por lo general troncocónicas. En ambos casos estaban formadas por varios cuerpos y siempre tenían uno o varios templos en la cima, los adoratorios, que eran los sanctasanctórum donde se guardaban las imágenes de los dioses. Los sacrificios se hacían delante de ellos.

► El templo troncocónico de Cuicuilco con la rampa de acceso en primer plano, cultura Cuicuilco, período preclásico.

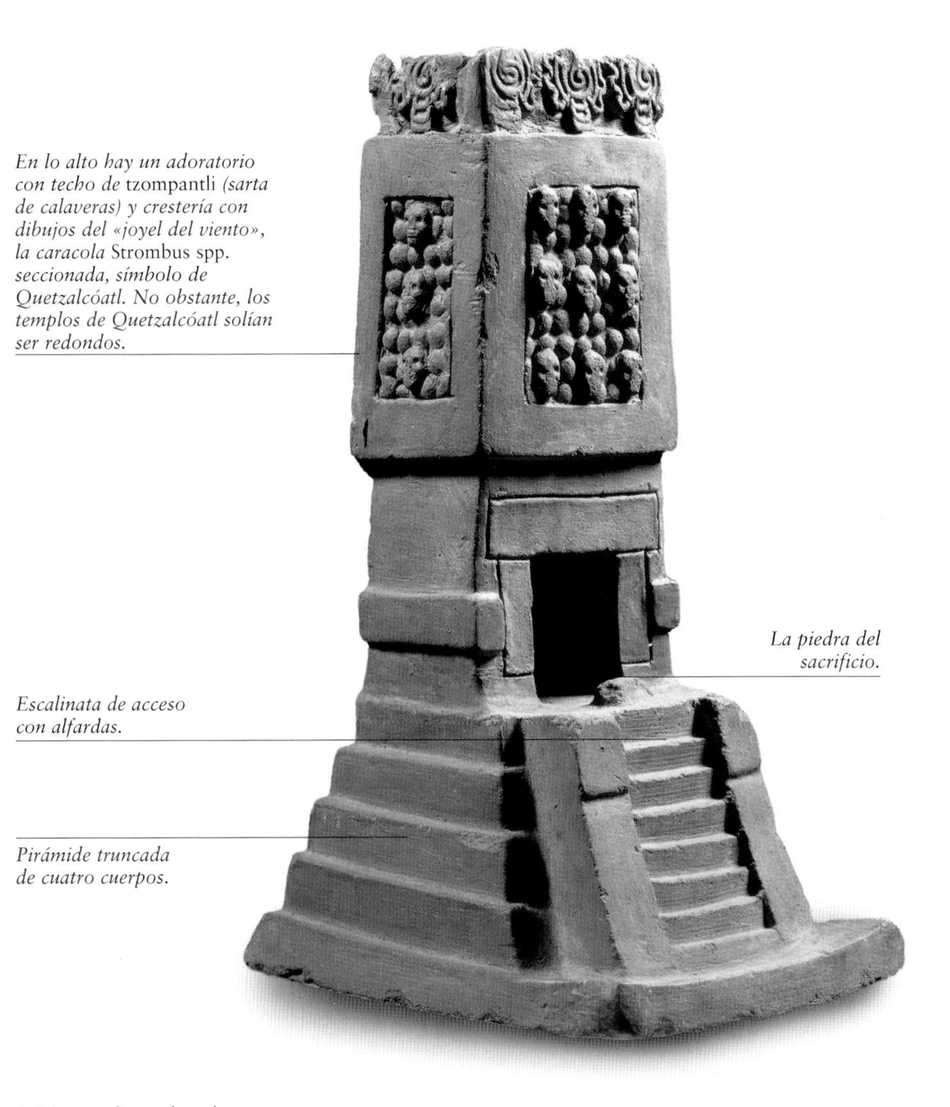

En lo alto hay un adoratorio con techo de tzompantli *(sarta de calaveras) y crestería con dibujos del «joyel del viento», la caracola* Strombus spp. *seccionada, símbolo de Quetzalcóatl. No obstante, los templos de Quetzalcóatl solían ser redondos.*

La piedra del sacrificio.

Escalinata de acceso con alfardas.

Pirámide truncada de cuatro cuerpos.

▲ Maqueta de templo, cultura azteca, período posclásico, Museo Nacional de Antropología, Ciudad de México.

«Vieron erguida el águila sobre el nopal y su nido o lecho todo él de muy variadas plumas preciosas. Les habló el diablo [Huitzilopochtli] y dijo: "Mexicas, me detendré aquí"» (Fernando Alvarado Tezozómoc)

Teocalli de la Guerra Sagrada

Profundización
El glifo de la guerra, *atl tlachinolli*, es uno de los clásicos ejemplos del difrasismo de la lengua y la iconografía azteca. Combinando la consistencia material del agua (*atl*) con el color del fuego (*tlachinolli*), se obtiene un líquido rojo que significa la sangre de los sacrificados. Se representa con una cinta de la guerra terminada en lenguas de fuego, entrelazada con un chorro de agua con corazones humanos y símbolos de la «piedra preciada»

Voces relacionadas
Tenochtitlán

El *Teocalli de la Guerra Sagrada* se descubrió en 1831 entre los cimientos del palacio Nacional, pero hasta 1926 no se desenterró para llevarlo a un museo. Desde entonces no ha dejado de intrigar, por su unicidad enigmática. Aunque algunos creen que es una especie de trono de Motecuhzoma Xocóyotl, se suele considerar una «gran miniatura» de templo, en la que la estilización ha borrado los escalones de la pirámide y el templo de la cima para transformarlos en páginas de piedra cubiertas de orgullo y teología mexica. El monumento, con un complicado lenguaje de símbolos, proclama la centralidad de Tenochtitlán en el cosmos y hace que los glifos y las imágenes propiamente mexicas dialoguen con los símbolos cosmogónicos y escatológicos de las poblaciones náhuatl de la meseta central. El elemento que predomina y unifica sus sintagmas es el glifo de la guerra *atl tlachinolli*, que, significativamente, aparece en el glifo de Tenochtitlán, por detrás del monumento, en las fechas *1 Muerte* y *1 Cuchillo de Pedernal*, que son los nombres en el calendario de Tezcatlipoca y Huitzilopochtli, en las imágenes de los personajes, dioses y hombres, representados. El mensaje es muy sencillo: el dominio mexica es el fin último del Quinto Sol, y la sangre de los sacrificados es el instrumento de este dominio.

► Parte posterior del Teocalli de la Guerra Sagrada. En una roca brota un nopal sobre el que se posa un águila que lleva en el pico el glifo de la guerra; cultura mexica, período posclásico, Museo Nacional de Antropología, Ciudad de México.

El motivo solar con el glifo del Quinto Sol en el centro, flanqueado por Huitzilopochtli y Motecuhzoma Xocóyotl. Ambos llevan un punzón para el autosacrificio, y de sus bocas sale el glifo de la guerra. El pie izquierdo de Huitzilopochtli termina con su arma tradicional, el xiucóatl (serpiente de fuego). Delante de la cabeza de Motecuhzoma Xocóyotl aparece el glifo de su nombre.

La fecha 1 Cuchillo de Pedernal, *uno de los nombres de calendario de Huitzilopochtli, con el espejo humeante de Tezcatlipoca y el glifo de la guerra.*

Tláloc (dios de la Lluvia) y Tlahuizcalpantecuhtli (Venus-Quetzalcóatl como Lucero del Alba), o sacerdotes que los representan. Llevan en la mano el punzón para el autosacrificio, y de sus bocas sale el glifo de la guerra.

La escalinata del templo. En las alfardas se ven las fechas de los años 1 Conejo *y* 2 Caña. *Mientras que la segunda se refiere claramente a la ceremonia del Fuego Nuevo de 1507, la primera es difícil de interpretar. Podría referirse simplemente al año anterior, 1506, que era un año* 1 Conejo.

▲ Teocalli de la Guerra Sagrada, cultura mexica, período posclásico, Museo Nacional de Antropología, Ciudad de México.

De los incensarios se elevaban oraciones a los dioses: las volutas azuladas y perfumadas del copal y el humo denso y negro del hule quemado que formaba las nubes oscuras de las tormentas.

Incensarios y braseros

Profundización
En los incensarios y braseros se quemaban varios tipos de ofrendas: el copal (*Protium copal, Bursera spp*., etc.), una resina que emana un perfume agradable y penetrante, el papel que había absorbido la sangre de los autosacrificios o tenía manchas de hule líquido, simples bolas de hule (*Castilla elastica, Hevea spp*., etc.) y una serie de pequeñas ofrendas

Las culturas de Mesoamérica, como prueba de su extraordinaria capacidad creativa, habían convertido unos instrumentos de culto tan corrientes como los incensarios y los braseros en un repertorio extraordinario de formas y alusiones simbólicas. La importancia de los braseros nos recuerda el papel central que tenían el fuego y el dios del Fuego en los rituales panmesoamericanos, porque delante de los adoratorios de los templos o en su interior debía haber un fuego perenne, y dejar que se apagara se consideraba una trasgresión gravísima. El fuego encendido constituía una ofrenda al dios. Por lo general, los braseros constaban de un recipiente cónico o cilíndrico, agujereado en la base, que representaba al dios al que se dirigía la ofrenda. Sin embargo, los aztecas también tenían braseros más sencillos. Algunos estaban rematados con hojas de maguey dobladas hacia abajo, y otros tenían refinadas decoraciones geométricas. Los incensarios que movían los sacerdotes durante las ceremonias religiosas tenían forma de cucharones con un mango largo acabado en una semiesfera perforada. Un caso particular entre los mayas eran los braseros de Palenque, en los que la cámara de combustión se apoyaba en un largo cilindro decorado con caras que representaban a las deidades tutelares de la ciudad o a venerables antepasados que hacían de intermediarios con esas deidades.

► Escuela de Mayapán, brasero con figura de Chahk con dos bolas de copal, cultura maya, período posclásico, Museo Nacional de Antropología, Ciudad de México.

Los elementos decorativos («anteojos de Tláloc», penachos de plumas...) están hechos con molde y ensamblados.

Estilización del «pato loco», álter ego acuático de la Gran Deidad.

En Teotihuacán, a pesar de que estos elementos se fabricaban en serie, eran todos distintos, porque se combinaban las piezas para obtener un sinfín de variantes.

La cara de la Gran Deidad de Teotihuacán con nariguera de mariposa.

La estructura de la parte superior, que recuerda el escenario de un teatro y da nombre a este tipo de brasero.

El recipiente para las brasas y la tapa.

▲ Brasero-teatro, cultura Teotihuacán, período clásico, Museo Nacional de Antropología, Ciudad de México.

«El nombre de este sol es 4 Movimiento. *Esta es su señal, la que está aquí, porque el sol cayó en el fuego del brasero divino de Teotihuacán»* (Leyenda de los Soles)

Piedra del Sol

Profundización
«Aquí están las consejuelas de la plática sabia. Mucho tiempo ha sucedió que formó los animales. Se sabe que dio principio a tantas cosas el mismo Sol, hace dos mil quinientos trece años, hoy día 22 de mayo de 1558», *Leyenda de los Soles*

Voces relacionadas
Tenochtitlán

La Piedra del Sol fue tallada en el año *13 Caña* (1479) durante el reinado de Axayácatl, y se cree que estaba colocada junto al templo Mayor. Se descubrió el 17 de diciembre de 1790 en el extremo sudoriental del Zócalo y se colocó delante de la catedral y luego en el cementerio de al lado. Hasta 1885 no se trasladó al Museo Nacional. Representa la edad del Quinto sol, sol *4 Movimiento* (en náhuatl: *Nahui Ollin*), que sucede a las cuatro eras anteriores, terminadas con grandes cataclismos. Tradicionalmente todos los pueblos de Mesoamérica creían que habían habido cuatro creaciones del género humano, pero algunos pueblos nahuas del período posclásico habían añadido una para reivindicar su papel central en la historia. Entre los mexicas, la revisión del mito, con la expansión del imperio, había tomado un cariz cada vez más etnocéntrico y propagandístico, con el Quinto sol como la era del triunfo de Huitzilopochtli, el dios étnico exclusivo de los aztecas, que justamente representaba al sol invicto, al sol en el cénit. Consta de una serie de círculos o bandas concéntricos que se leen de dentro afuera. En el centro está el rostro que representa a la deidad solar, Tonatiuh, aunque algunos creen que en este caso se funde con Tlaltecuhtli, el dios de la tierra. La banda más exterior está formada por unos puntos en fila que representan las estrellas de la Vía Láctea, y más allá del círculo exterior hay otros puntos que también representan constelaciones. En el canto se aprecia una decoración de mariposas y rayos de luz estilizados asociados a Venus.

► El glifo 4 Movimiento en el centro de la Piedra del Sol. Dentro de los cuatro cuadrados en aspa que forman el glifo están las fechas *4 Jaguar*, *4 Viento*, *4 Lluvia* y *4 Agua* (desde arriba a la derecha, en sentido antihorario).

La imagen de Tonatiuh.

Garras de águila, álter ego del sol, con corazones humanos. Los circulillos que están a los lados representan los números de la fecha Nahui Ollin *(*4 Movimiento*).*

Los veinte glifos de los días, colocados en sentido antihorario a partir del glifo Cocodrilo, *en la parte más alta del círculo.*

«[Axayácatl] también estaba ocupado en labrar la piedra famosa y grande, muy labrada, donde estauan esculpidas las figuras de los meses y años, días y semanas, con tanta curiosidad que era cosa de ver, la qual piedra muchos vimos y alcançamos en la plaça grande, junto á la acequia, la qual mandó enterrar el dignísimo arzobispo de México por los grandes delitos que sobre ella se cometían de muertes» (Diego Durán).

El motivo solar de los aztecas, formado por ocho motivos triangulares (cuatro dirigidos a los puntos cardinales, los que tienen rizos en la base, y los otros cuatro, a las posiciones intermedias), que representan los rayos del sol.

Dos Xiuhcóatl (Serpiente de Fuego) enfrentados, de cuyas cabezas, en la parte inferior de la piedra, salen dos caras con la lengua fuera.

▲ Piedra del Sol, cultura mexica, período posclásico, Museo Nacional de Antropología, Ciudad de México.

El documento más impresionante e intrigante del prestigio de los soberanos de las «capitales» del área metropolitana olmeca.

Cabezas colosales

Profundización
Las cabezas colosales halladas hasta hoy son 17: 10 en San Lorenzo, 4 en La Venta, 2 en Tres Zapotes y una en Rancho de Corbata

Voces relacionadas
La Venta

▼ La Cabeza Colosal 1 de Tres Zapotes in situ junto a su descubridor, Matthew Stirling, en una foto de los años cuarenta; cultura olmeca, período preclásico.

Entre los elementos arquitectónicos colocados en los centros ceremoniales del área metropolitana de la cultura olmeca, las cabezas colosales son sin duda los monumentos más conocidos. Se supone que representan a reyes olmecas, y con cierto énfasis se subraya que deben considerarse verdaderos retratos. Aunque todas las cabezas colosales son distintas y presentan ciertos rasgos personalizados, las evidentes estilizaciones y las convergencias que las caracterizan desacreditan esta tesis. Parece más razonable pensar que son representaciones estilizadas de los monarcas olmecas, míticos o reales. Recientemente, al observar que detrás de la oreja de la Cabeza 7 (y quizá de la 1 y la 2) de San Lorenzo hay restos de un nicho, se ha pensado que podían haber sido tronos. La variedad de la decoración de los cascos, que parece aludir a los símbolos de la realeza, contrasta con el parecido de las caras. En algunos parecen barras de hematites, en otros tiras de piel, en otros garras. Se tallaron en rocas, sobre todo basalto, traídas de la montaña de Tuxtla, a decenas de kilómetros de los lugares donde se emplazaron. Su transporte (la mayor pesa 20 toneladas) solo fue posible gracias al prestigio político-religioso de las «capitales» del área metropolitana.

Ojos almendrados y párpados marcados, dos rasgos mongoloides típicos.

El interés del arte olmeca por la figura humana se traduce en soluciones formales no muy alejadas de los estilemas de lo que podríamos llamar naturalismo idealizado o, como diría M. A. Asturias, realismo mágico. Esta tendencia es evidente en las cabezas colosales. En las de San Lorenzo, la búsqueda de armonía inscribe las cabezas colosales en un rectángulo formado con la sección áurea.

Las comisuras de los labios hacia abajo, en este caso suavemente, son otro estilema típico del arte olmeca.

La nariz chata y los labios carnosos son el resultado de estilemas artísticos de los escultores olmecas, y no de supuestos contactos con África.

▲ La Cabeza Colosal 1 de San Lorenzo, llamada El Rey, Museo de Antropología, Xalapa.

Vida cotidiana

Nacimiento y «bautismo»
Educación e instrucción
Matrimonio
Juegos y pasatiempos
Alimentación
Muerte
Medicina
Reyes y nobles
Mercaderes
Artesanos, plebeyos, esclavos
Justicia
Música y baile
Guerra
Horóscopo y presagios
Escritura

◄ Guerrero águila, Museo del Templo Mayor, Ciudad de México.

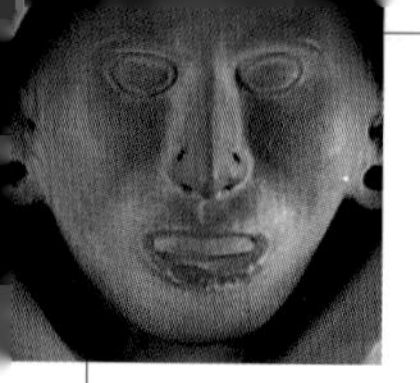

«Oh niño mío, te han hecho de vaciadizo como una cuenta de oro, tu padre y tu madre, Ometecuhtli y Omecihuatl, y juntamente con ellos nuestro hijo Quetzalcóatl» (Bernardino de Sahagún)

Nacimiento y «bautismo»

Profundización
Para los aztecas, el «alma» era un conjunto de tres entidades anímicas distintas, materiales pero muy sutiles. Residía con el dios de la Dualidad, el principio que la había originado, y Quetzalcóatl se la enviaba al niño cuando aún estaba en el vientre de su madre. Así se felicitaba a la mujer embarazada: «Por ventura es verdad que nuestro señor Quetzalcóatl, que es criador y hacedor, os ha hecho esta merced [la preñez]. Por ventura lo ha determinado [el dios de la Dualidad]»

Entre los aztecas, la comadrona asistía a la madre en el parto y cortaba el cordón umbilical del recién nacido invocando a la diosa del agua, Chalchiuhtlicue, al tiempo que advertía al niño sobre las penas y los trabajos que lo aguardaban en la vida. Después del parto colocaban al niño en una cesta, y enseguida se llamaba a un sacerdote que debía hacer el horóscopo del niño, basándose en la influencia de los días del calendario ritual y presumiblemente en la posición del sol y los demás cuerpos celestes.

Si el día no era propicio se podía esperar hasta que se corrigiese la conjunción negativa, y solo entonces se decidía «bautizar» al niño, por usar el término que los cronistas y misioneros no dudaban en emplear a causa de ciertos parecidos de la ceremonia azteca con la cristiana. El día del bautismo preparaban un banquete y llevaban pequeños objetos, que hoy consideraríamos juguetes, que representaban los símbolos de cada sexo: a los varones, un escudo, un arco y cuatro flechas; y a las hembras, husos y útiles para tejer. En las casas ricas estos objetos se hacían también con amaranto. Luego llamaban a la comadrona, que pasaba los dedos mojados por la boca, el pecho y la cabeza del niño y luego lavaba todo su cuerpo. Terminada esta ceremonia, le daba el nombre, explicándole su significado. Entonces los niños del vecindario podían entrar en la casa, tomar los manjares preparados que recibían el nombre de ombligo del niño y salir de la casa gritando su nombre.

► Mujer embarazada, cultura San Sebastián, período posclásico-clásico, Art Institute, Chicago.

Tocado formado por dos elementos: una gran bola negra con plumas de quetzal y un gorro cónico de estilo huaxteco terminado en un penacho de plumas de quetzal.

El «alma» del concebido por el Sitio de la Dualidad entra en el cuerpo de la diosa.

La diosa está pariendo a uno de sus cuatro hijos.

La decoración con medias lunas de los atavíos de la diosa podría aludir a la relación entre la luna, la feminidad y el parto.

▲ Tlazoltéotl parturienta como patrona de la decimotercera 1 Movimiento, *Códice borbonicus*, 13, siglo XVI, Bibliothèque Nationale, París.

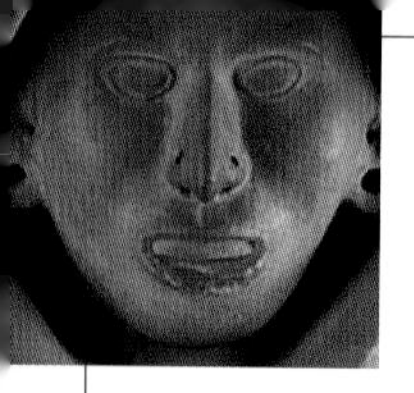

«El calmécac, *casa de lloro y de tristeza, donde los que allí se crían son labrados y agujereados como piedras preciosas, y brotan y florecen como rosas»* (Bernardino de Sahagún)

Educación e instrucción

Profundización
El *calmécac* pretendía de los estudiantes ante todo humildad y obediencia. Por eso los hijos de la nobleza debían barrer el suelo y recoger la basura, levantarse al alba y velar de noche, hacer autosacrificios con púas de maguey, bañarse aunque hiciera frío, comer con moderación y ayunar a menudo

A los jóvenes mexicas de tres a quince años, sus familias les enseñaban a evitar el ocio, ser obedientes y hacer determinadas tareas. A partir de los cuatro años, la educación femenina se separaba de la masculina, orientándose hacia las faenas domésticas y los deberes conyugales. Los castigos corporales eran frecuentes y podían ser bastante crueles. Cuando, al cumplir quince años, los jóvenes iban a la escuela, el rigor disminuía. Los de familia noble acudían al *calmécac* (fila de casas o casa de las cuerdas, donde *cuerda* alude al linaje noble) y los plebeyos al *telpochcalli* (casa de los mancebos). El segundo era una especie de escuela elemental donde los muchachos aprendían sobre todo el arte de la guerra con una severa enseñanza de los *telpuchtlaloque* (maestros de los mancebos). El *calmécac*, en cambio, era una escuela selecta, pero no totalmente vedada a los hijos del pueblo ni a las mujeres. En esta escuela, que también era un templo, los sacerdotes transmitían una enseñanza variada, de la astronomía a la escritura pasando por la estrategia militar, que encaminaba al sacerdocio o a la administración y el mando.

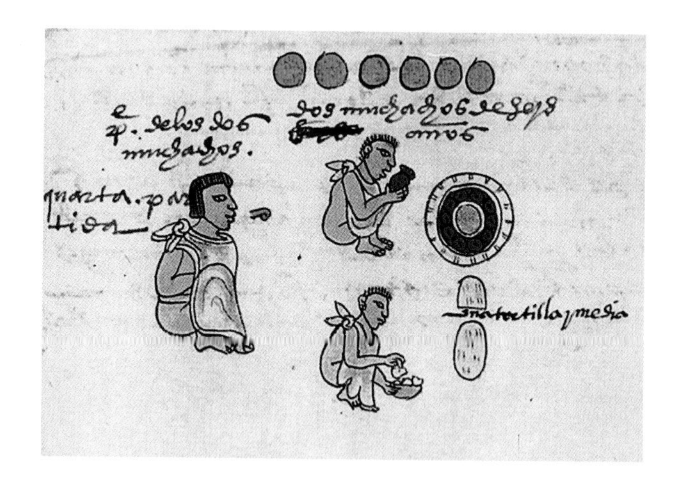

► Los deberes y la alimentación de los muchachos de seis años. Los varones debían recoger maíz y frijoles abandonados en el mercado. La alimentación es de una tortilla y media, *Códice Mendoza*, 58r, siglo XVI, Bodleian Library, Oxford.

Si un muchacho o una muchacha de once años no hacían caso de las reprensiones orales de sus padres, para castigarlos les hacían inhalar el humo de una lumbre con ají picante.

Si un muchacho de doce años no hacía lo que le pedían sus padres, lo ataban de pies y manos y lo dejaban todo el día sobre un suelo mojado. A la muchacha la castigaban levantándola antes del alba y obligándola a barrer la casa y la calle.

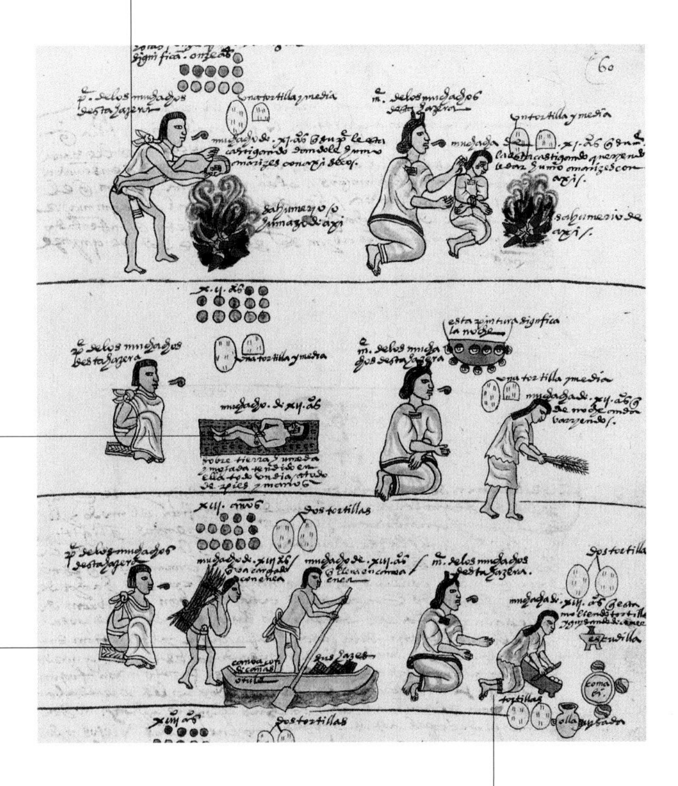

Un muchacho de trece años recoge leña del monte y juncos de la laguna. Su padre le da instrucciones, y sobre él se ven las dos tortillas que le corresponden.

Una muchacha de trece años muele maíz y prepara tortillas.

▲ Los deberes, los castigos y la alimentación de los muchachos de 11 a 13 años, *Códice Mendoza*, 60r, Bodleian Library, Oxford.

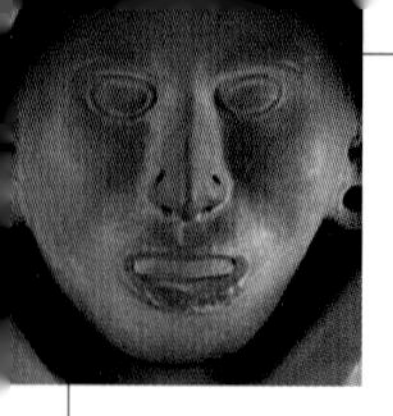

«"Hijo mío, ya eres hombre y parécenos que será bien buscarte mujer con quien te cases" "Tengo en gran merced eso que se me ha dicho, hágase lo que decís"» (Bernardino de Sahagún)

Matrimonio

Profundización
Las austeras normas aztecas sobre la vida matrimonial, unidas a cierta sexofobia y a la censura de la desnudez, podrían sugerir que las transgresiones sexuales se consideraban malas en sí mismas. En realidad estos comportamientos no se castigaban por quebrantar unos principios éticos abstractos, sino sencillamente porque se pensaba que menoscababan la cohesión social y el espíritu guerrero de los hombres

En la sociedad azteca el matrimonio se celebraba después de la puesta del sol. Una matrona llevaba a cuestas a la novia hasta la casa del novio. Los novios se sentaban uno al lado del otro; ella le tomaba la mano derecha, y él a ella, la izquierda. Entonces, después de que las suegras regalasen vestidos, llegaba el momento formal del matrimonio: las casamenteras anudaban los bordes del huipil de la novia y el manto del novio. Esto se hacía en presencia de cuatro testigos, que luego brindaban a los recién casados manjares y consejos sobre la vida conyugal. El matrimonio se consumaba después de cuatro días de oración, y la consumación se celebraba con más fiestas, bailes e intercambios de regalos. La verdadera ceremonia matrimonial solo podía celebrarse una vez y con una sola mujer; pese a todo, la nobleza mexica era, de hecho, polígama. Cabe destacar, sin embargo, que se trataba con mucha consideración a las esposas secundarias y que sus hijos tenían los mismos derechos sucesorios que los de la esposa principal. La familia era netamente patriarcal, aunque la mujer, sobre todo si era noble, tenía importantes derechos: conservaba sus bienes, podía hacer negocios, pedir el divorcio y, en caso de juicio favorable, quedarse con la mitad de los bienes conyugales y obtener la custodia de sus hijos. El adulterio, tanto en el hombre como en la mujer, se castigaba severamente: los amantes y sus cómplices eran ajusticiados.

► Escena (¿anecdótica?) de solidaridad familiar: la esposa, con el niño a la espalda, intenta levantar a su marido desfallecido, cultura Colima Comala, período protoclásico-clásico, Museo Nacional de Antropología, Ciudad de México.

El perímetro de la casa del novio.

Los cuatro ancianos, dos hombres y dos mujeres, que hacen de testigos, después de atar las mantas, dan comida y consejos a los novios. Como todos los viejos, están dispensados de la prohibición de consumir bebidas alcohólicas.

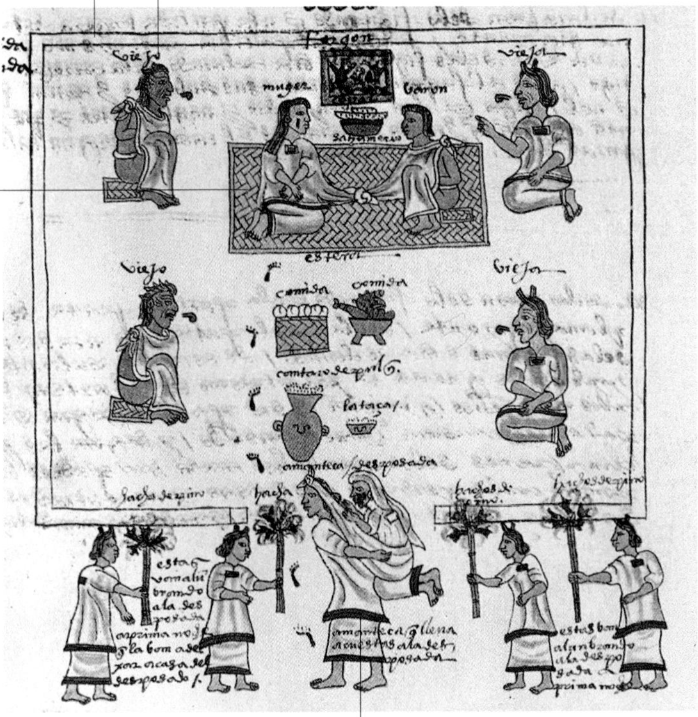

Los novios están sobre una estera de fibras, las mantas están atadas. Frente a ellos hay un cuenco con granos de copal, que se echan al fuego como ofrenda a los dioses.

La matrona lleva a la novia a cuestas. La acompañan las casamenteras, que iluminan el recorrido con teas de madera resinosa de pino.

▲ Escenas de un matrimonio azteca, *Códice Mendoza*, 61r, siglo XVI, Bodleian Library, Oxford.

Los novios están en el palacio Real.

El viejo sacerdote 10 Lluvia con una codorniz y un cuenco.

Los glifos del año 10 Casa *(905) y del día* 2 Águila.

Las señoras 10 Casa y 6 Cuchillo de Pedernal vierten agua desde lo alto de la cueva.

La señora 1 Águila da una manta enrollada a los novios.

La cueva donde los novios toman el baño nupcial. Los glifos de sus nombres están debajo de ellos. A la derecha, fuera de la cueva, los miembros del cortejo nupcial que ha acompañado a la novia.

▲ El matrimonio de 12 Viento Ojo que Humea y 3 Cuchillo de Pedernal, señores de Mixteca, *Códice Nuttall*, 19b, siglo xv, British Museum, Londres.

Todas las grandes esculturas de barro de Occidente se hallaron en las tumbas de pozo que las familias nobles usaron durante siglos como criptas funerarias. En algunas se hallaron parejas de figuras de hombre y mujer que parecen representaciones idealizadas de antepasados o deidades de la familia.

En la mano derecha lleva una bola, símbolo que en las culturas de México occidental es polisémico y polisemántico. En este caso podría representar las pelotas de ulama, *o las bolas de copal que se arrojaban a la lumbre como ofrenda a los dioses, o un arma, o una de las bolas de las que fueron creados los primeros hombres, según los mitos cosmogónicos de la región.*

La mujer y el hombre llevan un gorro de tela con los bordes enrollados y el busto y los brazos decorados con pinturas corporales. Ella lleva una falda, y él, una faldilla y cinturón con nudo «de cuchara».

La mano izquierda sobre el vientre indica un embarazo o, al menos, la función procreadora de las mujeres. En la mano derecha lleva un cuenco.

▲► Pareja, cultura Ixtlán del Río, período protoclásico-clásico, Museo Nacional de Antropología, Ciudad de México.

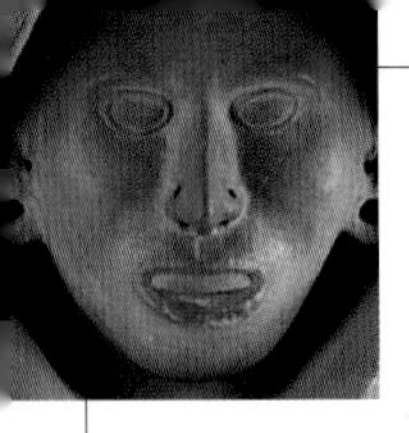

«Muchos de los juegos de estos indios fueron de mucha sotileza y maña y arte y aun de mucha gentileza, si en ellos no se mezclara tanta superstición e idolatría» (Diego Durán)

Juegos y pasatiempos

Profundización
Juegos de equipo: *ulama*, juegos acrobáticos, caza. Juegos individuales: *patolli*, caza, tiro con arco, etc. En vísperas de la conquista, aunque eran rituales religiosos, al menos en parte, siempre tenían un componente laico, que incluía afición y apuestas (algunos se jugaban incluso su libertad)

Dejando aparte el *ulama*, que además de un juego era sobre todo un ritual religioso, los pueblos mesoamericanos tenían muchos juegos y pasatiempos. Algunos de ellos se incluirían hoy entre las llamadas artes circenses. Iban desde los alardes de habilidad en los que se hacía rodar en el aire un palo grueso con los pies «con tanta ligereza con los pies, como otro lo puede traer con las manos», hasta los ejercicios acrobáticos de quien, tumbado de espaldas, lanzaba por el aire a su pareja, las torres humanas, las funciones de bufones que gastaban bromas, a veces pesadas, o las exhibiciones de jorobados, enanos o contrahechos y de animales feroces o exóticos. Otros juegos, en cambio, eran verdaderas actividades deportivas, como la caza o el tiro con arco, con propulsor o con cerbatana. En la meseta central, con motivo de la fiesta del dios Mixcóatl, se celebraba una montería que empezaba el *10 Quecholli* (en 1519 caía el 10 de noviembre) con una gran batida en el cerro de Zacatepec que dejaba muy pocas vías de escape a los animales. En el ámbito de los juegos que nosotros llamaríamos de mesa, aunque se jugaban sobre una estera, había algunos parecidos a la morra o las damas, en los que se usaban guijarros. El más importante era el *patolli*.

► Un equilibrista, acompañado por dos músicos, hace girar un palo y lo lanza hacia arriba para recogerlo con los pies, *Códice florentino*, II, 269v, siglo XVI, Biblioteca Medicea Laurenziana, Florencia.

Los frijoles con una pinta blanca en un lado servían de dados. Se lanzaban y las pintas blancas daban la puntuación para adelantar los guijarros el mismo número de casillas en la cruz. Se jugaba con cuatro, cinco o diez frijoles.

El patolli *era un juego de azar para dos jugadores. Cada uno movía seis fichas, que se movían sobre una cruz de brazos iguales dividida en 68 casillas (sumando dos veces las centrales, comunes a los dos brazos de la cruz).*

La apuesta de los jugadores.

▲ El juego del *patolli*, *Códice florentino*, II, 269r, siglo XVI, Biblioteca Medicea Laurenziana, Florencia.

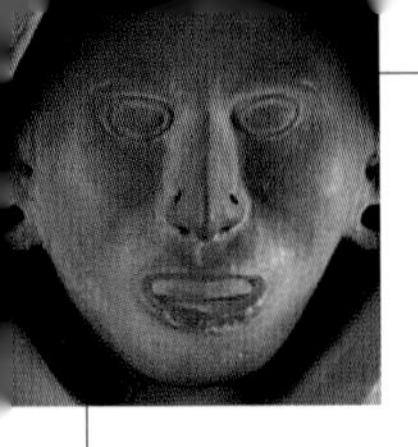

«El mantenimiento principal era el maíz, del cual hacen diversos manjares y bebidas, y aun bebido como lo beben les sirve de bebida y comida» (Diego de Landa)

Alimentación

Profundización
La lista de las plantas cultivadas por las poblaciones mesoamericanas es larga e impresionante. Muchas de ellas formarían parte de la alimentación de todos los pueblos del mundo, como el maíz, el tomate, los pimientos, la calabaza, el cacao y los frijoles negros

Miguel Ángel Asturias titula *Hombres de maíz* su gran novela sobre los mayas. Pero no solo los mayas, sino todos los pueblos mesoamericanos, como cuentan sus mitos, habían nacido del maíz. Siendo esto cierto, más cierto aún es que el maíz también era su hijo predilecto, «creado» por ellos a lo largo de miles de años a partir de una variedad silvestre de maíz (según otros, el teosinte), transformada en una especie que no podía vivir sin la intervención humana y tenía un rendimiento cientos de veces superior al de su antepasada. Sin embargo, a pesar de la importancia del maíz, los pueblos mesoamericanos podían contar con una variedad extraordinaria de recursos alimentarios, que eran la materia prima de una cocina rica y variada (cuentan que para el emperador Motecuhzoma preparaban todos los días más de cien platos distintos). Aunque esta variedad no se veía en los platos de la mayoría del pueblo, cuya dieta se basaba sobre todo en el maíz, las poblaciones no padecían la pelagra, ya fuera porque acompañaban el maíz con calabazas y frijoles, ya fuera porque al dejar los granos una noche en agua y cal, aprovechaban gran parte de los aminoácidos esenciales de la semilla. Por desgracia, la mayor parte de las recetas de cocina prehispánicas se han perdido, pero su espíritu y algunos platos han llegado hasta nuestros días: los tamales, las tortillas, la ensalada de nopales, los frijoles negros con epazote, el atole de aguamiel y otros, así como la costumbre de comer con salsas picantes a base de ají.

▼ Mujer con metate, la piedra de moler maíz y otras semillas presente en todas las familias, *Códice florentino*, III, 323r, siglo xvi, Biblioteca Medicea Laurenziana, Florencia.

Desde el punto de vista alimentario, la cena era ligera, pues consistía en semillas de amaranto con miel.

Las semillas de amaranto y la miel se mezclan en una sartén de barro semejante a los incensarios de los sacerdotes.

Las tres piedras del hogar.

▲ Preparación de la cena tras la celebración de la festividad del Fuego Nuevo, *Códice florentino*, III, 323r, siglo XVI, Biblioteca Medicea Laurenziana, Florencia.

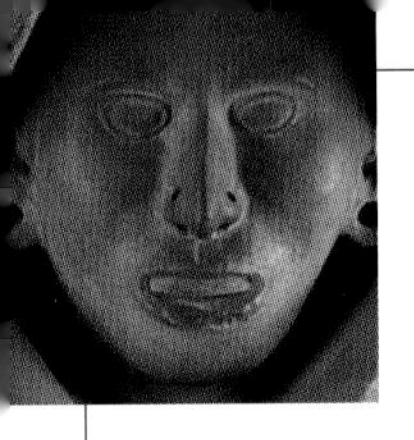

«¿Adónde he de ir? ¿Adónde he de ir? ¿Está aquí el camino, el camino del dios de la Dualidad?»
(Poesía azteca)

Muerte

Profundización
Los aztecas creían que había tres inframundos: el Mictlán, adonde iban las «almas» de casi todos los difuntos, el Tlalocán, una especie de paraíso terrenal adonde iban los ahogados y los fulminados, o aquellos cuya muerte se relacionara de algún modo con el agua, y el «cielo», adonde iban los guerreros muertos en batalla, los sacrificados y las mujeres muertas de parto

Voces relacionadas
Los dioses del inframundo

Aunque las mujeres y los hombres de Mesoamérica vivían en un mundo que en los mitos, la arquitectura y el arte representaba continuamente la estrechísima relación, o mejor dicho la complementariedad, entre la vida y la muerte, en realidad no sabemos cómo veían en su fuero interno, individualmente, el momento del tránsito. De los pocos textos que parecen transmitir sentimientos personales, se desprende que la propia muerte se veía con esa mezcla de miedo y angustia que caracteriza a todas las culturas. Para los pueblos mesoamericanos, el inframundo era un lugar subterráneo, húmedo, sin relación con ninguna perspectiva de vida ultraterrena. Era un sitio de tránsito donde, después de varias peripecias y cierto período de tiempo, las «almas» de los difuntos se desvanecían en la nada. Los ritos funerarios, según las culturas e incluso dentro de una misma cultura, preveían la inhumación y la incineración. Los tipos de tumbas variaban según la condición social y la cultura. Por lo general, las cenizas o los cadáveres se sepultaban directamente bajo el suelo de la casa. A veces, cavando en el suelo si su naturaleza lo permitía, se construían auténticas criptas funerarias familiares. A los grandes reyes y a algunos sacrificados les estaba reservado el honor de una sepultura dentro de las grandes pirámides o, como en el caso de Pakal, de tener un templo construido alrededor de su tumba.

► La máscara de mosaico de Texmelincan, cultura Teotihuacán, período clásico, Museo Nacional de Antropología, Ciudad de México.

En la boca ataban un pedazo de obsidiana o jade, si la familia era rica. Representa el nuevo corazón del difunto.

Con telas y hojas de papel forman la mortaja. El cuerpo está en posición fetal. Las hojas de papel contienen las instrucciones sobre el itinerario que debe recorrer el «alma» del difunto en el inframundo.

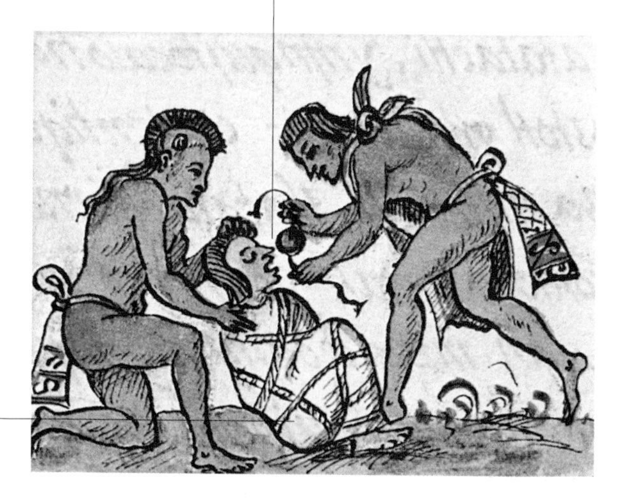

La mortaja se quema, las cenizas y los trozos de hueso se introducen en una urna y la urna se entierra. Pero tras la sepultura de las cenizas se siguen celebrando ritos funerarios, cada vez menos solemnes, hasta pasados cuatro años, cuando el «alma» del difunto ha desaparecido también en el inframundo.

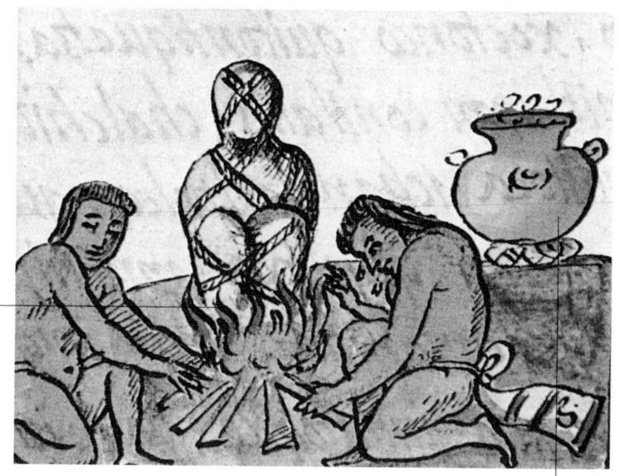

▲ La primera parte de un ritual funerario azteca, *Códice florentino*, I, 228v, siglo XVI, Biblioteca Medicea Laurenziana, Florencia.

Con el agua de la olla le rocían la cabeza a la vez que dicen: «Esta es el agua de que gozaste viviendo en el mundo». Después llenan un jarrillo de agua y lo atan a la mortaja con estas palabras: «Ves aquí c qué has de camina

Está hecha con arcilla del valle de Toluca y con el estilo de la costa del Golfo: es una muestra de la extensión y la capacidad de síntesis del dominio mexica.

Tezcatlipoca, la principal deidad mexica, cuyo álter ego en la tierra es el emperador azteca. El símbolo del que toma su nombre, el espejo negro que humea, está en el lugar del pie izquierdo. Lleva una flecha como nariguera, su típico pectoral discoidal y dos venablos en las manos.

El horror vacui, *la postura de la Serpiente Emplumada, barbuda y rastrera, y los elementos con voluta forman un conjunto claramente exótico.*

Dentro de la urna se hallaron cenizas y trozos de hueso. El hecho de que estuviera enterrada en el sanctasanctórum de los mexicas y la imagen de Tezcatlipoca sugieren que contenía las cenizas de un personaje de altísimo rango.

▲ Urna funeraria enterrada en el templo Mayor, cultura mexica, período posclásico, Museo del Templo Mayor, Ciudad de México.

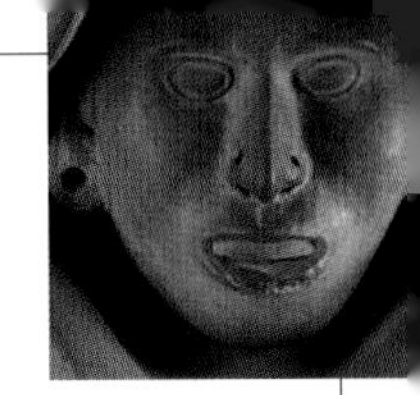

«El buen médico es entendido, buen conocedor de las propiedades de yervas, piedras, árboles y raíces» (Bernardino de Sahagún)

Medicina

En Mesoamérica la medicina y la religión estaban muy compenetradas. Había varias clases de especialistas de la salud: comadronas, chamanes, sacerdotes y personas —a las que Sahagún llama «médicos»— que estaban especializadas en la curación de las enfermedades. Las terapias eran una mezcla de curas espirituales-chamánicas y medicinas naturales, tomadas del riquísimo repertorio que ofrece la naturaleza mesoamericana, sobre todo la flora. Unas investigaciones recientes, que han demostrado la eficacia de algunas sustancias de la farmacopea indígena, parecen indicar que las curas de los médicos indígenas eran más eficaces que las de sus colegas europeos de la época. Sin embargo, estas observaciones deben situarse en el contexto más general de las sociedades premodernas, que explica el éxito de las terapias médicas por el efecto placebo y la fuerza de unos sistemas inmunitarios seleccionados por una elevadísima mortalidad neonatal. Como muchas enfermedades podían tener un origen natural o divino, las terapias debían intervenir en dos planos. En el plano natural, el médico debía saber purgar (a veces se usaban enemas, que a los mayas les servían sobre todo para tomar sustancias psicotrópicas), componer las fracturas, curar las heridas, sajar hematomas y hacer sangrías. En el plano sobrenatural, debía pasar a los rituales chamánicos.

Profundización
Algunos ejemplos de la larga lista de las terapias indígenas: «Para los que tienen una tos perpetua será necesario beber el agua de la yerva que se llama *teuvaxin*, mezclada con chile y sal. Contra la dolencia y enfermedad de los oídos cuando sale materia, los remedios serán tomar el sumo tibio de la yerva *coioxochitl* mezclado con chile, y echar tres veces al día. Las descalabraduras de la cabeza se han de lavar con orines calientes, y exprimir una penca del maguéy asada sobre la propia herida» (Bernardino de Sahagún)

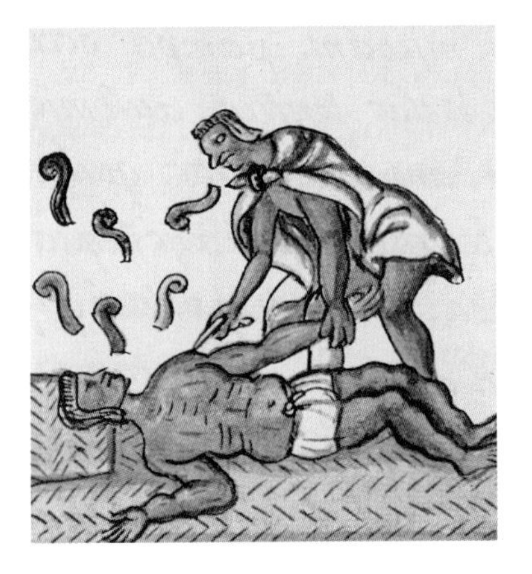

◀ Un médico cura a un paciente picado por la serpiente de cascabel, *Códice florentino*, III, 232v, siglo XVI, Biblioteca Medicea Laurenziana, Florencia.

El bebedizo está hecho con «semilla de la chíe molida con un poco de la cola del animal que se llama tlacuache *[un marsupial autóctono], tanta cantidad como medio dedo, mezclado todo con agua». Aunque recientemente se han revalorizado mucho las cualidades nutritivas de la* Salvia hispanica, *no se cree que tenga virtudes medicinales. Tampoco se han hecho estudios sobre la eficacia de la cola de* tlacuache.

*Planta de chíe (*Salvia hispanica*).*

La mujer embarazada en posición de parto.

▲ Una mujer toma un bebedizo que provoca el parto, *Códice florentino*, III, 323v, siglo XVI, Biblioteca Medicea Laurenziana, Florencia.

Una persona limpia una raíz de maticehuac, *cuyo caldo, según la farmacopea azteca, era útil contra la epistaxis.*

La planta de aacxoátic. *Junto a ella el enfermo vomita bilis. Dice Bernardino de Sahagún: «Hay otra yerva medicinal que se llama* aacxoátic. *Es delgadilla. No tiene no más que una rama. La corteça de esta raíz es provechosa contra el tabardete [tifus], bebida con agua. Bebido, luego gomita la cólera o flema, y assí se templa el coraçón y el cuerpo».*

▲ Preparación y efectos de dos medicinas, *Códice florentino*, III, 323v, 324r, siglo XVI, Biblioteca Medicea Laurenziana, Florencia.

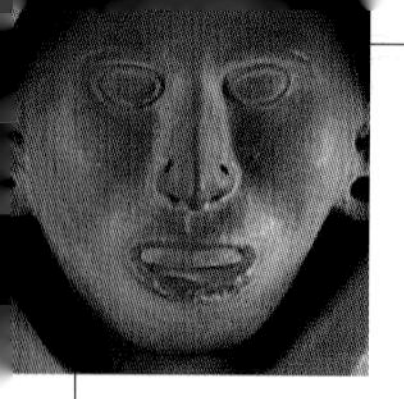

«Hoy, día bienaventurado, ha salido el sol. Hásenos dado un hacha muy resplandeciente, que ha de regir y gobernar nuestro pueblo» (Bernardino de Sahagún)

Reyes y nobles

Profundización
Principales formas de gobierno en Mesoamérica. Imperio azteca: confederación de una monarquía electiva (Tenochtitlán) y dos monarquías meritocráticas (Texcoco y Tlacopán). La llamada «república» de Tlaxcala: confederación de pequeñas monarquías (¿meritocráticas?) o cacicazgos. Cholula, Xochimilco y Chalco: monarquías duales (¿meritocráticas?). Mayas. Período clásico: monarquía absoluta hereditaria; período posclásico: monarquía múltiple (multepal)

Hasta que aparecieron los primeros estados, las sociedades mesoamericanas estaban divididas en clases. En el vértice de la escala social estaban los reyes, que gobernaban un cacicazgo o una ciudad Estado generalmente por derecho de nacimiento. Sin embargo, con la aparición de nuevos estados como resultado de la federación de varios cacicazgos o del predominio de un estado sobre los demás, un rey podía rebajarse al nivel de vasallo de provincia. Además, la frecuente poligamia de los monarcas y el número elevado de hijos siempre acababan fragmentando el linaje real en una serie de ramas segundonas que, andando el tiempo, se alejaban cada vez más del trono y desempeñaban funciones administrativas, religiosas o militares. En Palenque un sobrino de Pakal el Grande, por ejemplo, ocupaba un importante cargo religioso, mientras que otro sobrino era rey. Pero fuera cual fuese su origen, los nobles formaban el grueso de la corte y de la casta religiosa y guerrera. No obstante, en la sociedad mexica se accedía a la carrera burocrática, militar o sacerdotal (las tres muy jerarquizadas) con arreglo a un principio meritocrático, por lo menos en teoría: el valor demostrado en batalla. En lo que se refiere al aspecto patrimonial, los nobles no eran ni siquiera terratenientes, sino solo funcionarios que recibían tierras en pago por su función, aunque podían transmitir estas tierras a sus herederos, lo que fomentó también entre los mexicas la clausura progresiva de la nobleza.

► Un señor da instrucciones a unos guerreros para la fiesta del día *1 Flor*, *Códice florentino*, I, 262v, siglo XVI, Biblioteca Medicea Laurenziana, Florencia.

Solo se conocen dos obras de este tipo: la otra es la de Piedras Negras. En esta talla extraordinaria, que alterna líneas de glifos con bajorrelieves, altorrelieves y bultos redondos, se representan tres figuras sentadas dentro de una cueva: un rey, su probable consorte y un diosecillo.

La mujer, con trazas de una deidad indefinida, acaricia a un diosecillo alado. Lleva el pelo recogido y plumas de pájaros tropicales en el peinado.

El señor, que representa a Itzamnaaj, tiene un peinado que le cae por delante y una gran «flor» con el símbolo de la noche de Itzamnaaj detrás de la cabeza.

▲ Respaldo de trono calado, cultura maya, período clásico, Museo Amparo, Puebla.

El texto explica que el diosecillo es un mensajero de Itzamnaaj.

En Mesoamérica la profunda división entre los «señores» y el resto de la población no caracterizaba solo a los imperios y las ciudades Estado, sino también a pequeños cacicazgos y Estados marginales como los de México occidental.

El señor de la litera lleva un collar como adorno y un abanico en la mano. Lo acompañan una mujer y un perro.

Seis siervos sostienen las andas.

▲ Señor en litera, cultura Ameca-Etzatlan, período posclásico-clásico, colección privada.

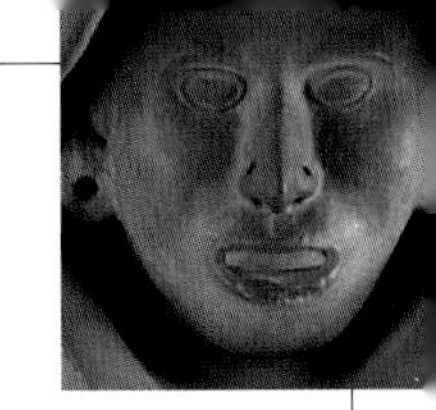

«El oficio a que más inclinados estaban es el de mercaderes llevando sal, y ropa, y esclavos a tierra de Tabasco, trocándolo todo por cacao que era su moneda» (Diego de Landa)

Mercaderes

Los primeros hombres de Mesoamérica que encontraron los europeos fueron mercaderes. En 1502 Cristóbal Colón, al final de su cuarto viaje, se encontró con una canoa de putunes, los mayas de Tabasco que ejercían el comercio de larga distancia tanto con el mundo azteca como con las culturas del actual Panamá. A pesar de este primer encuentro, la importancia de los mercaderes en la historia de Mesoamérica se ha subestimado enormemente, pues se los ha equiparado a simples comerciantes, cuando en realidad tenían una función mucho más compleja. Formaban gremios de mercaderes-guerreros que, como más tarde harían las Compañías de Indias de los países europeos, eran capaces no solo de comerciar con productos, sino también de conquistar ciudades y provincias, lo que podría explicar el fenómeno típicamente mesoamericano de grandes potencias como Teotihuacán y Tula, que ejercían un control directo, o al menos una fortísima influencia, sobre ciudades lejanas, separadas de la capital por miles de kilómetros de territorios independientes y ajenas a la cultura de la metrópoli dominante. En el imperio azteca los mercaderes espiaban para el emperador las regiones por conquistar, establecían relaciones diplomáticas y organizaban la recaudación de tributos que llegaban a la capital desde las regiones conquistadas. No es de extrañar que los pochtecas (mercaderes) de Tenochtitlán fueran una clase social que se distinguía por su riqueza, su poder y su influencia.

Profundización
Comercio internacional. Importaciones: turquesa del sudoeste de Estados Unidos, cantidades imprecisas de oro, bronce y telas de Panamá, Ecuador y Perú. Exportaciones: conchas y otros productos, aunque no eran exclusivos de Mesoamérica. Comercio interior. De la meseta central a las regiones costeras: obsidiana, cerámica de calidad. De las regiones costeras a la meseta central: sal, hule, plumas de quetzal, semillas de cacao, géneros alimentarios

◄ Porteadores de mercaderes en camino, *Códice florentino*, II, 316r, siglo XVI, Biblioteca Medicea Laurenziana, Florencia.

Plumas de pájaros de las selvas costeras. Las largas y rojas pueden ser de guacamayo.

Una piel de jaguar, un collar de piedras duras (¿con algunas cuentas de turquesa o jade?), botones labiales, pendientes y un dije con sonajeros.

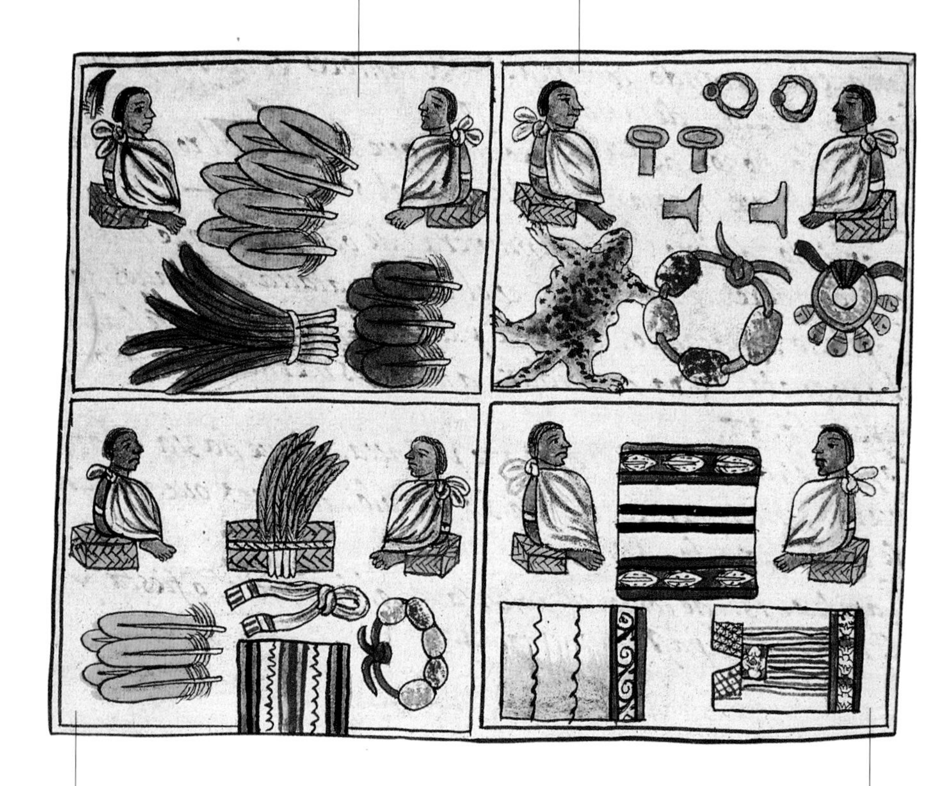

Un haz de plumas de quetzal, telas, un collar de piedras duras (¿con algunas cuentas de turquesa?) y plumas amarillas.

Telas y un huipil (blusa de mujer).

▲ Repertorio de generos vendidos por los mercaderes que aparecen en los cuatro recuadros, *Códice florentino*, II, 308r, siglo XVI, Biblioteca Medicea Laurenziana, Florencia.

Cuando un mercader pensaba que había tenido éxito y amasaba una gran fortuna, sin reparar en gastos, para dar gracias a los dioses y lustre a su persona, daba una fiesta e invitaba a sus colegas, a los soldados que lo habían acompañado en sus viajes y a miembros destacados de la nobleza. Aquí se representa el comienzo de una fiesta que prosigue con ofrendas a los dioses, comida, bebida, cantos, bailes y hongos «que hazen ver visiones, y aun provocan a luxuria».

Los nobles más importantes toman asiento en el patio de la casa del mercader, en sillones de fibras trenzadas semejantes a tronos.

Los sirvientes llevan ramilletes o abanicos de plumas y «cañas de humo», que eran grandes pipas sin cazoleta donde se introducían hojas de tabaco y otras hierbas aromáticas enrolladas.

▲ Fiesta de los mercaderes, *Códice florentino*, II, 336r, siglo XVI, Biblioteca Medicea Laurenziana, Florencia.

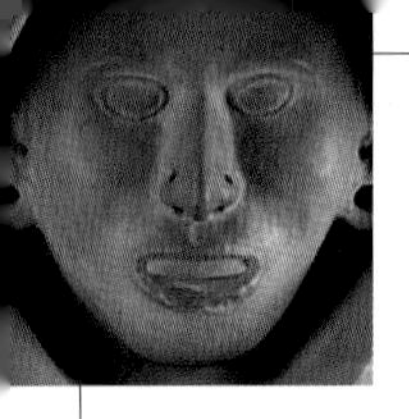

Los artesanos que fundían y labraban el oro tenían un prestigio enorme y se llamaban toltecas, porque Tollan era el topos *por excelencia de la riqueza y la sabiduría.*

Artesanos, plebeyos, esclavos

Profundización
Los artesanos que gozaban de mayor prestigio eran los orfebres, los lapidarios y los amantecas, que hacían adornos, mosaicos o dibujos de plumas. Los esclavos, aunque no eran numerosos, costaban poco, solo cien semillas de cacao

Como las indagaciones arqueológicas y etnohistóricas hacen hincapié en la vida de las élites, la situación de las clases subalternas se conoce mal. Los artesanos, sin duda, eran quienes mejor estaban. En el imperio azteca gozaban de cierto prestigio. Su trabajo se respetaba y se remuneraba generosamente, sobre todo si sus obras eran encargos del linaje real y tenían alguna función de «representación». Los artesanos se agrupaban en corporaciones, cada una con su propio dios, en las que el oficio se transmitía de padres a hijos, con un sistema cerrado. Podían tener sus representantes ante el emperador. Muchos artesanos de Tenochtitlán eran de fuera de la ciudad, llegados de otras provincias del imperio. La condición jurídica de «plebeyo», en realidad, no era un estado en sí mismo, sino más bien una falta de títulos. Los plebeyos tenían una serie de obligaciones, como participar en las obras públicas cuando lo ordenara la autoridad y cultivar las tierras de la nobleza. Los esclavos ocupaban el peldaño más bajo de la escala social, pero su estado era muy distinto del de los esclavos del mundo grecorromano, porque tenían capacidad jurídica y podían poseer bienes, ejercer el mando sobre hombres libres, hacer negocios, etc. No obstante, en circunstancias especiales eran los primeros candidatos al sacrificio.

► El Chimalli de Yanhuitlán, una de las obras maestras de la orfebrería mixteca, cultura mixteco-azteca, período posclásico, Museo Nacional de Antropología, Ciudad de México.

Las caras de los orfebres, su vestido y las imágenes del lugar muestran una fuerte influencia colonial.

El molde, con dibujo de greca escalonada, se cubre con cera y copal. Luego se vierte una fundición de oro y plata, se saca el objeto del molde y se le da un baño de alumbre.

El momento culminante de la creación de un objeto circular de oro puro. Después de fundir la pieza con la técnica de la cera perdida y de pasarla por el baño de alumbre, se vuelve a poner sobre el fuego y se pule con una tierra amarilla y sal. Así el oro cobra brillo y «lanza destellos».

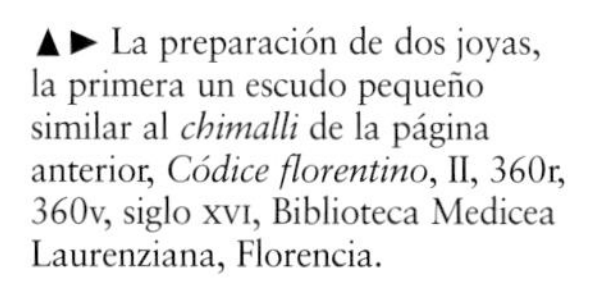

▲► La preparación de dos joyas, la primera un escudo pequeño similar al *chimalli* de la página anterior, *Códice florentino*, II, 360r, 360v, siglo XVI, Biblioteca Medicea Laurenziana, Florencia.

Dos campesinos recolectan mazorcas de maíz maduro.

Si un campesino nacía el día 5 Conejo, «*era muy diligente en labrar la tierra y en sembrar todas maneras de semillas, y en labrarlas, y en regarlas*».

Un campesino con una bolsa de semillas en el cuello siembra haciendo hoyos con un palo.

▲ Campesinos que trabajan, *Códice florentino*, II, 315r, 315r, siglo XVI, Biblioteca Medicea Laurenziana, Florencia.

A los esclavos les ponían collares como este cuando se temía que huyeran. A veces, como medida adicional, se unían los collares de varios esclavos con una vara.

En los años de hambre, los pobres, para sobrevivir, podían venderse a sí mismos o a sus hijos. En estos casos, según Bernardino de Sahagún, la esclavitud era hereditaria. Después de la gravísima hambre del año 1 Conejo *(1454), cuando muchos pobres se vendieron como esclavos o tuvieron que emigrar a las regiones del Golfo, ya no hubo hambrunas graves.*

▲ Una familia de esclavos, *Códice florentino*, II, 336r, siglo XVI, Biblioteca Medicea Laurenziana, Florencia.

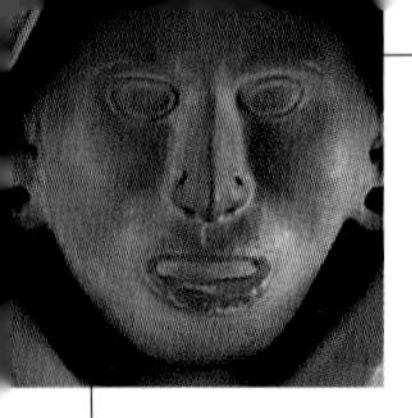

«Los jueces no diferían los pleitos de la gente popular, sino procuraban determinarlos presto; ni recibían cohechos» (Bernardino de Sahagún)

Justicia

Profundización
Estructura de la justicia mexica: *tecalli* (casa del señor): tribunal para pleitos menores entre plebeyos; *tlacxitlán* (lugar en la base): tribunal para los nobles y los delitos castigados con pena de muerte; *tecpicalli* (casa de los nobles): tribunal para los altos oficiales del ejército y los hombres de la corte, que a partir del reinado de Motecuhzoma Xocóyotl debían ser exclusivamente nobles

En Tenochtitlán el tribunal ordinario del pueblo era el *teccalli*. Había uno por cada *calpulli* (división clánica-territorial), y dentro de él tenía competencias exclusivas para todos los pleitos entablados entre los plebeyos, hasta cierto límite de valor. Si el valor en disputa era superior o el plebeyo había entablado un pleito contra un noble, el tribunal, tras una instrucción preliminar, remitía la causa al tribunal superior, el *tlacxitlán*. Era un órgano colegial formado por cuatro nobles, del que dependían los jueces de los tribunales inferiores. Cuando este colegio estaba presidido por el *cihuacóatl* o por el propio emperador, tenía una competencia transversal: entonces pasaba a ser el único órgano judicial del reino capaz de pronunciar una condena a muerte, de modo que era competente en todos los delitos que podían acarrear esta pena. Cuando, cada doce días, el *tlatoani* presidía el *tlacxitlán*, probablemente se hacía una interpretación auténtica (del rey) de las normas mexicas y se procedía a tomar decisiones en los casos más problemáticos. No se hacía ninguna distinción entre jurisdicción civil y penal; el procedimiento penal era inquisitorio y se sustanciaba de oficio basándose en la sospecha pública.

► Los jueces del *tlacxitlán* y dos ejecuciones capitales, *Códice florentino*, II, 376r, siglo XVI, Biblioteca Medicea Laurenziana, Florencia.

El Consejo de Motecuhzoma, el tlacxitlán *(lugar en la base; el nombre se comprende viendo el esquema del palacio) con sus cuatro jueces.*

Motecuhzoma Xocóyotl en el trono. A su derecha están las habitaciones reservadas para los soberanos Tenayuca, Colhuacán y otros aliados; a la izquierda, las habitaciones reservadas para los otros dos soberanos de la Triple Alianza.

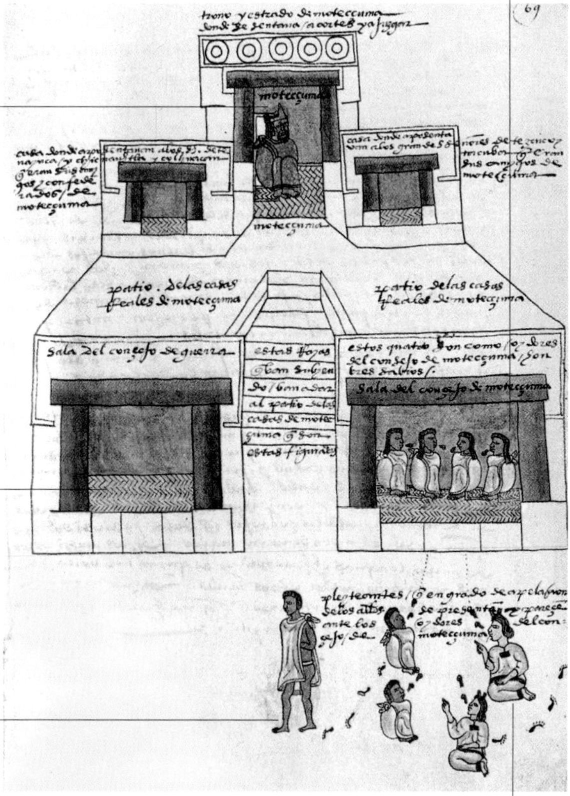

Sala del Consejo de Guerra. Probablemente estaba reservada a los empleos más altos del ejército mexica.

La fase siguiente del juicio. El personaje, que antes aparecía sentado, se marcha. Los glifos de los verbos de movimiento indican que las mujeres se van en dirección opuesta.

▲ Vista esquemática del palacio de Motecuhzoma Xocóyotl, *Códice Mendoza*, 69r, siglo XVI, Bodleian Library, Oxford.

Un grupo de personas está exponiendo sus razones a los jueces (se ven los glifos de lo que dicen); las mujeres señalan con el dedo a los hombres sentados enfrente.

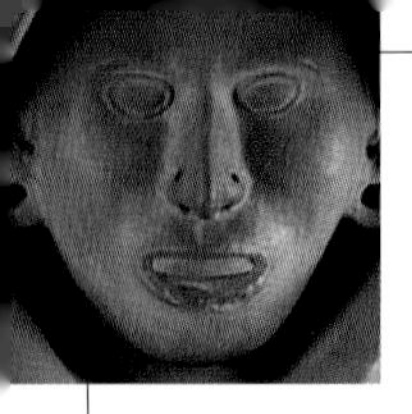

«Toco mi timbal, adornado con jade, mi trompa [hecha con una caracola de Strombus spp.*] verde y rosa» (Poesía azteca)*

Música y baile

Profundización
Principales instrumentos musicales:
Idiófonos: maracas, tambor horizontal, caparazón de tortuga tallado, campanilla.
Membranófonos: tambor vertical.
Cordófonos: no había.
Aerófonos: trompa larga, trompa de caracola, flautas

La música y el baile eran una parte esencial, cuando no la principal, de las ceremonias mesoamericanas. Cuenta Diego Durán que «en todas las ciudades había, junto a los templos, unas casas grandes, donde residían maestros que enseñaban a bailar y cantar», y precisa: «Donde no había otro ejercicio sino enseñar a cantar y a bailar y a tañer». Por su parte, Diego de Landa explica que los mayas tocaban música para acompañar el baile, no para escucharla. El baile y la música solían formar parte de las ceremonias religiosas, en las que a veces también participaban los nobles y los guerreros. Sin embargo, tampoco faltaban ocasiones en que las danzas eran más profanas, como en las fiestas de los mercaderes aztecas. El buen cantante debía tener una voz fuerte y clara, pasar de los agudos a los bajos, templar y modular los tonos y ser capaz de componer «cualquier canto de su ingenio». Los tañedores y cantantes, que tenían una función primordial en las ceremonias, eran profesionales muy respetados, pero no debían cometer ninguna equivocación cuando interpretaban en público. Lamentablemente, por falta de datos, no es posible reconstruir la música prehispánica, que los cronistas describen solo de pasada y con juicios contradictorios. Las músicas aztecas y mayas de los grupos folclóricos actuales, por supuesto, son invenciones muy recientes.

► Los músicos que animan la fiesta del signo *1 Flor*, *Códice florentino*, I, 262v, siglo XVI, Biblioteca Medicea Laurenziana, Florencia.

El Sol-Águila representado como una figura antropoornitomorfa.

Este es quizá el más hermoso de los tambores prehispánicos que han llegado hasta nosotros. Hasta finales del siglo XIX se usó en las ceremonias más importantes de Malinalco.

La rodela con dardos y las siete bolas de plumas, símbolo de la guerra y del poder mexica.

El glifo de la guerra atl tlachinolli.

► Tambor vertical de los aztecas, cultura mexica, período posclásico, Museo de Antropología e Historia del Estado de México, Instituto Mexiquense de Cultura, Toluca.

La PSS (Primary Standard Sequence) señala el nombre del antiguo dueño del vaso: Yajawte' K'inich rey de Motul de San José. El nombre del artista está al final de la PSS. La primera sílaba no está clara, pero la lectura más probable es Moon B'uluch Laj.

Escena que representa a varios way, *álter ego de los reyes y las ciudades del Petén central. En este vaso parece que los* way *participan en un baile colectivo.*

El personaje sentado es la personificación del fuego. Se llama K'ahk', fuego. Tiene la mirada fija en el glifo del fuego.

El «Jaguar del Agua», con un círculo oscuro que simboliza las grandes extensiones de agua, era el way *de El Seibal, población a orillas del río de la Pasión. Encima, otro* way *toca una caracola.*

Way *con tocado zoomorfo en la típica posición de danza de los mayas.*

▲ Maestro Moon B'uluch Laj, desarrollo de vaso cilíndrico (detalle), cultura maya, período clásico, Art Museum Princeton University, Princeton.

El jaguar recostado se llama Ch'akte'el Hix, Jaguar del Lecho. El lecho está representado con unos largueros que forman un cuadrado. Los ojos cerrados indican que está muerto.

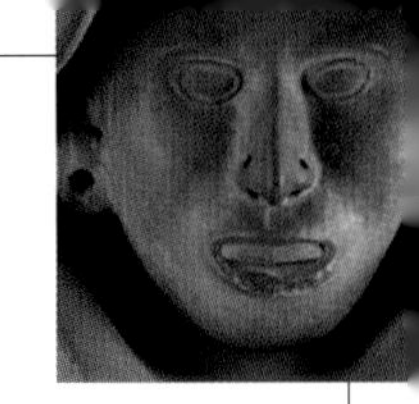

«¡Abrácense águilas y tigres, oh príncipes! Resuenen los escudos, están listos los guerreros que deberán tomar prisioneros» (poema azteca)

Guerra

De Mesoamérica se han escrito cosas muy contradictorias sobre la guerra: desde que implicaba matanzas masivas hasta que era una suerte de juego ritual. Todo es verdad en parte, porque la guerra, en efecto, era un oxímoron que abarcaba desde las guerras de conquista que ha conocido todo el mundo hasta una extraordinaria ritualidad que culminó con las *xochiyáoyotl* o «guerras floridas» de la sociedad nahua del posclásico final, cuya finalidad era hacer prisioneros para ofrecérselos a los dioses en sacrificio. Lo que no existía era la tradición de la limpieza étnica, del aniquilamiento del enemigo, con eliminación de todos los hombres, mujeres y niños. Los casos de este tipo que relatan las crónicas, como el de la conquista de Oztoma, son desmentidos tajantemente por los datos arqueológicos. Además, la tradición bélica de las culturas militaristas del posclásico excluía la guerra preventiva y el ataque por sorpresa y, en cambio, imponía una larga serie de negociaciones que la versión de los vencedores tendía a presentar, *post factum*, como el último y paciente intento de evitar una guerra impuesta por las agresiones de los enemigos. Por otro lado, cabe suponer que el potencial militar de estas sociedades, a pesar del énfasis ideológico que las caracteriza, se ha sobrevalorado mucho, tanto en lo que respecta a la capacidad de movilización (que en el caso de los aztecas, por ejemplo, no debía de superar los 20.000 hombres) como a la eficacia de las armas.

Profundización
Principales armas usadas en Mesoamérica. Arco: tarascos, chichimecas (poblaciones de las regiones semidesérticas del norte), aztecas. Lanza: mayas. Macuahuitl (macana: machete de madera con filo de obsidiana): aztecas, tarascos, mayas. Átlatl (propulsor) con venablos: aztecas, toltecas, mayas

◄ *Átlatl* ceremoniales dorados. El propulsor sirve para aumentar el alcance del venablo, que se coloca en el canal de una de las caras; cultura mixteca-azteca, período posclásico, Museo Nazionali di Antropologia ed Etnologia, Florencia.

Guerrero con uniforme de estilo huaxteco (nótese el gorro cónico): ha capturado a dos enemigos y recibe como recompensa una tela naranja.

El glifo de la palabra alude a la fórmula ritual que pronunciaba el vencedor al ser capturado: «Este es mi amado hijo», a lo que el prisionero contestaba: «Este es mi amado padre».

Guerrero jaguar: ha capturado a cuatro enemigos y recibe una tela negra y naranja. Tras él un guerrero mariposa que ha capturado a tres enemigos recibe una tela con el dibujo del joyel del viento.

Guerrero otomí: ha capturado cinco o seis enemigos.

Guerrero quachic, *con la típica cresta sagital de cabello. Ha capturado a muchos enemigos. Lleva rodela con greca escalonada y un gran adorno posterior.*

Guerrero tlacatecatl: *ha recorrido el* cursus honorum *de todos los demás guerreros y los supera a todos en grado y prestigio. Es difícil considerarlo un mero soldado, porque lleva insignias de muy alto rango (como el* quetzallalpiloni*). Sahagún dice que es uno de los jefes supremos del ejército.*

▲ Siete «grados» del ejército mexica, *Códice Mendoza*, 64r, siglo XVI, Bodleian Library, Oxford.

El texto principal se desarrolla entre el señor y el vasallo y a lo largo del trono. Cuenta que Bah Way, un escriba, ha caído prisionero.

El trono muestra el nombre completo y los títulos del rey.

El vasallo Aj Chak Maax presenta a tres prisioneros suyos, entre los que hay un escriba, a su señor Chel Te' Chan K'inich de Yaxchilán.

Los prisioneros están en actitud sumisa. El primero por la derecha tiene en la mano los útiles del escriba. La captura de un escriba era un hecho importante, porque lo ponían al servicio de su señor y su arte le permitía exhibir estilos y glifos exóticos.

▲ Maestro Mayuy de K'ina', dintel de Laxtunich, cultura maya, período clásico, Kimbell Art Museum, Fort Worth.

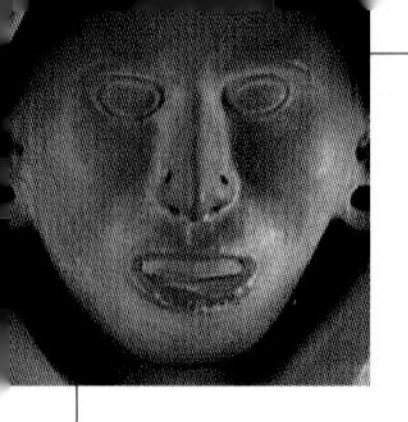

«Y a éstos que sabían esta cuenta [leer el calendario ritual] honrábanlos mucho; teníanlos por profetas y sabedores de las cosas futuras» (Bernardino de Sahagún)

Horóscopo y presagios

Profundización
En el mundo azteca leer el *tonalámatl* (libro del destino) era el paso inicial del horóscopo. En él se explicaba qué influencias se ejercían sobre cada día del calendario ritual

El interés por el horóscopo de los pueblos mesoamericanos obedecía a la creencia de que el tiempo era un aspecto del cosmos, compartía las energías sutiles, imperceptibles y materiales de los dioses y, por lo tanto, impregnaba todas las cosas marcando la vida y el carácter de cada individuo. Para conocer las características de estas energías, había que consultar los calendarios, que eran varios, pero sobre todo el ritual. El horóscopo mesoamericano trataba de entender cuál era la influencia del tiempo en un día determinado. No era tarea sencilla, porque había que ver cómo se combinaban entre sí las energías del número del día, de su signo, de la trecena en la que se encontraba, del signo y el número del año y probablemente las mismas características del ambiente. ¿Los movimientos de los cuerpos celestes tenían alguna función en el horóscopo? Sin duda, aunque las fuentes no hablan de ello; y para hacer un buen horóscopo, era preciso comprender cómo se combinaba la influencia de los astros con la del tiempo captada por el calendario. Vemos, pues, que el horóscopo mesoamericano era muchísimo más complicado que el del Viejo Mundo y no se presta (entre otras cosas por la falta de año bisiesto) a las vulgarizaciones esotéricas que hoy están de moda. Además del horóscopo, que era, por así decirlo, un instrumento «científico» para conocer las influencias que podían determinar el futuro (había estrategias para contrarrestarlas), el propio futuro podía desvelarse con la irrupción de una deidad o el portento en medio de la cotidianidad que constituían los presagios.

▼ Aparición de un hombre sin cabeza y el pecho abierto «como una puerta»: un hombre valiente le ha arrancado el corazón y le pide favores, *Códice florentino*, I, 337v, siglo XVI, Biblioteca Medicea Laurenziana, Florencia.

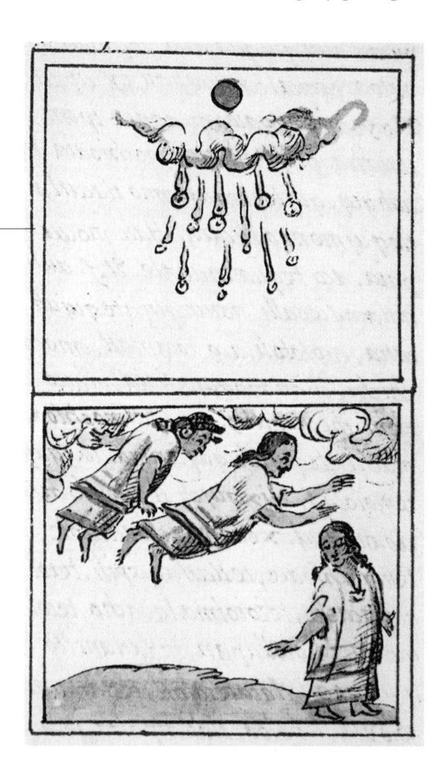

«El séptimo signo se llamaba 1 Lluvia. *Decían que era de mala ventura, porque las* Cihuateteo *[las mujeres muertas de parto] descendían a tierra y daban muchas enfermedades a los muchachos y muchachas. Y a los que nacían en este signo no los bautizaban sino diferíanlos hasta el día* 3 Cocodrilo» *(Bernardino de Sahagún).*

Uno de los presagios que anuncian la conquista. «Diez años antes de venir los españoles primeramente se mostró un funesto presagio en el cielo. Una como espiga de fuego, una como llama de fuego, una como aurora: se mostraba como si estuviera goteando, como si estuviera punzando en el cielo.» El dibujante del Códice florentino, *sin embargo, no ha representado el cometa según las normas de la iconografía azteca, sino que se ha inventado un híbrido de fuego y nube blanca.*

▲► La influencia de algunos días del *tonalámatl* (libro del destino) y uno de los presagios de la conquista, *Códice florentino*, I, 271v, II, 253v, siglo XVI, Biblioteca Medicea Laurenziana, Florencia.

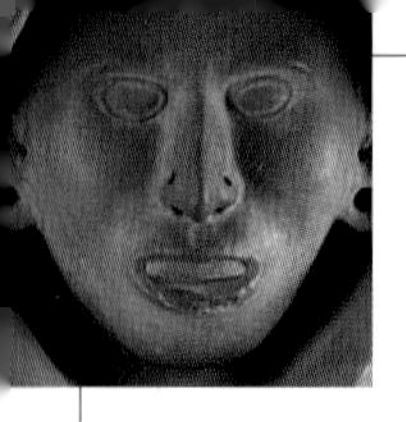

«Las pinturas de letras para escribir con pinturas y efigies sus historias antiguallas sus memorables hechos sus guerras y victorias sus hambres y pestilencias, todo lo tenían escrito y pintado en libros» (Diego Durán)

Escritura

Profundización
Escrituras de Mesoamérica.
Logosilábicas: mayas y epiolmecas.
Ideográficas con un componente fonético aún sin esclarecer: aztecas, mixtecas, zapotecas.
Sin descifrar del todo: Xochicalco, Kaminaljuyú.
Presencia de glifos, pero no de escritura: Teotihuacán, etc.

Las investigaciones más recientes demuestran que Mesoamérica ya no puede dividirse entre culturas que conocían la escritura y culturas que no la conocían, sino entre quienes la usaban y quienes no la usaban, aunque no renunciaran al uso de glifos aislados. Además, entre las culturas que utilizaban la escritura es fundamental distinguir a las que la usaban como instrumento mnemotécnico, más o menos articulado, de las que la usaban para componer verdaderos textos. Pero entonces, ¿qué valores ideológicos debía tener la escritura para que una sociedad compleja como la de Teotihuacán no necesitara usarla? Cabe suponer que en las culturas misográficas se consideraba un peligroso instrumento de dominio de los reyes sobre la nobleza. No cabe duda de que tanto un glifo aislado como un verdadero texto servían para dar más fuerza a lo que se proclamaba (oraciones, propaganda, etc.) con los monumentos y las obras de arte. A grandes rasgos, el recorrido de la escritura se ha reconstruido bastante bien: aparece en los yacimientos del preclásico, los mayas del clásico la desarrollan y luego se utiliza ampliamente en los códices mayas, mixtecas y aztecas del posclásico. Pero hay dos fenómenos que complican las cosas: por un lado, tenemos escrituras, como la azteca, que parecen reacias a escribir verdaderos textos; por otro, unos glifos utilizados con el mismo significado por pueblos de idioma distinto, lo que sugiere que en Mesoamérica algunos glifos, pocos e importantes, tenían el mismo significado a pesar de su diferente valor fonético.

► Escriba de Copán. La figura tiene en las manos los utensilios del escriba: pincel y tintero de concha; cultura maya, período clásico, Museo Regional, Copán.

El personaje conocido como «El Caminante». Lleva un estandarte en la mano. Además de la barba, el estilo de la figura es bastante insólito en la iconografía olmeca.

El glifo del pie representa, como dos mil años después en la escritura azteca, un verbo de movimiento: caminar, desplazarse, etc.

Los glifos que rodean el personaje componen el que quizá sea uno de los textos más antiguos de Mesoamérica.

▲ Monumento 13 de La Venta, cultura olmeca, período preclásico, Parque Museo La Venta, Villahermosa.

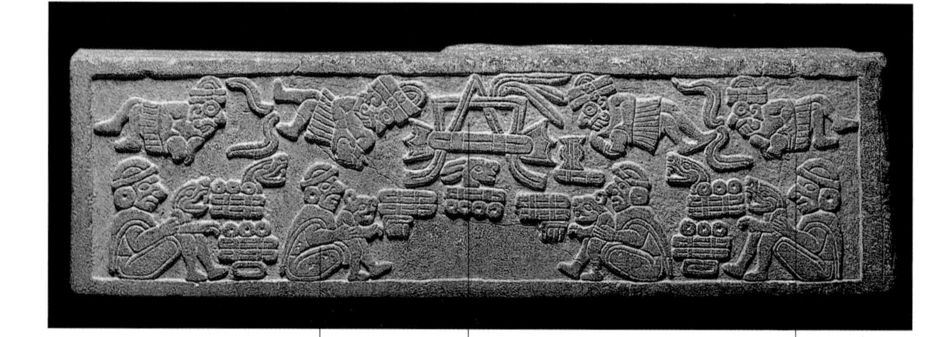

Personajes sentados con cachorros de jaguar y serpientes antropomorfas. Junto a ellos hay glifos de calendario que podrían representar sus nombres, aunque se repiten dos veces.

Tlaloques *en vuelo que vierten agua sobre la tierra. La escena podría ser un ritual de invocación de lluvia.*

El glifo del año de todas las culturas mesoamericanas. Tiene forma de A y O entrelazadas. Debajo, el nombre del año 9 Conejo. *El número está escrito con el sistema de rayas (una raya = 5) y puntos (un punto = 1), típico del Clásico.*

El glifo del año. En el centro del rectángulo podría estar representado el nombre del año.

El glifo de los verbos de movimiento.

▲ Dintel mixteca, período posclásico temprano, Museo Amparo, Puebla.

► Trípode, cultura Teotihuacán, período clásico, Yale University Art Gallery, New Haven.

	A	B
1	*Y luego llegó a Tikal.*	*Tres años después,*
2	*el día 13 Ak'bal*	*1 Ch'en,*
3	*(?) en el cielo*	*(?) el celestial*
4	*(?) Señor*	*Es el primero de los jóvenes*
5	*personificando*	*el dios (?) Maíz*
6	*Akan Chapaht,*	*que es el dios*
7	*del Kalomte'.*	*Por primera vez*
8	*lleva (?)*	*Naj Chan*
9	*Yik'in Chan K'awiil,*	*sagrado rey de Tikal,*

	C	D
1	*Naahb nal k'inich*	*señor de los* 4 katun.
2	*Él baila*	*como (?)*
3	*el dios Akan Chapaht Naj.*	*Es construido*
4	*el monumento* *Akan Haabnal*	*del verdadero Tikal,* *del cielo a la cueva,* *(el territorio del reino)*
5	*por él mismo,*	*protegido*
6	*por la señora (?),*	*señora de Yokman,*
7	*Lajcha Unen No'o.*	*Esta [el monumento]* *es la ofrenda*
8	*El que es la creación* *de [del hijo de]*	*Jasaw Chan K'awiil*
9	*sagrado señor de Tikal,*	*Kalomte' de los* 4 katun.

▲ Dintel 3 del templo 4 de Tikal, cultura maya, período clásico, Museum der Kulturen, Basilea.

El texto del plato es un ejemplo excelente de la PSS (Primary Standard Sequence), la secuencia de glifos que aparecen con bastante regularidad al principio de los textos de vasos, platos y otros cacharros de cerámica. Suele constar de cinco glifos o grupos de glifos que remiten a algunas características del objeto: a quién está dedicado o quién lo ha bendecido, al texto mismo, a su naturaleza (si era una jarra, si servía para beber, etc.), a su contenido y a su dueño.

[A1-B1] Los glifos de introducción: Esto ha terminado.

[A2-B2] Los glifos que remiten al texto: su escritura.

[A3-B3] Los glifos que remiten al objeto: su trípode.

[A4-B4] Los glifos con el nombre del autor: Ahk Nikte' (Tortuga Nenúfar).

[A5] El glifo con el título del autor: Ajk'uhuun (sacerdote).

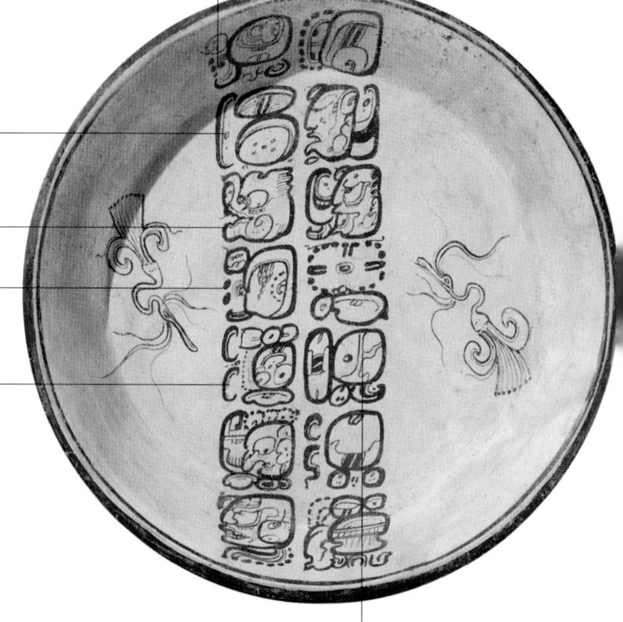

[B5-A7-B7] Los glifos con el nombre del rey: K'ahk' Ohl K'inich (Fuego es el Corazón del dios del Sol).

▲ Maestro Ahk Nikte', plato con trípode, cultura maya, período clásico.

Coxcoxtli *se dirige a dos representantes mexicas. Los invita a ir a la guerra contra Xochimilco. Aparecen la* macuahuitl, *un saco y el glifo de Xochimilco. Por otras fuentes, que podrían depender de este códice, sabemos que Coxcoxtli les pide a los mexicas un saco llena de orejas de los enemigos, una por cadáver.*

La presencia de verdaderos textos en la escritura azteca y de su carácter logosilábico es una cuestión muy controvertida. Según algunos especialistas, el Códice Boturini, *y esta página en particular, es uno de los documentos en los que la escritura mexica más se parece a un verdadero texto. Otros, en cambio, lo consideran una prueba de que la escritura mexica está lejos de producir textos.*

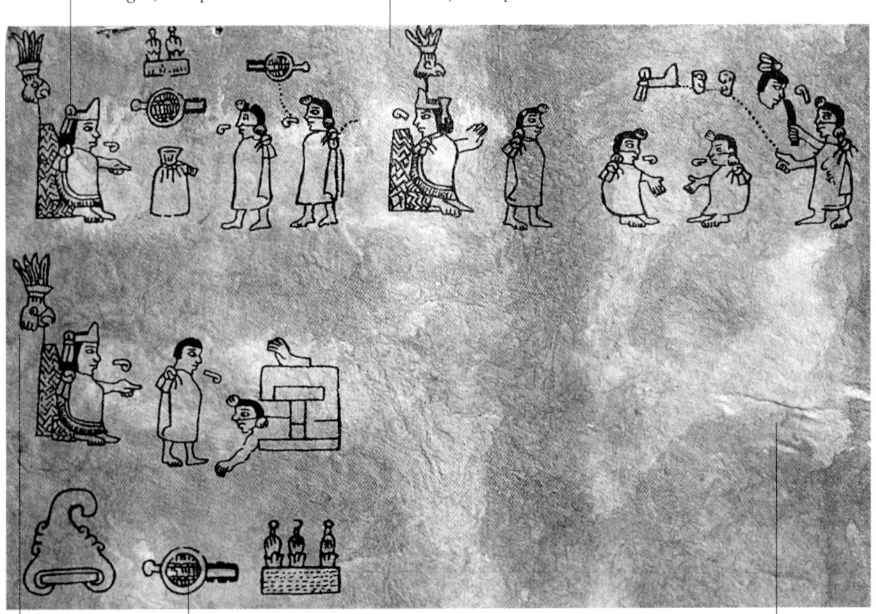

Coxcoxtli (con el glifo de su nombre detrás de su cabeza) habla a través de un intermediario con los mexicas prisioneros.

Colhuacán declara la guerra a Xochimilco. Los glifos de las dos ciudades están, respectivamente, a la izquierda y a la derecha, y en el centro hay una macuahuitl *(espada con doble filo de obsidiana).*

▲ Historias de los mexicas cuando estaban sometidos a Coxcoxtli, señor de Colhuacán, *Códice Boturini*, 21, siglo XVI, Biblioteca Nacional de Antropología e Historia, Ciudad de México.

Los mexicas discuten sobre lo que hay que hacer. Uno de ellos, a la derecha, parece dispuesto a cortar también la nariz de un enemigo, mientras con el índice de la mano izquierda señala dos orejas y la corona-diadema de Coxcoxtli.

Tezcatlipuca. otro

Religión

Tezcatlipoca
Quetzalcóatl
Itzamnaaj
K'awiil
Sol
Luna
Dioses de la lluvia
Xiuhtecuhtli
Muertos divinizados
Héroes Gemelos
Coatlicue
Tlazoltéotl
Xipe Tótec
Dioses de la fertilidad agrícola
Dioses del inframundo

◄ Tezcatlipoca, *Códice florentino*, I, 10r, siglo XVI, Biblioteca Medicea Laurenziana, Florencia.

«El Dios Invisible e Impalpable, Nuestro Señor, el Señor del que Todos Somos esclavos»
(oración azteca)

Tezcatlipoca

Profundización
Comparte nombres y se superpone en parte a Ometéotl (el dios Dos, la divinidad masculina y femenina que reside en el décimo tercer cielo y es el origen de todas las cosas divinas y humanas). Entre los mayas, algunas de sus características se encuentran en Itzamnaaj y K'awiil

Voces relacionadas
Sacrificios a Tezcatlipoca

Tezcatlipoca (Espejo Negro Humeante) es uno de los dioses más fascinantes y misteriosos de Mesoamérica. Es el dios más importante de los aztecas, omnipotente y omnisciente. Entre los dioses es el chamán por antonomasia, capaz de infinitas transformaciones. Si se comprenden las metáforas con que lo denominan, algunas de sus características se adaptan perfectamente al Dios de los conquistadores. Por ejemplo, Bernardino de Sahagún traduce espléndidamente uno de sus nombres, Yohualli Ehécatl (literalmente, Noche Viento), como Invisible Impalpable, pero no se percata de la convergencia de las características que denotan a las dos deidades. No tanto por su inevitable etnocentrismo, cuanto porque los aztecas eran realmente «otros», no solo con respecto al Dios cristiano, sino también a las deidades del mundo clásico. Como ha señalado acertadamente López Austin (1989-1990), «no fueron una individualidad permanente. Los dioses se fundían y desdoblaban, cambiaban sus atributos y designaciones según fuese el punto de su ciclo de acción; sus personalidades cambiaban constantemente de acuerdo con el contexto», gracias al hecho de estar formados por una materia sutil e imperceptible o casi imperceptible que podía dividirse, recomponerse, separarse y reagruparse para formar un nuevo ser divino. Por eso la tendencia a considerarlos personas bien definidas es un error, ya que los mexicas (y en general los pueblos de Mesoamérica) pensaban más en términos de fuerzas sagradas, con características y manifestaciones distintas, que se movían en una constante y compleja interacción.

► Máscara de Tezcatlipoca. Probablemente la llevaban los sacerdotes en los rituales dedicados al dios; cultura mixteca-azteca, período posclásico, British Museum, Londres.

En la cabeza lleva el glifo con el nombre: un espejo estilizado del que sube una voluta de humo negro.

Desde el período preclásico el espejo de obsidiana o de hematites había sido el instrumento más importante de los chamanes, que «veían» el futuro en las borrosas imágenes reflejadas. Por lo tanto, el nombre del dios subraya su carácter chamánico.

Tezcatlipoca es el numen tutelar del emperador azteca, al que los sacerdotes dirigen estas palabras en la ceremonia de coronación: «Tezcatlipoca por vuestra boca habla, y vuestra boca es suya, y vuestra lengua es su lengua, y vuestra cara es su cara, y vuestras orejas. Y os [ha] adornado con su autoridad, que os dio colmillos y uñas para que seáis temido y reverenciado» (Bernardino de Sahagún).

▲ Máscara que representa a Tezcatlipoca como Telpochtli (el Joven) y Yáotl (el Enemigo), símbolo de la fuerza de los jóvenes guerreros; cultura mexica, período posclásico, Dumbarton Oaks Research Library and Collection, Washington.

▲ El espejo negro de obsidiana del que toma su nombre el dios; cultura mexica, período posclásico, American Museum of Natural History, Nueva York.

Las dos deidades tienen un espejo que humea sobre la cabeza y otro en lugar de un pie. Según los mitos cosmogónicos, las Fauces de la Tierra devoran el pie que falta en los meses de verano, cuando varias estrellas de la Osa Mayor, que es una de las manifestaciones de Tezcatlipoca, no aparecen sobre la línea del horizonte.

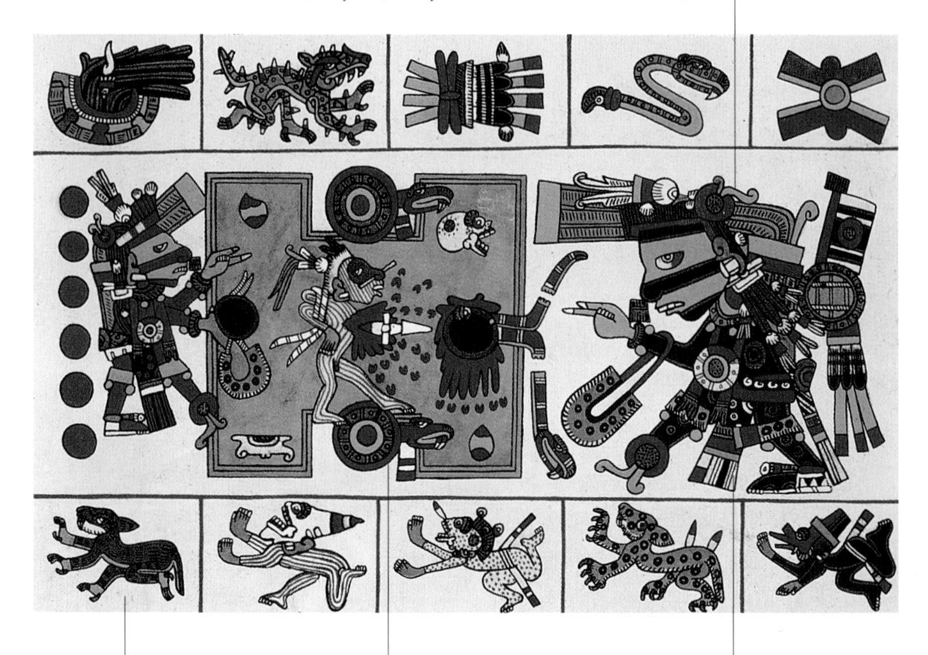

Los días del calendario ritual, colocados en un orden insólito.

El Tezcatlipoca negro lleva una rodela, un estandarte, un peinado con plumas de garza, pelo «en cepillo» y pieles de jaguar.

La cancha del juego de pelota con símbolos de muerte, anillos laterales, un prisionero sacrificado y la pelota que chorrea sangre y de la que sale una serpiente coral. El Tezcatlipoca rojo lleva otra pelota en la mano.

▲ A ambos lados de una cancha para el juego de pelota aparecen dos manifestaciones de la misma deidad: el Tezcatlipoca rojo y el Tezcatlipoca negro, *Códice Borgia*, 21, siglo xv, Biblioteca Apostólica Vaticana, Roma.

La cara del dios, pintada con bandas amarillas y negras, sale de las fauces de la piel de jaguar con que se cubre.

Tezcatlipoca como Tepeyollotl (Corazón de la Montaña). El jaguar es uno de los álter ego de Tezcatlipoca. Según algunas versiones de los mitos cosmogónicos, el dios destruyó uno de los mundos anteriores y se transformó en jaguar. Pero, como jaguar, está asociado a la noche, a las estrellas y al mundo subterráneo. Entonces recibe el nombre de Corazón de la Montaña.

Tezcatlipoca está sentado en un trono divino, empuña una hoja de maguey que ha usado para el autosacrificio, lleva un tocado de plumas de quetzal y unos abanicos verdes en la espalda, cuyo color alude a la fertilidad de la tierra.

▲ Tezcatlipoca-Tepeyollotl, patrono de la tercera decimotercera del calendario ritual, *Códice tellerianus-remensis*, 9v, siglo XVI Bibliothèque Nationale, París.

«Turquesas y anchos plumajes son tus pensamientos, padre mío, dador de vida. Tú tienes compasión y concedes la gracia a los hombres durante un breve instante a tu lado» (oración azteca)

Quetzalcóatl

Profundización
Como Tezcatlipoca, comparte nombres y se superpone en parte a Ometéotl. Dobles: Xólotl, Tlahuizcalpantechutli, Nanahuatl. Manifestaciones especiales: Ehécatl (Dios del Viento). Coincide en parte con el dios H de los mayas y el dios 9 Viento de los mixtecas. Para los mayas del período posclásico, es Kukulcan

Quetzalcóatl (Serpiente Emplumada, pero también Gemelo Precioso) es una de las deidades más sorprendentes y polifacéticas de Mesoamérica. Presente ya en el período preclásico, al principio es un dios de la lluvia, asociado al agua y al cielo. Por insólita que pueda parecer la relación entre la serpiente, el cielo y la lluvia, se comprende claramente si se considera que la serpiente con alas y plumas no es otra que el arco iris, el fenómeno que une el cielo y la tierra justo después de las tormentas. Con el paso del tiempo, a esta característica, que se mantiene, se añadieron otras, que la asocian a la soberanía (Quetzalcóatl pasa a ser uno de los títulos del rey), lo que la convierten en la deidad más importante de una serie de culturas de primer plano: Cacaxtla, Xochicalco, Chichén Itzá y Tula. En estas ciudades también empieza a representarse con el glifo de Venus, y es probable que su difusión (según algunos, se trata de una especie de reforma religiosa) se debiese precisamente a la enfatización de su centralidad como Estrella de la Mañana. En la cultura azteca, Quetzalcóatl es sobre todo un dios creador, pues, junto con Tezcatlipoca, desempeña un papel fundamental en las creaciones anteriores, ha creado a los hombres, les ha dado el maíz y participa en la creación de las «almas» de todos los hombres. Sin embargo, aunque ha cedido a Tláloc y Chalchiuhtlicue sus atributos pluviales y acuáticos, sigue estando asociado al agua como dios del Viento que trae la lluvia.

► El mono de larga cola y máscara bucal de pico de ave es una de las manifestaciones de Quetzalcóatl-Ehécatl, el dios del Viento; cultura mexica, período posclásico, Museo Nacional de Antropología, Ciudad de México.

La cara del dios asoma entre las fauces abiertas de la serpiente. Las orejeras de oro y jade con dije ganchudo de concha son algunos de sus adornos típicos.

Por su estilo, se sitúa en las últimas décadas anteriores a la conquista. En el siglo XIX *la compró el viajero francés Eugène Boban, que la llevó a París, donde se expuso por primera vez en 1867.*

*Quetzalcóatl está representado con su aspecto más común, el que combina los dos elementos de su nombre: las plumas del quetzal y el cuerpo de la serpiente (*coatl*).*

► El Quetzalcóatl del Quai Branly, cultura mexica, período posclásico, Musée du Quai Branly, París.

El dios del Viento lleva una máscara bucal en la que hay rastros de pintura roja, y la típica faldilla azteca con nudo frontal. Es probable que llevase estandartes o pendones en las manos.

La escultura se descubrió en 1932 en Calixtrahuaca, una ciudad matlatzinca, donde estaba uno de los templos más importantes de la meseta central dedicado al dios del Viento. La ciudad se rebeló varias veces contra los aztecas, hasta que en 1510 la destruyó Motecuhzoma Xocoyotl. Como la escultura se encontró decapitada, es posible que los mismos matlatzincas la «mataran» ritualmente para que no cayera en manos de los enemigos.

◄ El Ehécatl de Calixtlahuaca, cultura azteca (¿o matlatzinca?), período posclásico, Museo de Antropología e Historia del Estado de México, Instituto Mexiquense de Cultura, Toluca.

El día 1 Agua, *Quetzalcóatl atraviesa el corazón de una montaña, del que sale un chorro de agua. El glifo podría representar genéricamente las ciudades (no olvidemos que las ciudades se llamaban* altépetl, *agua-montaña). Pero la montaña retorcida y el árbol florido que tiene encima podrían indicar una ciudad concreta (por ejemplo, el glifo de Colhuacán era, precisamente, la montaña retorcida).*

Venus-Quetzalcóatl como Estrella de la Mañana está armado con rodela, estandarte, átlatl *y venablos. Lleva una máscara con forma de calavera y un gorro de plumas negras de cuervo con penachos de plumas de guacamayo.*

El día 1 Caña, *Quetzalcóatl arremete contra un trono con el motivo solar, que probablemente representa a los reyes. Por lo general, se consideraba que la fecha* 1 Caña *era aciaga. En particular, los* Anales de Cuauhtitlán *señalan que cuando la Estrella de la Mañana-Quetzalcóatl «cae en* 1 Caña, *asaeta a los grandes reyes».*

▲ Venus-Quetzalcóatl como Estrella de la Mañana (Tlahuizcalpantecuhtli, el Señor del Alba), *Códice Cospi*, 10r, siglo xv, Biblioteca Universitaria, Bolonia.

La «mitra» con penacho de plumas de quetzal.

Orejeras de turquesa con dije ganchudo y collar de oro con caracoles colgando.

Túnica corta blanca y adorno dorsal de plumas de quetzal con «llamas de fuego».

Sandalias y espinilleras de jaguar adornadas con caracolitos (el dibujante se ha olvidado de la piel de jaguar).

«Este Quetzalcóatl, aunque fue hombre, teníanle por dios» (Bernardino de Sahagún).

Quetzalcóatl lleva el cetro curvo que lo caracteriza y una rodela con una sección de Strombus spp. *pintada que representa el «joyel del viento», uno de sus símbolos.*

▲ Quetzalcóatl, *Códice florentino*, I, 10v, siglo XVI, Biblioteca Medicea Laurenziana, Florencia.

Las fuentes aztecas dedican mucho espacio a la figura de un señor de Tollan, modelo de sabiduría, llamado 1 Caña Topil Quetzalcóatl; en ellas, los fragmentos de mitos cosmogónicos se combinan con nuevas versiones de figuras míticas de la historia preazteca, en una maraña imposible de desenredar.

1 Caña Topil Quetzalcóatl cumple con un ritual de purificación nocturna. Por su devoción, las fuentes presentan al señor de Tollan como un modelo de rey.

1 Caña Topil Quetzalcóatl «hace penitencia» perforándose las piernas con púas de maguey.

Tezcatlipoca, con el aspecto de un rey viejo, brinda pulque a Quetzalcóatl, que lo bebe, se emborracha y comete una serie de graves transgresiones. Por eso tiene que irse de Tollan y dirigirse a la costa del Golfo.

Durante el viaje a la costa del Golfo, Quetzalcóatl se emborracha otra vez y se queda dormido. «Habiendo llegado a la orilla celeste del Agua Divina, se paró, lloró, cogió sus arreos y él mismo se prendió fuego y se quemó y entró al cielo» (Anales de Cuauhtitlán).

▲ Historias de 1 Caña Topil Quetzalcóatl, *Códice florentino*, I, 211r, siglo xvi, Biblioteca Medicea Laurenziana, Florencia.

«Itzamnaaj, el creador de nuestra era, el inventor de la escritura, el soberano de los dioses» (inscripción maya)

Itzamnaaj

Profundización
Es el dios creador de los mayas y tiene algunas características en común con Tezcatlipoca y Quetzalcóatl. Coincide con el dios D de Schellhas

Itzamnaaj, junto con el dios de la Lluvia y del Maíz, es una de las deidades mayas más antiguas. Se lo presenta como el dios creador y a menudo aparece entronizado en una posición dominante con respecto a los otros dioses, por lo general con la faldilla y un cojín de piel de jaguar o de tela con motivos geométricos. No está claro si creó al hombre o solo lo «civilizó», porque todas las fuentes disponibles proceden de la meseta guatemalteca, cuyas poblaciones tenían dioses algo distintos y más mexicanizados que los mayas de las tierras bajas. En el período clásico se pueden distinguir varias funciones de Itzamnaaj, pero en realidad solo son instantáneas de las etapas de un ciclo mitológico difícil de reconstruir. Una de sus funciones principales es la de coronar a un rey o a una deidad, como el dios 1 de la tríada de Palenque. Con motivo de este acontecimiento, que tuvo lugar antes de la creación de nuestra era, a Itzamnaaj lo llaman Yaxnaaj Itzamnaaj, «el primer Itzamnaaj», lo que daría a entender, como sugieren las fuentes coloniales, que había dos Itzamnaaj, el padre y el hijo. Muchos vasos polícromos lo muestran en compañía de dioses menores y animales que le ofrecían vasos con bebidas o le presentaban quejas personales.

► Itzamnaaj con dos bolsas de copal sosteniendo una tapadera de incensario; cultura maya, período posclásico, Museo Nacional de Antropología, Ciudad de México.

Un ser sobrenatural ofrece una bolsa a Itzamnaaj; por lo que dan a entender otras escenas parecidas, le pide un cuerpo mejor. Son los primeros días de la creación.

A pesar de su edad venerable, en este vaso Itzamnaaj no presenta signos de decadencia física. Esto probablemente indica que la escena se sitúa en una época remota, aunque no demasiado, cuando el dios era viejo pero tampoco decrépito.

Una versión corta de la PSS (Primary Standard Sequence). Como sucede a menudo, el texto que decora el vaso no se refiere a la imagen, sino al propio vaso.

El cojín de Itzamnaaj está forrado con piel de jaguar, símbolo evidente de su poder «político» en el reino de los dioses.

▲ Desarrollo de vaso cilíndrico (detalle), cultura maya, período clásico, colección privada.

K'awiil, el dios que lo tenía todo, lo daba todo y lo quitaba todo. Símbolo de la abundancia y la soberanía.

K'awiil

Profundización
En parte presenta algunas de las características de Tezcatlipoca, en parte se superpone a Chahk y coincide con el dios K de Schellhas

Es una de las deidades mayas más importantes. K'awiil era el dios de la prosperidad y la abundancia, y como tal encarnaba un aspecto clave del orden monárquico. Su presencia en la iconografía clásica es constante, y también aparece en muchos nombres de reyes. En el aspecto iconográfico, el origen de K'awiil se puede rastrear en las representaciones preclásicas del dios de la Lluvia, Chahk. Todavía en el período clásico parece que las dos deidades se superponen y mezclan libremente, como si fueran manifestaciones del mismo principio, como revela el hecho de que K'awiil también era la personificación del rayo. Para ostentar su poder religioso y político, los reyes mayas empuñaban el cetro maniquí, que en realidad era una pequeña imagen de K'awiil. El hacha humeante que el dios llevaba en la frente era el hacha que viajaba en el rayo y cortaba el árbol donde caía. K'awiil también estaba presente en el período posclásico, donde solía representarse en los códices. Parece que el *Popol Vuh* también conserva un recuerdo de este dios con nombres distintos: 1 Pierna, el dios del Cielo y Hunracán, del que deriva el término *huracán* que han incorporado muchos idiomas.

► Un cetro maniquí o pequeño de K'awiil, cultura maya, período clásico, Art Museum Princeton University, Princeton.

El dios se reconoce por la nariz encorvada hacia arriba y el hacha clavada en la frente, de la que sale la sagrada llama bifurcada.

Las señales del reflejo luminoso en brazos y piernas subrayan su esencia sobrenatural.

▲ Desarrollo de un vaso que representa al dios K'awiil sentado en un trono (detalle); cultura maya, período clásico, American Museum of Natural History, Nueva York.

El texto glífico, enmarcado con grandes flores negras, dice así: «Él es miembro de la familia real, sagrado señor de Sak Wayis».

«Huitzilopochtli, el joven guerrero, el que existe en lo alto, está recorriendo su camino»
(poema azteca)

Sol

Profundización
Para los aztecas, Tonatiuh (El que se Mueve Calentando) era el sol en tanto que astro, y Huitzilopochtli (Colibrí de Izquierda) era el sol del mediodía. Para los mixtecas, 1 Muerte era el sol como astro.
Para los mayas, K'in (Luz, Día) era el sol en tanto que astro, mientras que el dios como deidad se llamaba Ajaw K'in (Señor Sol) y en parte se superponía a Itzamnaaj

«Dezían que antes que huviesse día en el mundo, que se juntaron los dioses en aquel lugar que se llama Teutioacan y dixéronle: "Sé tú el que alumbres, bubosito". Y como le huvieron hablado los dioses, [Nanaoatzin] esforçóse y, cerrando los ojos, arremetió y echóse en el fuego; y luego començó a rechinar y respendar en el fuego, como quien se asa. Y cuando vino a salir el sol, pareció muy colorado; parecía que se contoneava de una parte a la otra; nadie lo podía mirar, porque quitava la vista de los ojos» (Bernardino de Sahagún, *Historia General de las Cosas de Nueva España)*. «En seguida [los primeros hombres] gimieron de no ver, de no contemplar, el nacimiento del día. Después, cuando salió el sol, los animales pequeños, los animales grandes, se regocijaron; acabaron de levantarse en los caminos de las aguas, en los barrancos; se pusieron en las puntas de los montes, juntos sus rostros hacia donde sale el día» (*Popol Vuh)*. Así, con palabras distintas que sin embargo transmitían emociones y sensaciones parecidas, los mitos aztecas y mayas del período posclásico contaban el nacimiento y la primera aparición del sol. El mundo, por lo tanto, ya existía, y también los dioses y los hombres. El sol había nacido de un sacrificio y, para seguir moviéndose, necesitaba más sacrificios. En varias culturas el sol estaba personificado por un jaguar o un hombre joven.

► El Xiuhcóatl Mayor. El nombre significa «Serpiente de Fuego» y es el arma prodigiosa de Huitzilopochtli; cultura mexica, período posclásico, Museo Nacional de Antropología, Ciudad de México.

Huitzilopochtli nace ya adulto. Su madre, Coatlicue (Falda de Serpiente), representa la tierra. Al nacer, empuña la Serpiente de Fuego y el venablo de un átlatl.

Huitzilopochtli (Colibrí de Izquierda). En la diestra lleva la Serpiente de Fuego y, en la izquierda, la rodela con los venablos, símbolo de la guerra. Lleva un gorro de plumas de papagayo amarillas y un penacho de plumas de quetzal; y a la espalda, el xiuhcoanahualli, un yelmo-bolsa con plumas de quetzal que representa la Serpiente de Fuego.

Huitzilopochtli vence a las estrellas y descuartiza a su hermana, Coyolxauhqui (Adornada con Cascabeles). El descuartizamiento alude a las fases de la luna.

Painal (Corredor Veloz). Es una de las manifestaciones de Huitzilopochtli, representa su velocidad.

▲ Huitzilopochtli, *Códice florentino*, I, 10r, 204v, siglo XVI, Biblioteca Medicea Laurenziana, Florencia.

Tonatiuh quema copal delante de un templo que representa el Este. El dios lleva una bolsa de copal, un gorro del que sobresalen dos plumas de águila, animal asociado al sol, y un adorno dorsal formado por un semimotivo solar.

En el templo, debajo de un árbol en flor, canta un ave (nótese que el glifo del canto termina en una flor estilizada, metáfora de la gracia y la armonía).

Itztlacoliuhqui (Cuchillo de Obsidiana Curvo) se atraviesa el lóbulo de la oreja y quema copal delante de un templo que representa el Norte y del que sale una columna de humo negro. El dios tiene las pinturas faciales horizontales que lo caracterizan, lleva una bolsa de copal y está tocado con un gorro que representa la obsidiana curva que le da nombre.

En el templo hay un ave nocturna.

▲ Toniatiuh e Itztlacoliuhqui, una de las manifestaciones de Tezcatlipoca, queman copal delante de unos templos pequeños, *Códice Cospi*, 12r, siglo XV, Biblioteca Universitaria, Bolonia.

El sol era una de las principales deidades mayas. Era el que daba al maíz fuerza para crecer y al mismo tiempo el que podía destruirlo con sus rayos.

El mascarón se encuentra en la pirámide de Kohunlich, una de las mejor conservadas del área maya. Estos mascarones de gran tamaño eran típicos del período preclásico y del primer período clásico.

Los motivos que tiene el dios del Sol en los ojos representan el glifo winik, *Veinte, una referencia al mes de veinte días y al hombre (veinte es el número de los dedos de las manos y los pies).*

Debajo de la nariz aparecen dos bolas de jade usadas como nariguera, y a ambos lados de la boca, la barba del dios.

▲ Mascarón del dios Sol, cultura maya, período clásico, Kohunlich.

«Una luna hay en el cielo, en tu rostro una boca.
Muchas estrellas en el cielo, en tu rostro solo dos ojos»
(poema Azteca)

Luna

Profundización
Metztli es la luna como astro, mientras que Coyolxauqui (Adornada con Cascabeles) es la luna hermana y enemiga de Huitzilopochtli. El hecho de que hubiera nacido de Tecuciztécatl, deidad masculina, y que *metztli* también signifique «mes» en una cultura con meses de veinte días, demuestra que la luna estaba en el centro de mitos de distinta procedencia, que en el momento de la conquista aún no se habían fundido en un relato coherente

En una sociedad machista y guerrera como la mexica, cuyo dios étnico era el sol invicto, la luna no podía ser una diosa de gran prestigio; en realidad, parece que existe para resaltar las características del sol, más que por méritos propios. El mito que cuenta su nacimiento como astro la presenta como una vanidosa pusilánime. Mientras que el sol había nacido del sacrificio de Nanahuatl, el dios chico, modesto, pobre y pustuloso, la luna había nacido del sacrificio de Tecuciztécatl (Habitante de la Tierra de los Antepasados), un dios masculino, rico y vanidoso, que no había tenido valor para arrojarse al fuego el primero y lo había hecho después de Nanahuatl. El sol y la luna habían salido de las entrañas de la tierra en el orden en que habían entrado en el fuego y resplandecían con la misma luz, pero uno de los dioses se burló de la luna, y le arrojó un conejo a la cara, y le quedó un cardenal con forma de conejo de perfil que se la oscureció. Pero para mover el sol y la luna, hizo falta que los dioses se sacrificaran e interviniera el dios del Viento (Quetzalcóatl-Ehécatl). La luna, sin embargo, se quedó atrás, y desde entonces —explica el mito— los dos astros están desfasados. Como hemos visto, por otro lado, en el relato del nacimiento de Huitzilopochtli, la luna es la hermana mayor y enemiga del sol invicto, cuyo triunfo representa la derrota, nunca definitiva, de las fuerzas de la oscuridad y la noche.

► Coyolxauqui, la luna. En el pelo lleva las bolas de plumas que simbolizan el poder de Tenochtitlán, y en las mejillas, los cascabeles que le dan nombre; cultura mexica, período posclásico, Museo Nacional de Antropología, Ciudad de México.

El cuerpo descuartizado de la diosa, que probablemente alude a las fases lunares. Huitzilopochtli desmembró a su hermana con la Serpiente de Fuego.

La descubrieron el 21 de febrero de 1978 unos operarios de la compañía de electricidad de Ciudad de México que estaban cavando en el centro histórico de la ciudad. Su hallazgo dio inicio a una extraordinaria campaña de excavaciones que sacó a la luz el templo Mayor de Tenochtitlán.

Lleva un cinturón de serpientes coral con una calavera como dije. La diosa, además de sus atributos típicos —bolas de plumas en el pelo y cascabeles en las mejillas—, lleva un gorro semilunar con penacho de plumas. En las extremidades arrancadas se ven serpientes coral y cabezas de serpiente estilizadas (o de Tlaltecuhtli).

La Coyolxauqui del templo Mayor estaba en la base de la escalinata del templo (fase IV B) por la que se accedía al adoratorio de Huitzilopochtli, delante del cual se sacrificaba a los prisioneros. Después se arrojaban los cuerpos escalinata abajo y se desmembraban sobre esta losa. Así se repetían y revivían exactamente los sucesos que dieron la victoria al sol sobre la noche.

► La Coyolxauqui del templo Mayor, cultura mexica, período posclásico, Museo del Templo Mayor, Ciudad de México.

«En Tenochtitlán se pide prestado al dios. Entre banderas de papel, en todas las direcciones, hay personas de pie: es el tiempo de su llanto [de la lluvia]» (poema azteca)

Dioses de la lluvia

Profundización
Dioses de la lluvia. Posclásico: aztecas, Tláloc con sus ayudantes, los tlaloques. Mixtecas, 5 Viento. Clásico: Teotihuacan, Gran Deidad y Serpiente Emplumada. Zapotecas, Cocijo. Mayas, Chahk

Voces relacionadas
Sacrificios para la lluvia

Cuando se habla de los dioses de la lluvia, siempre se corre el riesgo de caer en cierto determinismo geográfico y ambiental. Pero tampoco se puede pasar por alto que el paso brusco de la estación seca a la estación de las lluvias pone en evidencia ante todos, hoy como ayer, que sin la llegada de las lluvias Mesoamérica sería una región árida e inhóspita. Además, si se tiene en cuenta que las oscilaciones climáticas normales podían dar lugar a sequías imprevistas y falsos comienzos de la estación de las lluvias (por ejemplo, cuando El Niño afecta a Perú, en Mesoamérica pueden caer lluvias fuera de la estación), se comprende que todas las culturas mesoamericanas dieran tanta importancia a los dioses de la lluvia. Las primeras manifestaciones evidentes de un culto a la lluvia aparecen en la cultura olmeca, que representa claramente escenas con nubes y gotas de lluvia. Parece que algunas de las principales deidades olmecas, la serpiente ornitomorfa y un dios de la lluvia asociado al jaguar, se pueden considerar antepasados de los dioses de la lluvia de las culturas posteriores. Seguramente ya en aquella fase se fijaron algunas características iconográficas de estos dioses y sus rituales: los caninos pardiantropos-ofiomorfos, las gotas de lluvia que se convierten en el símbolo de la «piedra preciada» y el sacrificio de niños. En cambio, los símbolos más característicos del dios, los redondeles alrededor de los ojos (llamados «anteojos de Tláloc»), aparecen más tarde en Teotihuacán y Monte Albán.

► Tláloc con tocado y vestido de plumas, en parte de quetzal, que lo convierten en un Tláloc emplumado, cultura tolteca, período posclásico.

La Gran Deidad, uno de los dioses de la lluvia y el agua de Teotihuacán, tiene aquí rasgos claramente femeninos, aunque es posible que también tuviese un componente masculino.

El conjunto de nariguera rectangular y grandes orejeras discoidales es tan característico de la Gran Deidad que, en la lógica de la representación pars pro toto, *a menudo la sustituyen por completo.*

Tocado con un pájaro estilizado, quizá su álter ego, grandes penachos de plumas de quetzal y unas estilizaciones que podrían representar corazones y órganos de los sacrificados.

Los caninos pardiantropos-ofiomorfos, uno de los rasgos distintivos del dios de la Lluvia.

La nariguera *rectangular con los símbolos de la «piedra preciada».*

De las manos de la Gran Deidad, con uñas pintadas de rojo, caen regueros de semillas y objetos que no siempre se pueden identificar. Solo se reconocen manos y conchas marinas.

▲ La Gran Deidad, cultura Teotihuacán, período clásico, conjunto residencial Tetila, Teotihuacán.

La escultura se encontró debajo de la estructura 26 de Copán. Probablemente era un elemento decorativo de un edificio derribado para dejar sitio a la escalinata de los Jeroglíficos.

El gorro representa un cormorán con un pez en el pico. Esta ave aparece con frecuencia en el arte maya, quizá por su capacidad para permanecer mucho tiempo bajo el agua, que la convertiría en intermediaria no solo de los dioses de la lluvia que, como el cormorán, combinan el cielo y el agua, sino también con los del inframundo, en parte acuático.

La punta de la nariz retorcida es una alusión a K'awiil, dios con el que se superpone en parte.

El diente afilado de Chahk alude a su naturaleza acuática; probablemente representa un diente de tiburón.

▲ Chahk, el dios de la Lluvia de los mayas con algunas características del dios 1; cultura maya, período clásico, Museo Regional de Copán, Copán.

Con su olla gemela, que también se encontró en el templo Mayor, representa el vértice de una tipología numerosa y abundante. Ambas se atribuyen al mismo alfar.

Los «anteojos» del dios de la Lluvia.

La nariz está formada por dos serpientes entrelazadas, aquí muy estilizadas. Los trazos oblicuos distinguen los cuerpos de las serpientes.

Los caninos pardiantropos-ofiomorfos del dios de la Lluvia.

▲ Olla Tláloc, cultura mexica, período posclásico, Museo del Templo Mayor, Ciudad de México.

Es una pieza única no tanto por su calidad artística, que es notable, como por ser una muestra ejemplar de cómo puede dividirse y recomponerse la «materia sutil e imperceptible» de los dioses. Aquí la materia del dios de la Lluvia, que para los mexicas es masculino, se ha desdoblado y recompuesto en un segundo Tláloc femenino que ha asumido la postura del dios de la Tierra, Tlaltecuhtli.

Ambos, pero es evidente en el Tláloc superior, están tallados combinando una doble visión frontal: la de las cabezas y la del cuerpo femenino que se ve por encima de las cabezas, girado 180°. Es puro cubismo.

Las extremidades del Tláloc superior están «aplastadas» en la postura del dios de la Tierra.

Las aletas de papel del tocado típico de las mujeres aztecas.

La cabeza del Tláloc inferior con los rasgos típicos del dios y la nariz con serpientes entrelazadas.

El Tláloc superior tiene nariz sin serpientes entrelazadas, pechos evidentes, el glifo del Movimiento en el vientre y calaveras entre las piernas.

▲ Los Tláloc superpuestos del templo Mayor, cultura mexica, período posclásico, Museo del Templo Mayor, Ciudad de México.

En los mitos cosmogónicos, Chalchiuhtlicue (Falda de Jade) fue el sol de la cuarta era, el sol 4 Agua, *que duró 676 años hasta que lo destruyó un enorme diluvio cuando «el cielo cayó sobre la tierra». Entonces el agua lo cubrió todo durante 52 años y los hombres se convirtieron en peces.*

Chalchiuhtlicue lleva unos atavíos que, con sus colores verdes y azules, aluden a su nombre y sus funciones. En las manos lleva dos bastones de mando adornados con tiras de papel manchado con gotas de hule.

Una corriente de agua mana del trono divino de la diosa y arrastra a personas, armas y un adorno de Tlazoltéotl, la diosa que confiesa los pecados. Por tanto, el agua, además de fecundar, es peligrosa y purifica. En los bordes de la corriente se representan los símbolos de la «piedra preciada» y unas conchas.

▲ Chalchiuhtlicue (Falda de Jade) representada como «patrona» de la trecena *1 Caña*, *Códice borbonicus*, 5, siglo XVI, Bibliothèque Nationale, París.

«Todos lo tenían por padre, considerando los efectos que hacía, porque quema, y la llama enciende y abrasa. Estos son efectos que causan temor» (Bernardino de Sahagún)

Xiuhtecuhtli

Profundización
Para los aztecas, Xiuhtecuhtli-Huehuetéotl es el dios del Fuego, del Año y del Centro. Como Huehuetéotl, el dios Viejísimo, se considera «padre y madre» de todos los dioses, y en este sentido se superpone a Ometéotl, el dios Dos Primigenio

Xiuhtecuhtli, el dios del Fuego, no es una deidad vinculada a un grupo étnico determinado, pues está presente en casi toda la Mesoamérica central y septentrional. También lo llamaban Huehuetéotl, que significa «dios Viejísimo». Realmente lo era, porque ya estaba presente en el período preclásico tardío (700-100 a.C.) con unos rasgos que se mantendrían durante unos 2.000 años, hasta el momento de la conquista: un gran brasero en la cabeza, cara arrugada y dos dientes que sobresalen de su boca desdentada. No obstante, de acuerdo con la naturaleza cambiante de las deidades precolombinas, una de las manifestaciones de Xiuhtecuhtli era la de un joven guerrero. En el ámbito azteca, además, este polimorfismo concordaba con los significados distintos que podía tener la primera parte de su nombre. *Xihuitl* significaba año solar, verde, hierba, cometa y turquesa. La última acepción se relaciona con la amplísima gama de piezas hechas con turquesa (en primer lugar, la corona-diadema del emperador), que por su color se usaban también para representar el agua. En cambio, la primera acepción del nombre lo convertía en dios del Año, del tiempo y, a través de un complicado juego de alusiones, del centro. No es extraño que varias estatuas suyas se enterraran como ofrendas en el lugar que representa el centro del cosmos: el Templo Mayor.

► Xiuhtecuhtli de Cerro de las Mesas. El dios, según la iconografía habitual, sostiene un brasero en la cabeza y está decorado con símbolos de las cuatro direcciones y del centro; cultura Veracruz, período clásico, Museo Nacional de Antropología, Ciudad de México.

Las deidades que, como Señores de la Noche, están asociadas a los ocho últimos días de la trecena. Las letras que tiene al lado indican la influencia que ejercen estos dioses sobre el día: b «bueno», m «malo» e i «indiferente».

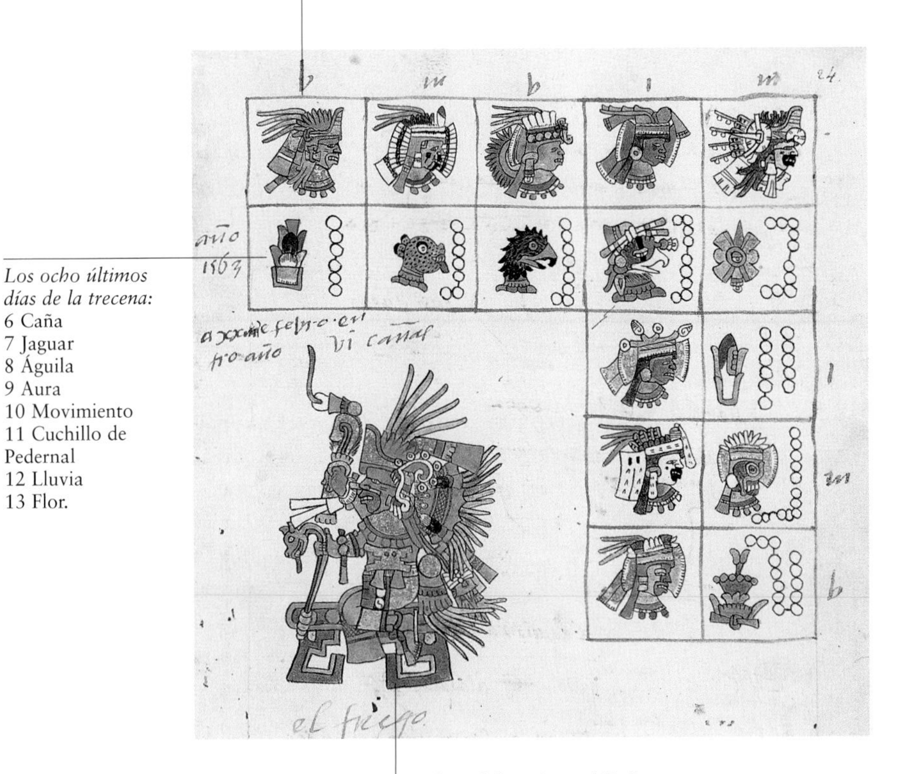

Los ocho últimos días de la trecena:
6 Caña
7 Jaguar
8 Águila
9 Aura
10 Movimiento
11 Cuchillo de Pedernal
12 Lluvia
13 Flor.

Xiuhtecuhtli está arrodillado en un trono divino, con un átlatl *en una mano y un cetro ofiomorfo en la otra. Lleva varios adornos de turquesa: una nariguera cilíndrica, un collar, un pectoral y la corona-diadema. Detrás de la cabeza lleva el* xiuhcoanahualli, *un yelmo-cesta que representa la Serpiente de Fuego.*

▲ Xiuhtecuhtli como patrono de la trecena *1 Conejo*, última del calendario ritual de 260 días, *Códice tellerianus-remensis*, 24r, siglo XVI, Bibliothèque Nationale, París.

«¡Oh mujer fuerte y belicosa, mía muy amada! Has peleado valientemente, has usado la rodela y la espada. Moriste muerte honrosa y provechosa» (Bernardino de Sahagún)

Muertos divinizados

Profundización
Los guerreros muertos en batalla y las mujeres muertas de parto vivían en el «cielo», un lugar con árboles y bosques, los primeros en oriente y las segundas en occidente.
Los guerreros acompañaban al sol del amanecer al mediodía, las *cihuateteo* del mediodía a la puesta

En un mundo donde la religión lo impregnaba todo, los reyes compartían la naturaleza divina durante los rituales, y los mismos objetos usados en las ceremonias, con el uso, se volvían cada vez más sagrados, así como las personas podían divinizarse si los dioses las «señalaban», para bien o para mal. Un caso particular de estas figuras era el de los guerreros muertos en batalla o las mujeres muertas de parto. A las segundas, en las poblaciones de lengua *náhuatl* las llamaban *cihuateteo*, plural de *cihuatéotl* (mujeres diosas), aunque conviene aclarar que en muchas lenguas mesoamericanas el término usado para «deidad» (en *náhuatl*: *téotl*) indica también una condición sagrada más genérica. Las *cihuateteo* gozaban de una consideración especial, pues se creía que dar a luz un hijo era como capturar a un enemigo en la guerra. De modo que ellas, junto con los guerreros muertos en batalla, tenían el privilegio de acompañar al sol en su viaje diurno. Pero este honor, aparentemente paritario, respondía a una visión del mundo de una sociedad profundamente machista, porque los guerreros escoltaban al sol hacia el triunfo del mediodía y, en cambio, las *cihuateteo* lo escoltaban en un triste descenso hacia las Fauces de la Tierra. Al cabo de cuatro años este destino distinto se acentuaba, porque los guerreros se convertían en colibríes de espléndidos colores, y las mujeres, en monstruos que podían aterrorizar y hacer enfermar a las personas o, durante los eclipses de sol y el Fuego Nuevo, destruir el mundo.

► *Cihuatéotl* (mujer diosa) con la cara descarnada, una corona de pequeñas calaveras, un collar de manos cortadas y otra calavera colgante; cultura azteca (¿o matlatzinca?), período posclásico, Museo Nacional de Antropología, Ciudad de México.

Los ojos cerrados indican la condición de difunta.

En El Zapotal, un gran centro religioso de cultura Veracruz, donde existía un santuario dedicado a las cihuateteo, *se desarrolló una escuela que produjo cientos de piezas de este tipo monumental (las esculturas podían llegar a medir un metro y medio).*

La falda le llega a los pies. Suele ir sujeta con un cinturón de serpiente bicéfala que remite al agua y la fertilidad.

Con la mano izquierda sostiene una bolsa de copal muy decorada, símbolo de la condición sacerdotal y sagrada adquirida con la muerte.

► *Cihuatéotl*, cultura Veracruz, período clásico, Museo de Antropología, Xalapa.

El rostro del guerrero asoma por un gran pico de águila: se trataba de un guerrero águila.

Lleva el tocado de Xiuhtecuhtli con un cotinga azul (Cotinga amabilis) *rodeado de medias lunas azules.*

Las hojas de maguey estilizadas y dirigidas hacia abajo adornan el borde del brasero.

El collar de manos cortadas. Cuenta Sahagún que los jóvenes guerreros y los ladrones trataban de robar el cuerpo de una mujer muerta de parto, porque de él sacaban reliquias poderosas. Se creía que el dedo corazón de la mano izquierda, el brazo y la mano izquierda y el cabello quitaban valor al enemigo y a los habitantes de las casas adonde iban a robar.

▲ Brasero que representa a un guerrero muerto en batalla; cultura mexica, período posclásico, Museo Nacional de Antropología, Ciudad de México.

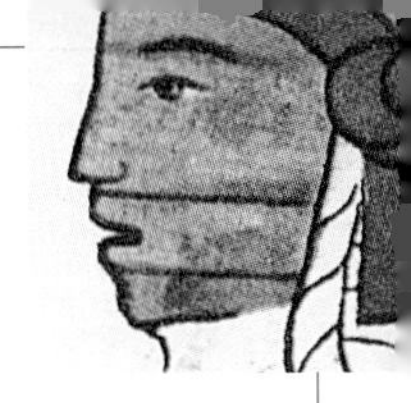

*«Nosotros somos Hunahpú y Xbalanqué y nuestros padres son aquellos que matasteis y venimos a vengar sus muertes y las penas y dolores que les causasteis» (*Popol Vuh*)*

Héroes Gemelos

Los Héroes Gemelos eran los protagonistas del mito cosmogónico maya que contaba la derrota de los dioses del inframundo. Se llamaban Hunahpu' y Xb'alanque', conocidos en el período clásico como Hun Ajaw y Yax B'ahlam. Eran hijos del dios del Maíz, al que habían matado los dioses de Xib'alb'a, el inframundo maya. Pero su padre, aunque lo habían decapitado y habían colgado su cabeza de un árbol, fecundó a una princesa escupiéndole en la mano. La princesa generó a los Héroes Gemelos y estos, cuando crecieron, bajaron al inframundo para vengar a su padre. Después de muchos desafíos de habilidad y astucia, los Héroes Gemelos se dejaron vencer en el juego de pelota por los Señores de Xib'alb'a, que quemaron sus cuerpos y echaron las cenizas a un río. Pero resucitaron como hombres-pez gato y, convertidos en grandes hechiceros, se distinguieron como bailarines, acróbatas y magos capaces de obrar prodigios. Su fama llegó al palacio de los Señores del Inframundo 1 y 7 Muerte, que, intrigados, los mandaron llamar. Una vez en su corte, los Héroes Gemelos, después de bailar, sacrificaron y resucitaron a un perro, a un hombre y al propio Huanpu'. Ante estos prodigios 1 Muerte y 7 Muerte pidieron que los matasen y los resucitasen a ellos. Los Héroes Gemelos, después de matarlos, se cuidaron de devolverles la vida. Los demás dioses del inframundo tuvieron que renunciar a su dominio, y el mundo pudo acoger a los «hombres de maíz».

Profundización
Los Héroes Gemelos liberan la tierra del dominio de los dioses del inframundo y suben al cielo: «Y luego los dos muchachos ascendieron por este camino, aquí al centro de la luz, y el Sol pertenece a uno y la Luna al otro» (*Popol Vuh*)

◄ Una escena del *Popol Vuh* en una escudilla. Después de vender a los dioses del inframundo, los Héroes Gemelos resucitan a su padre, que renace como dios del Maíz de la concha de una tortuga bicéfala, símbolo de la tierra; cultura maya, período clásico, Museum of Fine Arts, Boston.

El dios Itzamnaaj, mostrado en su infinita ancianidad, habla con la boca completamente desdentada, porque las deidades de edad venerable se representaban sin dientes.

Wukub Kaqix, que coincide con la Deidad Ornitomorfa Principal del período clásico, está subido a un árbol de jícaro (Crescentia cujete). *El árbol está antropomorfizado con un rostro símbolo del esplendor, que suele asociarse con el jade.*

▲ Los Héroes Gemelos con el dios Itzamnaaj, desarrollo de un vaso cilíndrico, cultura maya, período clásico, Museum of Fine Arts, Boston.

► Uno de los Héroes Gemelos, desarrollo de un vaso cilíndrico, cultura maya, período clásico, Museum of Fine Arts, Boston.

El glifo de Xb'alanque'-Yax B'ahlam.

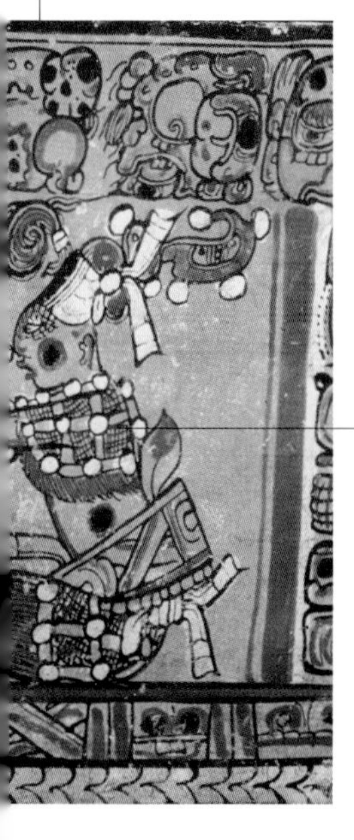

Hunajpu'-Hun Ajaw (1 Señor) se reconoce por las manchas negras pintadas en su cuerpo. Delante de él está su padre, el dios del Maíz.

Hunajpu'-Hun Ajaw, uno de los Héroes Gemelos, está en cuclillas bajo el árbol donde suele posarse Wukub Kaqix y con una cerbatana va a disparar una bola contra el pájaro. Su proyectil rompe la mandíbula de la Deidad Ornitomorfa, pero ella reacciona arrancándole el brazo. Al final los Héroes Gemelos consiguen vencer y recuperan el brazo de Hunajpu'-Hun Ajaw.

El texto vertical que hay entre los personajes dice así: «El día 1 Ajaw 3 K'ank'in *baja del cielo el representante de Itzamnaaj». En efecto, Wukub Kaqix parece dibujado cuando se posa en el árbol.*

Es el momento anterior a la venganza de los Héroes Gemelos: Hunajpu'-Hun Ajaw está decapitando al dios del Sacrificio. Tras él Xb'alanque'-Yax B'ahlam blande un hacha. Los dos están enmascarados para ocultar su identidad. Después de este sacrificio los Héroes Gemelos le arrancarán al dios L su rico manto, sus joyas y su gorro para señalar su derrota.

El dios sacrificado es muy distinto de su «colega» del Popol Vuh. *Cabe suponer que durante el período clásico hubo variantes ligeramente distintas del mito, o que había dos tipologías de Señores del Inframundo, como todavía hoy entre los lacandones de Chiapas.*

Es uno de los ejemplos más notables del estilo codex. El vaso procede de la región Nakbe, que fue, con Calakmul, uno de los centros más prestigiosos de producción de vasos codex.

▲ Maestro del señor Aj Nojol (Él del Norte), desarrollo del Vaso de Princeton, cultura maya, período clásico, Art Museum Princeton University, Princeton.

La otra deidad del inframundo maya, el dios L, está atando un brazalete de cuentas de jade en la muñeca de una muchacha, porque, como han señalado J. y B. Kerr, también los dioses, sobre todo si son muy viejos, deben hacer regalos caros a las jovencitas.

La muchacha que está detrás de Xb'alanque'-Yax B'ahlam intenta llamar la atención de la otra joven tocándole el pie con un dedo.

El conejo-escriba representa a la diosa de la Luna y anota todo lo que ve para contárselo a su ama.

Una muchacha trasiega un líquido, probablemente una bebida de cacao.

«Una mujer, ya de grande edad, dijo: "Después que se fue mi hijo Huitzilpochtli no me he lavado la cara, ni peinado, y este luto y tristeza me durarán hasta que él vuelva» (Diego Durán)

Coatlicue

Profundización
Coatlicue (Falda de Serpientes) es una de las manifestaciones de la tierra, de la que nacen y a la que vuelven todas las formas de vida. Con esta doble faceta se superpone en parte tanto a las deidades femeninas relacionadas con el parto y la maternidad, como a la componente femenina del dios del Inframundo y a Cihuacóatl (Mujer Serpiente), que en su aspecto guerrero aúna las características de las primeras y la segunda

Según la versión más completa del mito mexica, que convierte a la tierra en madre de Huitzilopochtli, Coatlicue vivía en Coatepec (Cerro de la Serpiente) y ya era madre de la Luna-Coyolxauhqui y las estrellas-Centzon Huitznahua. Cuenta el mito que «mientras hacía penitencia barriendo todos los días en el cerro de Coatepec, una vez, cuando barría, sobre ella bajó un plumaje, como una bola de plumas. Enseguida lo recogió Coatlicue, lo colocó en su seno. Cuando terminó de barrer, buscó la pluma, pero no vio nada. En ese momento Coatlicue quedó encinta. Al ver los Centzon Huitznahua que su madre quedaba encinta, mucho se enojaron, dijeron: "¿Quién la dejó encinta? Nos afrenta, nos deshonra". Cuando supo esto Coatlicue mucho se espantó, mucho se entristeció. Pero su hijo Huitzilopochtli, que estaba en su seno, la confortaba, le decía: "No temas, yo sé lo que tengo que hacer"». En efecto, Huitzilopochtli nació justo cuando Coyolxauhqui y sus hermanos llegaban para matar a Coatlicue, y los dispersó sin dificultad. Después de su fulminante victoria, el destino de Coatlicue no está muy claro, porque parece que su cometido se cumple dando a luz al dios étnico de los mexicas.

► Base de la Coatlicue Mayor que representa a Tláloc-Tlaltecuhtli, cultura mexica, periodo posclásico, Museo Nacional de Antropología, Ciudad de México.

La Coatlicue Mayor, la Madre Tierra, aparece aquí representada en una obra que por su enorme expresividad no tiene precedentes en el arte mesoamericano. La estatua fue desenterrada el 13 de agosto de 1790 en lo que hoy es el zócalo de Ciudad de México. Pero a los pocos meses fue enterrada de nuevo, porque además de recordar a los indios su pasado, como cuenta Octavio Paz (1988), «su presencia se consideraba una afrenta a la idea misma de la belleza».

Coatlicue no tiene cabeza, y de su cuello salen dos cabezas de serpiente enfrentadas, representación de los chorros de sangre que fecundan la tierra. Pero en este caso los reptiles forman la cabeza de un nuevo ser.

Los pies de la diosa son garras de águila y sus manos sostienen cabezas de serpiente. Lleva una falda de serpientes entrelazadas de la que cuelga su nombre, y un collar de corazones y manos cortadas con una calavera como dije.

► Coatlicue Mayor, cultura mexica, período posclásico, Museo Nacional de Antropología, Ciudad de México.

«Decían que esta diosa tenía poder para provocar la lujuria, y después de hechos los pecados decían que tenía poder para perdonarlos» (Bernardino de Sahagún)

Tlazoltéotl

Profundización
Se superpone en parte al componente femenino de Ometéotl, el dios Dos Primigenio. Protege los partos y a las parturientas, como Xochiquetzal. Coincide con la diosa Ixcuina de la costa del Golfo

Para los aztecas, Tlazoltéotl era una de las manifestaciones de un conjunto de deidades femeninas que representaban varios aspectos de la parte femenina de la pareja primigenia y habían asumido varias connotaciones étnicas y funcionales. Junto a Tlazoltéotl, con funciones unas veces claramente distintas y otras convergentes, se sitúan otras deidades. Las más importantes y mejor caracterizadas son Xochiquetzal, Cihuacóatl y Coatlicue. Tlazoltéotl era oriunda de la costa del Golfo y se había incorporado relativamente tarde al panteón de los pueblos de la meseta central. Tenía la facultad de desatar el instinto sexual, protegía los partos y podía perdonar los pecados, lo que no dejó de suscitar el interés de los religiosos tras la conquista. En efecto, su nombre aludía metafóricamente a los vicios y las debilidades de las personas. En realidad la diosa no podía remitir los pecados, sino que más bien era una intermediaria, porque los pecadores, a través de un sacerdote, confesaban sus pecados a Tezcatlipoca delante de un fuego que representaba a Xiuhtecuhtli. Quien tenía la facultad de perdonar los pecados era el dios Invisible e Impalpable, y las penitencias se hacían en los días de Tlazoltéotl. Solo se podía hacer una confesión en toda la vida, y la confesión anulaba las consecuencias del pecado ante la sociedad y libraba al pecador del rigor de la ley.

► Tlazoltéotl Mayor, cultura Veracruz, período clásico, Museo de Antropología, Xalapa.

La diosa viste una camisa y una falda blancas con los típicos motivos semilunares.

La cara, pintada de negro alrededor de la boca, quizá con brea, alude al nombre y la función de Tlazoltéotl. En la mejilla tiene un lunar de goma o de brea.

La diosa lleva un gorro de plumas de quetzal y bobinas y copos de algodón sin hilar. En las manos lleva plumas de quetzal y ramitas verdes.

▲ Tlazoltéotl, *Códice florentino*, I, 11r, siglo xvi, Biblioteca Medicea Laurenziana, Florencia.

«La noche se embriaga aquí. ¿Por qué te hacías desdeñoso? ¡Inmólate ya, ropaje de oro revístete!»
(poema azteca)

Xipe Tótec

Profundización
El dios de la vegetación que se renueva era una deidad presente en gran parte de Mesoamérica. Para los aztecas, era Xipe Tótec, para los zapotecas, Yopi; para los mixtecas, 7 Lluvia. En cambio, entre los mayas tenía poca importancia; en el período clásico coincidía en parte con el dios Q

Para los aztecas, Xipe Tótec (Nuestro Señor el Desollado) era el dios de la naturaleza que todos los años, al llegar las lluvias, cambiaba de piel. Con esta apariencia estaba asociado al Cincalco, una especie de inframundo subterráneo de la abundancia y la fertilidad. Xipe Tótec, además, tenía atributos guerreros, y por todos estos aspectos se superponía en parte a Tezcatlipoca. La metáfora de «cambiar de piel» se representaba y ejecutaba al pie de la letra en ceremonias asociadas al dios, que suele representarse (él o sus sacerdotes) con la piel del sacrificado. Aunque Xipe llevaba tiempo presente en la meseta central, se consideraba en cierto sentido de origen extranjero. En general se decía que procedía de las regiones occidentales. También era protector de los orfebres, curaba las enfermedades de los ojos y, por supuesto, las de la piel (sarna, erupciones cutáneas, etc.). En la fiesta dedicada al dios, que se celebraba al principio del segundo mes del año, se sacrificaban no solo los guerreros destinados al sacrificio gladiatorio, sino también otros prisioneros, que se mataban sin ceremonias especiales. Luego los desollaban y sus pieles, usadas en varios ceremoniales, se conservaban durante todo un año en el Yopico, el templo dedicado al dios. Después se sepultaban en cuevas con una procesión solemne en la que participaban sobre todo los enfermos afectados de males que Xipe podía sanar.

► Máscara de cobre de Xipe Tótec, cultura tarasca, período posclásico, Museo Nacional de Antropología, Ciudad de México.

Esta tipología también está presente en otras culturas y llega hasta el posclásico. Por la armonía y el equilibrio de sus formas, es la estatua más hermosa de esta deidad que se ha encontrado en Mesoamérica.

Como casi todas las crónicas dicen que la piel se llevaba puesta veinte días (un mes mesoamericano), es probable que hubiera sistemas de curtido para evitar que se agrietara al secarse. Además, para evitar que las toxinas de la pudrición envenenasen al sacerdote, se le daba la vuelta.

El sacerdote lleva en la mano derecha un vaso con garras de ave rapaz y, en el antebrazo izquierdo, un escudo cuadrado. En el busto, los brazos y la cara lleva la piel del sacrificado.

► Xipe Tótec o un sacerdote del dios con la piel de un sacrificado, cultura Teotihuacán, período clásico, Museo Nacional de Antropología, Ciudad de México.

«Era el más particular dios de los que moraban en las casas de los señores, ó en los palacios de los principales»
(Bernardino de Sahagún)

Dioses de la fertilidad agrícola

Profundización
Xochipilli representa tanto los placeres de la naturaleza como sus frutos. Bajo el primer aspecto se identifica con Macuilxóchitl; bajo el segundo, con el dios masculino del maíz, Cintéotl. Chicomecóatl es la diosa de la que depende el crecimiento del maíz

Para los pueblos mesoamericanos, la energía vital del hombre, de la naturaleza y de las plantas dependía de una serie de deidades. Xochipilli (Príncipe Flor) era el dios de las Flores y representaba el placer de la danza, la música, el juego, la pintura y la creación artística en general, pero también sus peligros, en primer lugar las enfermedades venéreas, que podían acarrear los placeres descontrolados. Bajo este aspecto tomaba el nombre de Macuilxóchitl (5 Flor), que, a su vez, era uno de los cinco Ahuiteteo, un grupo de deidades que tenían el número cinco en la primera parte de su nombre. Representaba concretamente los peligros de la bebida, el juego de azar, el sexo y, en general, los comportamientos que Ruth Bendict habría llamado «dionisíacos». Pero Xochipilli no representaba solo las flores que embriagan con su perfume y sus colores, sino también las flores que se transformaban en frutos. Bajo este aspecto particular se fundía con Cintéotl (dios Panocha de Maíz), que representaba no solo el maíz, sino en general todas las plantas cultivadas. Ambos eran, pues, la expresión del poder generativo de la naturaleza. Además, por la importancia del maíz en la cosmología azteca (los hombres son de maíz), se superponía a Ometéotl, en su aspecto de Tonacatecuhtli: el Señor de Nuestra Carne.

► Xochipilli-Macuilxóchitl, *Códice florentino*, 11v, siglo XVI, Biblioteca Medicea Laurenziana, Florencia.

El dios lleva una corona de plumas de garza, una máscara y motivos florales por el cuerpo.

La flor del sinicuichi (Heimia salicifolia), *una planta alucinógena.*

La flor de maravilla, el ololiuhqui (Turbina corymbosa), *que no debe confundirse con su homónima alucinógena* (Rivea corymbosa).

La flor del tabaco (Nicotiana rustica).

Está sentado en un trono divino decorado con el símbolo de la «piedra preciada», mariposas y una gran flor central cuyos pétalos son hongos alucinógenos (Psilocybe spp.).

▲ Xochipilli de Tlamanalco, cultura azteca (¿o chalca?), período posclásico, Museo Nacional de Antropología, Ciudad de México.

Chicomecóatl era la diosa «de lo que se come y lo que se bebe». Se pensaba que había sido la primera «que començó a hazer pan y otros manjares y guisados».

Tocado de papel con «torres» que representan las mazorcas de maíz y rosetas a los lados.

Lleva falda y huipil, que pueden estar decorados con motivos florales. Lleva una rodela con motivo solar (que otras veces era una flor grande) y un vaso con mazorcas.

▲ Chicomecóatl (7 Serpiente), *Códice florentino*, 10v, siglo XVI, Biblioteca Medicea Laurenziana, Florencia.

La fiesta de Chicomecóatl y de su personalidad masculina Cintéotl se celebraba en el mes huey tozoztli, *el cuarto del año, que en 1519 empezaba el 15 de abril, al principio de la estación agrícola.*

La diosa empuña un cetro de serpientes entrelazadas y dos panochas de maíz. Lleva un tocado de papel con aletas laterales y un penacho de plumas de águila y quetzal, un collar de cuentas de jade y una falda decorada con motivos geométricos.

Durante la fiesta en honor a la diosa, los jóvenes del calmécac construían pequeños altares en los que dejaban ofrendas de comida; luego las panochas que debían servir para la siembra se envolvían en tela en grupos de siete (una alusión clara al nombre de la diosa) y unas jóvenes vírgenes las llevaban al templo. Allí se bendecían con gotas de hule.

▲ Brasero con figura de Chicomecóatl, cultura azteca, período posclásico, Museo Nacional de Antropología, Ciudad de México.

Esta pieza formaba parte de un conjunto de cuatro paneles casi idénticos que decoraban el tlachtli *de Aparicio, un yacimiento de Veracruz que acusó cierta influencia de El Tajín.*

El yugo tiene insertado un elemento decorativo con forma de palma.

Del cuello salen siete serpientes entrelazadas, símbolos de la sangre y de su poder fecundador; son el glifo de Chicomecóatl, cuyo nombre en náhuatl *significa 7 Serpiente. Los distintos planos de lectura del arte precolombino y la cadena semántica entre los símbolos del juego de pelota, la sangre y la fertilidad agrícola son aquí evidentes.*

El jugador lleva una rodillera y un mandil de estera (?) trenzada. En la derecha lleva una manopla, uno de los arreos del juego, que servía para golpear la pelota. Por el atuendo se comprende que en Aparicio se jugaba una variante de ulama *que permitía golpear la pelota no solo con las caderas, sino también con la manopla y las rodillas.*

► Jugador de *ulama* decapitado, cultura Veracruz, período clásico, Rijksmuseum voor Volkenkunde, Leiden.

La escultura era uno de los elementos decorativos de la estructura 22 de Copán, que representaba la Yaxhal Witz (Montaña Lozana), el topos *mítico donde había germinado el primer maíz.*

Antes de subir al cielo, los Héroes Gemelos se despiden de su padre, dios del Maíz, con estas palabras: «Aquí te elevarán plegarias, serás el primero a quien se recurra y el primero cuyo día celebrarán quienes nacerán en la luz» (Popol Vuh).

Un collar de cuentas de jade y un gran colgante que representa una deidad zoomorfa. Sobre la cabeza, una hoja de maíz doblada hacia delante presenta el rostro del dios como una panocha.

▲ El dios del Maíz joven, cultura maya, período clásico, British Museum, Londres.

«¿Dónde está la senda que lleva a la región de los muertos, el sitio de nuestro descanso, el sitio de los descarnados?» (poema azteca)

Dioses del inframundo

Profundización
Dioses del inframundo aztecas: Mictlantecuchtli (Señor del Inframundo), en parte se superpone a Tlaltecuhtli (Señor de la Tierra), pero la división entre ambos es bastante clara.
Zapotecas: Coqui Bexelao o Pitao Bexelao.
Mayas: Kimi, dios A (representa la propia muerte) y Dios L (es el soberano del inframundo)

Voces relacionadas
Muerte

Para los pueblos mesoamericanos, debajo de la tierra había un mundo húmedo, oscuro, asociado a lo femenino. Era el inframundo, el lugar donde reinaban los dioses de la muerte y adonde iban a parar la mayoría de los difuntos antes de desaparecer para siempre. Sus aberturas hacia la superficie eran las grutas, muy abundantes tanto en las regiones cársticas del área maya como en las zonas donde las coladas de lava fluida habían dejado largas galerías subterráneas. El inframundo estaba repartido en nueve niveles superpuestos, el primero de los cuales era la superficie terrestre. Los aztecas les pusieron unos nombres metafóricos cuyo significado es difícil de descifrar: Tierra, Paso del Agua, Raíces de las Montañas, Montaña de Obsidiana, Viento de Obsidiana, Donde Ondean los Estandartes, Donde Hieren las Flechas, Donde se Devoran los Corazones de las Personas, De Donde no Sale el Humo. Este mundo, por supuesto, inspiraba temor, no solo por ser la morada de los muertos, sino también porque las deidades que lo gobernaban, aunque habían sido derrotadas en los tiempos aurorales de la creación, seguían amenazando al mundo superior, ya que todos los días se tragaban el sol y todos los días el sol tenía que vencerlas. En vista de esta amenaza, las religiones mesoamericanas no habían negado, eliminado ni exorcizado a ninguna de las deidades de la muerte, sino que habían optado por representar este conflicto e integrar al «enemigo» en su panteón.

► Vaso con trípode y el dios de la Muerte de los mixtecas, con cabeza suelta y giratoria, cultura mixteca, período posclásico, Museo Nacional de Antropología, Ciudad de México.

Aunque está muy «próximo» a Mictlantecuhtli, el dios de la Tierra tiene funciones y características diferentes. Está en un nivel superior, el terrestre, y no reina sobre el lugar adonde van las «almas» de los muertos, sino que recibe su sangre y su cuerpo.

El dios, como en muchas de sus manifestaciones, tiene los anteojos y los dientes de Tláloc.

Las manos, en parte convertidas en garras de águila, sujetan unas calaveras. Lleva otras atadas a los brazos y las piernas.

Tlaltechtli aparece en su típica postura «de sapo», como si lo hubieran aplastado. Es una brillante solución estilística que recuerda la naturaleza bidimensional de la superficie terrestre. Refuerzan esta característica los elementos colocados en el centro de su cuerpo: los rayos que apuntan a las cuatro direcciones del plano horizontal (falta el superior para no ocultar la cabeza) y los elementos de los vértices y el centro del cuadrado (el centro y de nuevo las cuatro direcciones).

▲ Tlaltecuhtli, cultura mexica, período posclásico, Museo del Templo Mayor, Ciudad de México.

Nótese el extraordinario parecido entre la imagen del Códice Magliabechi, *dibujado y escrito cuando todas estas esculturas se habían destruido, y el Mictlantecuhtli 1 de la página de al lado.*

Los sacerdotes ofrecen al dios cuencos llenos de sangre y la que brota de su mano derecha. Luego la sangre se vierte sobre la estatua del dios. Nótese el estilo claramente europeo del dibujo de la escalera.

El comentario de la imagen del Códice Magliabechi *dice así: «Este es un diablo muy celebrado en sus ritos, que tenía siempre una gran sed de sangre humana, a sus pies ponen huesos para indicar que era el Señor de la Muerte. La boca abierta, la lengua grande y sacada significa no decir nunca no al sacrificio que le ofrecen».*

▲ Mictlantecuhtli 1, el dios del Inframundo, *Códice Magliabechi*, 88r, siglo XVI, Biblioteca Nazionale Centrale, Florencia.

Junto con el casi idéntico Mictlantecuhtli 2 y dos Guerreros Águila del templo Mayor, es el único ejemplo del gran repertorio de cerámicas monumentales que había en los edificios y en el centro ceremonial de Tenochtitlán.

Durante años se vertió ritualmente sangre sobre la estatua, exactamente como se ve en el dibujo del Códice Magliabechi. *Cuando se descubrió, la parte superior tenía una gruesa costra de sangre seca.*

Estaba cubierta de estuco blanco y pintada de azul, rojo, amarillo, negro y marrón. Los agujeros del cráneo servían para insertar falsos cabellos y elementos del gorro.

El hígado. Para los aztecas, era la sede de una de las almas del hombre, pero también se asociaba a la muerte y la putrefacción.

El Mictlantecuhtli 1 se descubrió casi intacto en 1994 en el Recinto de los Guerreros Águila del templo Mayor. Su conservación excepcional se debe a que hacia 1490-1500, con motivo de una de las ampliaciones periódicas del Recinto de los Guerreros Águila, los mexicas enterraron ritualmente el viejo edificio y protegieron la estatua con arcilla fina y grandes piedras.

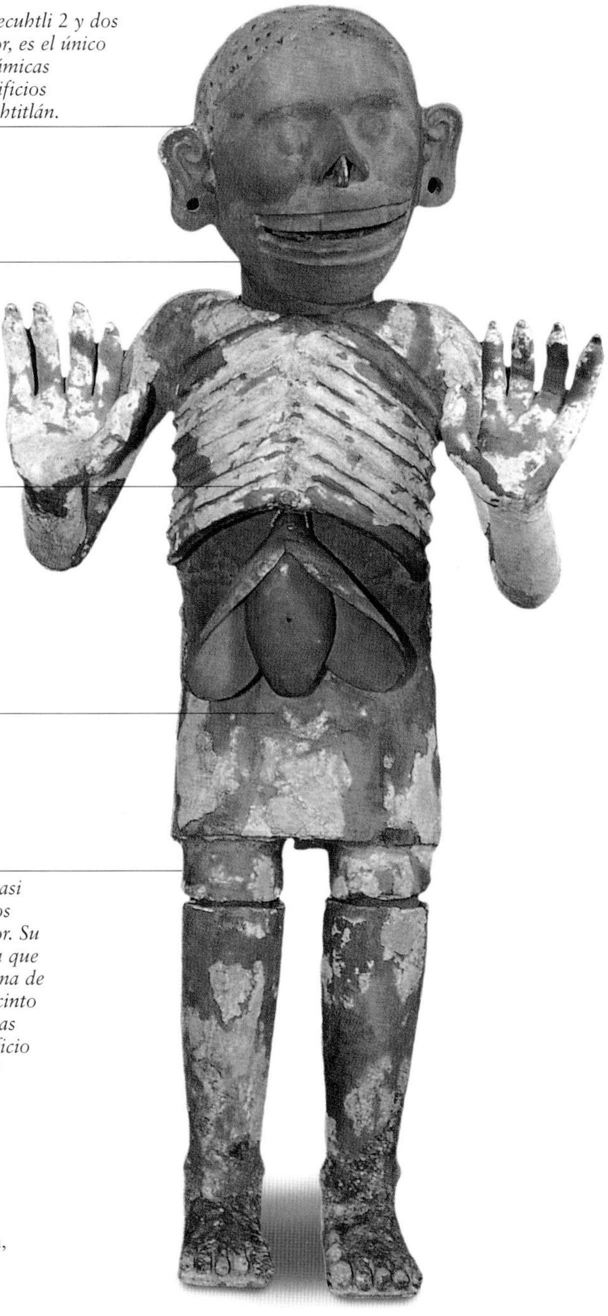

► El Mictlantecuhtli 1, cultura mexica, período posclásico, Museo del Templo Mayor, Ciudad de México.

El «Bebé Jaguar», Unen B'ahlam, es un ser pardiantropo presente en la cultura olmeca; la propia palabra unen *(bebé) es de origen* mixe-zoque, *la probable lengua de los olmecas. Representa a la deidad que simbolizaba el sacrificio humano por excelencia. En esta escena, después de su presentación en una bandeja, el dios de la Muerte lo arroja desde lo alto de una montaña y el dios de la Lluvia lo mata con sus rayos.*

El dios de la Lluvia lleva en una mano el hacha con la que lanza los rayos y, en la otra, la «piedra del rayo» con la que sacrifica al «Bebé Jaguar».

El mascarón que representa al dios de la Montaña. Su frente, un cuadrado con una entrada redondeada, es el logograma witz, *que significa «montaña».*

▲ Desarrollo de un vaso cilíndrico, cultura maya, período clásico, Metropolitan Museum of Art, Nueva York.

El dios de la Muerte está en los huesos y tiene la barriga hinchada por los gases de la putrefacción. Delante de los ojos lleva un nudo, típico de los dioses del inframundo, que representa el aliento.

Ciudades

Tula
Teotihuacán
Texcoco
Tlatelolco
Tenochtitlán
Xochitécatl-Cacaxtla
Cholula
Malinalco
Xochicalco
El Tajín
Quiahuiztlán
Zempoala
La Venta
Monte Albán
Mitla
Ekbalam
Chichén Itzá
Mayapán
Uxmal
Kabah
Labná
Tulum
Calakmul
Palenque
Toniná
Yaxchilán
Bonampak
Tikal
Izapa
Copán

◄ El templo del Sol, Palenque.

«Fueron gente robustísima y sapientísima y belicosísima. Edificaron una ciudad fortísima, de cuya felicidad y riquezas aun en los edificios destruidos de ella hay grandes indicios» (Bernardino de Sahagún)

Tula

Localización topográfica
México, Hidalgo
20°00'N, 99°37'O

Ocupación
900-1150

Nombre antiguo
No se conoce el nombre que le dieron sus habitantes, los aztecas la llamaban Tollan (Lugar de Cañas)

Tamaño
16 km² incluidos los alrededores
50.000 habitantes

Excavaciones
Los aztecas hicieron las primeras excavaciones, no propiamente arqueológicas; 1940-1960, Acosta; 1970-1972, Diehl; 1968-1969, Matos; 1980-1983, Cobean y Mastache

Desde 1941 y durante unos cincuenta años Tula tuvo el honor de ser identificada con el mítico Tollan (Lugar de las Cañas) de las fuentes indígenas, el *topos* por antonomasia de la sabiduría y la abundancia. Sin embargo, esta identificación es actualmente insostenible, tanto porque se ha comprendido que en Mesoamérica Tollan es una suerte de título honorífico reservado a las grandes ciudades, como porque los textos mayas dicen que el Lugar de las Cañas es Teotihuacán. A pesar de todo, Tula fue la capital de uno de los mayores imperios de la historia mesoamericana. Fundada alrededor de 700 junto a un asentamiento de cultura coyotlatelca, al cabo de dos siglos pasó a ser una de las ciudades más importantes de la meseta central. Pero alrededor de 900 se produjo un cambio imprevisto que alteró la vida de la ciudad: el centro ceremonial tradicional de Tula Chico fue abandonado y en Tula Grande se construyó otro completamente nuevo de «estilo tolteca» e intrigantes parecidos con Chichén, la gran ciudad maya de Yucatán. Para explicar esta convergencia, hasta hace poco se creía que unos guerreros de Tula habían conquistado Chichén, pero la reciente revisión de la cronología de Chichén y una relectura de los mitos aztecas demuestran que esta hipótesis carece de fundamento.

► El juego de pelota 2 y al fondo la pirámide B. Con sus 114 metros, el *tlachtli* es el segundo de Mesoamérica.

En lo alto de la pirámide había un templo con dos grandes columnas a la entrada en forma de serpiente emplumada, y en su interior, los atlantes y pilares que aún pueden verse. Todos ellos, naturalmente, servían para sostener las vigas sobre las que se apoyaba la cubierta del edificio. Delante del templo había un chac-mool. *Todos estos elementos arquitectónicos y los lienzos de revestimiento estaban pintados de vivos colores, sobre todo amarillo, rojo, azul y blanco.*

Uno de los edificios más importantes del centro ceremonial de Tula medía 10 metros de altura y tenía una base cuadrada de unos 40 metros de lado.

Los cinco cuerpos con taludes y una gran escalinata orientada al sur.

Las columnas truncadas del Gran Vestíbulo, un imponente complejo de 55 metros de largo por 15 de ancho, que probablemente se utilizaba para las ceremonias de los jefes militares de la ciudad.

▲ La pirámide B.

De los cuatro atlantes colocados en lo alto de la pirámide, solo los dos del centro son originales; el occidental es una copia de la pieza expuesta en el Museo Nacional de Antropología de Ciudad de México, y el oriental tiene la parte superior completamente reconstruida. Se piensa que representan a guerreros toltecas.

El pectoral con forma de mariposa.

Poco antes o justo después de la caída de Tula, en un ritual de desacralización, los atlantes y los pilares se «desmontaron» y se enterraron ritualmente en el lado septentrional de la pirámide.

En la mano derecha empuñan un átlatl *(y quizá una cantimplora de calabaza), y en la izquierda, unas lanzas y una bolsa de copal (y tal vez un arma curva).*

›s atlantes y los pilares
'-o de la pirámide B.

El coatepantli *es uno de los elementos arquitectónicos típicos del período posclásico. Sirve para delimitar los centros ceremoniales de las ciudades. Aunque solo se ha encontrado un tramo corto, es probable que rodease todo el centro ceremonial de Tula.*

Almenas que representan el Joyel del Viento estilizado, símbolo de Quetzalcóatl.

Una serpiente de cascabel lleva en sus fauces un esqueleto que podría representar a Venus-Quetzalcóatl saliendo o hundiéndose en la tierra.

Motivos escalonados.

▲ El *coatepantli* (muro de serpientes; detalle).

El edificio se amplió por segunda y última vez entre 1000 y 1050. Está orientado en el eje norte-sur con una desviación de 15° al noroeste.

El palacio Quemado (del que solo quedan muchas columnas truncadas), un edificio formado por tres grandes salas que se comunican con una serie de pequeñas estancias en el lado septentrional. El nombre de la construcción se debe a que se han hallado pruebas evidentes de que, al final de la fase Tollan, el edificio ardió.

La base del tzompantli *(«estandarte de cabellos»), la sarta de calaveras, uno de los elementos arquitectónicos típicos del período posclásico.*

► El centro ceremonial de Tula.

La pirámide B.

Pirámide C. Es la mayor construcción de Tula, pero también la que más daños sufrió ya en época prehispánica. Hoy consta de cinco cuerpos en talud con una gran escalinata orientada al oeste. La base cuadrada medía unos 65 metros de lado.

El adoratorio, hoy poco vistoso, era un altar cuadrado de talud-tablero, con 8,50 metros de lado y una altura de casi dos metros. En lo alto había un chac-mool *cuyos fragmentos aparecieron en las excavaciones.*

«Y los túmulos que hicieron al sol y a la luna, son como grandes montes edificados a mano, que parecen montes naturales y no lo son, y aun parece cosa indecible» (Bernardino de Sahagún)

Teotihuacán

Localización topográfica
México, México
19°46'N, 98°51'O

Ocupación
100 a.C.-550

Nombre antiguo
No se conoce el nombre que le daban sus habitantes; los aztecas la llamaban Teotihuacán (Donde se Hacen los Dioses)

Tamaño
22,5 km²
125.000 habitantes

Excavaciones
Los aztecas hicieron las primeras excavaciones, no propiamente arqueológicas; 1675, Sigüenza y Góngora; 1905-1910, Batres; 1917-1922, Gamio; 1942-1943, Armillas; 1964-1973, Millon; 1998-2001, Sugiyama y Cabrera; a partir de 1997, Manzanilla

Teotihuacán: la «Ciudad de los Dioses». A los pueblos del período posclásico les parecía demasiado grande para ser humana. Sabían, ciertamente, que la habían construido seres humanos, pero el poder que emanaba de las pirámides transformadas en cerros era tal que la convertía en *téotl*, divina. No en vano se creía que justo aquí los dioses habían originado la era del Quinto Sol. El modo de gobernar de su clase dirigente (el «espíritu de Teotihuacán», como lo llamó Pasztory) parece más propio de las civilizaciones del modo de producción asiático que de la pequeña Mesoamérica de la era clásica. Nacida alrededor de 100 a.C., durante la fase Tzacualli (100-150) extendió su dominio al valle de México. La clase dirigente, en lo que podría ser un proyecto de ingeniería social sin precedentes o un modo de aprovechar que el sector meridional del valle había quedado asolado por los fenómenos volcánicos, concentró en Teotihuacán a la mayoría de los habitantes de la región e inventó la vida urbana. Así nació una ciudad cosmopolita que llegó a ocupar una superficie de 22,5 kilómetros cuadrados y a tener 125.000 habitantes que vivían en casas de obra. En su momento de mayor esplendor (entre 450 y 500), Teotihuacán ejercía una influencia cultural que abarcaba desde los desiertos del norte hasta el área maya. Pero de repente, hacia 550, el recinto ceremonial de Teotihuacán fue atacado e incendiado, con lúcida violencia ritual, por una rebelión de los pueblos tributarios que acabó para siempre con el poder de Teotihuacán y su modelo de cultura.

► La pirámide del Sol en una foto del capitán D'Albertis de 1896; se distinguen sus cuatro cuerpos antes de que la desastrosa intervención de Batres (1905-1910) crease uno nuevo, Castello D'Albertis, Génova.

La pirámide del Sol. Es una de las pirámides más grandes e imponentes del mundo, con sus 840.000 metros cúbicos de volumen. Mide 63 metros de altura y tiene una base de 222 × 225 metros. Al principio estaba formada por cuatro cuerpos con taludes. Durante la fase Tzacualli (1-150) se construyó una primera pirámide, casi tan alta como la actual. Poco después el edificio se amplió, y la pirámide se terminó probablemente hacia el año 175.

La calzada de los Muertos. Su nombre, como el de las pirámides del Sol y de la Luna, no es una invención de los arqueólogos, sino que deriva de topónimos aztecas.

La plaza de la pirámide de la Luna, una gran explanada con forma cuadrada que mide unos 120 × 120 metros, delimitada por la pirámide de la Luna y once plataformas piramidales de tres o cuatro cuerpos con escalinata central.

▲ Teotihuacán desde la pirámide de la Luna.

La pirámide de la Luna. Es una construcción formada por cinco cuerpos con taludes (según otros por cuatro cuerpos), con una altura de 42 metros y un volumen de unos 210.000 metros cúbicos. Fue la primera gran obra pública de Teotihuacán, cuyo primer núcleo se remonta a la fase Tzacualli (1-150). Sin embargo, se amplió seis veces y, según Sugiyama, alcanzó su forma definitiva en las primeras décadas de la fase Miccoatli (150-250).

La pirámide del Sol.

El templo de la Serpiente Emplumada y el templo Q.

La calzada de los Muertos.

La ciudadela. Se construyó entre 150 y 225 empleando materiales equivalentes a dos tercios de los utilizados para la pirámide del Sol. En el interior estaba la residencia de los monarcas.

▲ El centro ceremonial.

La escultura se encontró al pie de la pirámide de la Luna. Es probable que al principio estuviera colocada en lo alto.

Como en la iconografía habitual de la Gran Deidad, parece que de sus manos brota agua a raudales.

Las formas de la estatua, que en parte reproducen el talud-tablero, y la abertura entre los pies, semejante a las cavidades que aparecen en las pinturas de la Gran Deidad, hacen de ella «la representación arquitectónica de un templo» (Taladoire y Faugère-Kalfon, 1995).

► Gran escultura monolítica, llamada impropiamente con el nombre de la diosa azteca de las aguas terrestres, Chalchiuhtlicue, Museo Nacional de Antropología, Ciudad de México.

En los taludes se representan serpientes emplumadas rodeadas de símbolos acuáticos.

En los tableros sobresalen cabezas de serpiente y tocados de la Serpiente de la Guerra.

▲ Templo de la Serpiente Emplumada (detalle), los escalones.

Las almenas con el glifo del año.

Las grandes columnas de sección rectangular están decoradas con bajorrelieves que incluyen, por arriba y por abajo, motivos geométricos, volutas y símbolos de la «piedra preciada».

En el centro se representan (de frente y de perfil) unos pájaros superpuestos y mariposas caracterizadas por el típico motivo en espiral.

▲ Patio del palacio del Quetzal-Mariposa (Quetzalpapalotl).

Ramajes rebosantes de agua, flores, arañas y mariposas y rodeados de pájaros cantores.

El mural decoraba una de las estancias del conjunto residencial de Tepantitla, uno de los más importantes de Teotihuacán. El conjunto, construido durante la fase Tlamimilolpa (200-350), fue decorándose con pinturas murales. El de Tlalocan se atribuye al período previo a la destrucción del centro ceremonial de la ciudad.

Unos sacerdotes con la bolsa ritual y un gorro semejante a la máscara de la Gran Deidad. De sus manos suben los glifos de la palabra (y el canto) y bajan hacia el suelo cascadas de semillas. Detrás de ellos crecen plantas de maíz y otras especies.

El mural se conoce con el nombre del «paraíso terrenal» de los aztecas porque parece que representa el topos *mítico de la abundancia y el agua. «La otra parte a donde dezían que se ivan las ánimas de los defunctos es el paraíso terrenal, que se nombra Tlalocan, en el cual hay muchos regozijos y refrigerios, sin pena ninguna. Nunca jamás faltan las maçorcas de maíz verdes, y calabaças, y ramitas de bledos, y axí verde, y xitomates, y frixoles verdes en vaina y flores» (Bernardino de Sahagún).*

► Tlalocan de Tepantitla (detalle).

La Gran Deidad sale de las aguas donde pululan estrellas de mar, símbolos de la «piedra preciada» y criaturas acuáticas. Lleva una máscara ornitomorfa y un tocado con plumas de quetzal, y tiene los brazos abiertos. De sus manos caen gotas de lluvia. El busto y la parte inferior del cuerpo se transforman en una especie de plataforma cubierta de volutas, flores y estrellas de mar.

Ríos sinuosos entrelazados con símbolos acuáticos entre los que aparece, de frente y de perfil, el dios de la Tormenta o una de las múltiples manifestaciones de la Gran Deidad.

Mientras en el resto de Mesoamérica la mayoría de la población vivía en cabañas, en Teotihuacán se habían construido unos dos mil complejos residenciales donde se alojaba la población de la ciudad, a pesar de sus abismales diferencias de clase.

El pequeño patio hundido, llamado Patio Pintado, con un altar en el centro, al que daban cuatro habitaciones con porche y pinturas murales.

Como los demás complejos residenciales, Atetelco también tenía una planta laberíntica con varios patios a los que daban habitaciones y porches. En general, estas construcciones tenían una planta cuadrada (o rectangular) de unos 60 metros de lado, carecían de ventanas y se comunicaban con el exterior por unas pocas entradas angostas.

▲ El conjunto residencial de Atetelco.

La planificación rigurosa y evidente de la ciudad era el resultado, como ha señalado Ester Pasztory, de una concepción del mundo «racional, sistemática y estructurante» que probablemente consideraba la repetición del módulo urbanístico-arquitectónico como una victoria del orden armonioso sobre el caos de la naturaleza y las pasiones humanas.

El centro ceremonial de la ciudad, que coincide a grandes rasgos con la actual zona arqueológica, se extendía sobre unos 7 km².

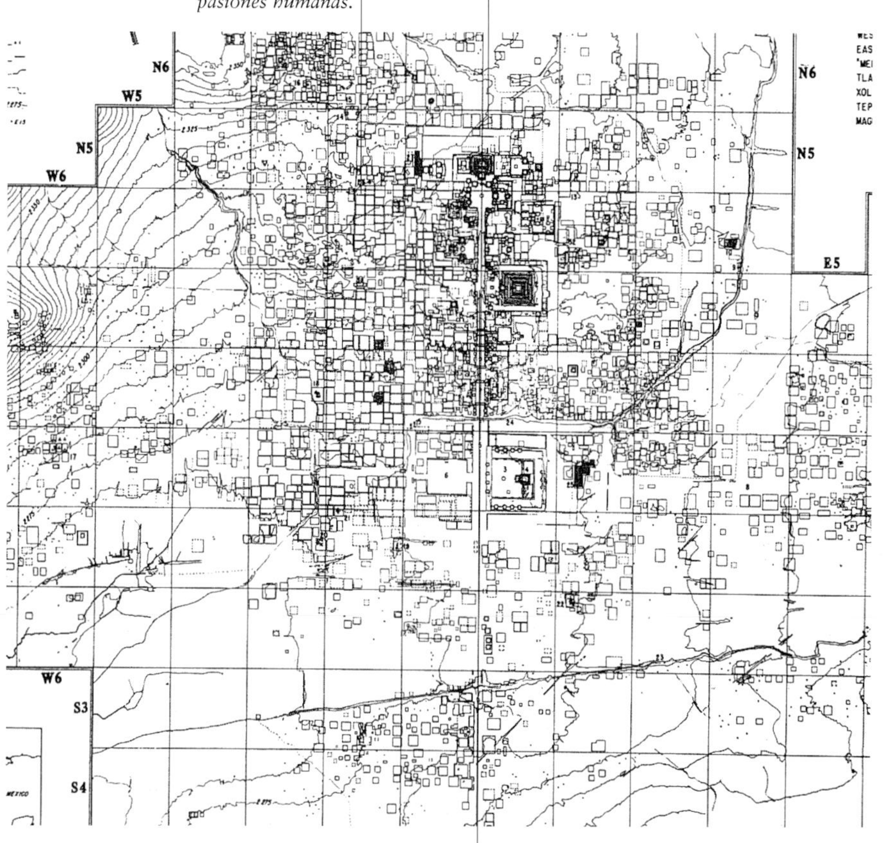

La calzada de los Muertos es el eje fundamental de la ciudad. Sigue la dirección norte-sur con una desviación de 15°25' al este del norte. Desde la ciudadela, hacia el norte, recorre unos 2 km hasta la pirámide de la Luna, y hacia el sur, otros 3,5 km.

▲ Mapa de Teotihuacán, tomado del Teotihuacan Mapping Project (1964-1973).

«Y así había en Tezcoco muy grandes edificios de templos del demonio, y muy gentiles casas y aposentos de señores; entre los cuales fue cosa muy de ver la casa del señor principal (Toribio de Benavente llamado Motolinía)

Texcoco

Localización topográfica
México, México
19°30'N, 98°52'O

Ocupación
Desde 1350 aprox.

Nombre antiguo
Texcoco (Jarilla [planta] de las Rocas o La Olla en la Roca)

Tamaño
3-3,5 km^2
20.000-30.000 habitantes

Reyes
Quinan Ixtlilxóchitl, Nezahualcóyotl, Nezahualpilli, Cacama

Profundizaciones
En Chimalhuacán, un municipio próximo a Texcoco, se han descubierto los restos de un palacio real con analogías sorprendentes tanto con el palacio de Nezahualcóyotl del *Mapa Quinatzin* como con el palacio de Motecuhzoma Xocóyotl representado en el *Códice Mendoza*

Texcoco fue una de las capitales de la Triple Alianza, pero además, gracias a los reyes Nezahualcóyotl y Nezahualpilli, llegó a ser uno de los centros culturales más prestigiosos de la meseta central. La región de Texcoco, relativamente poco poblada en el preclásico en comparación con el resto del valle de México, solo empezó a tener cierta importancia a finales del período clásico. A comienzos del siglo XV Tezozómoc, el señor de Azcapotzalco, conquistó la ciudad con la ayuda de los mexicas, que entonces eran sus vasallos. Sin embargo, poco después, cuando los mexicas se rebelaron contra la ciudad a la que estaban sometidos, el heredero legítimo del trono de Texcoco, Nezahualcóyotl, se alió con ellos y guió a los tezcocanos contra Azcapotzalco. Así, cuando en 1428 se sacudió el yugo de esta ciudad, Texcoco llegó a ser la población más importante del valle de México, junto con Tenochtitlán. Al principio la alianza se mantuvo en un plano de igualdad, pero después Tenochtitlán empezó a ejercer una auténtica hegemonía sobre la ciudad aliada, como lo demuestra la intervención de Motecuhzoma Xocóyotl en la elección del sucesor de Nezahualpilli. En vísperas de la conquista, Texcoco era el principal centro cultural del imperio azteca y recaudaba directamente tributos de toda el área de población acolhua y de varias ciudades de Morelos.

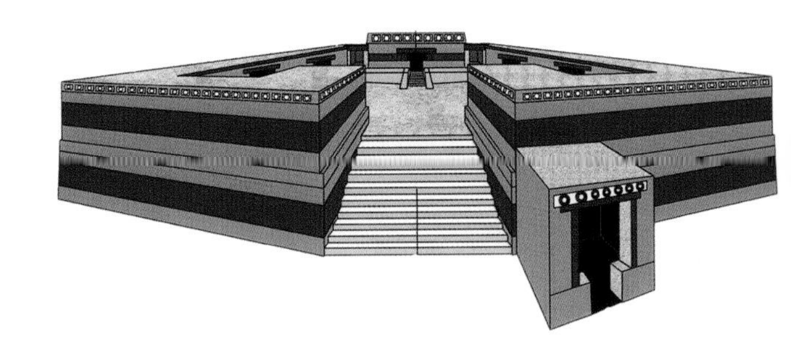

► Reconstrucción del palacio real de Chimalhuacán (Lugar del Escudo).

Nezahualcóyotl y Nezahualpilli, en el salón del trono, sobre el que está dibujado el glifo de Texcoco. Como Nezahualcóyotl murió cuando su heredero tenía siete años, es evidente que se ha querido representar la continuidad de la monarquía de Texcoco y no una escena real.

El edificio de lo que hoy podríamos llamar «Ministerio de Hacienda».

En el borde aparecen los glifos de las ciudades aliadas y sometidas a Texcoco.

El edificio dedicado a la ciencia, la música y la filosofía.

Los miembros del consejo real con los señores de las ciudades aliadas.

Esquema del palacio. Según algunos especialistas, el conjunto, que contaba con varios edificios, era un rectángulo de 1.031 × 817 metros.

▲ El palacio de Nezahualcóyotl y las ciudades sometidas, en un dibujo donde la representación estilizada de un edificio se combina con la representación simbólica del territorio y de las funciones sociopolíticas de la corte. *Mapa Quinatzin*, 2, siglo XVI, Bibliothèque Nationale, París.

«En el año 3 Conejo [1378] murieron los Xochimilca. Con ellos se inauguró el templo construido por Quaquapitzahuac rey de Tlatelolco» (Anales de Tlatelolco)

Tlatelolco

Localización topográfica
México, Distrito Federal
19°26'N, 99°10'O

Ocupación
Desde 1338

Nombre antiguo
Tlatelolco (Montículo de Tierra)

Tamaño
12-15 km² (con Tenochtitlán)
150.000-200.000 habitantes (con Tenochtitlán)

Excavaciones
1944-1947, Martínez del Río; 1960-1968, González Rul, Matos, Ruz, Contreras; 1987-1988, Matos

Reyes
Quaquapitzahuac, Tlacatéotl, Cuauhtlatoa, Moquihuix

Se sabe muy poco sobre los orígenes de Tlatelolco, la ciudad gemela de Tenochtitlán. Según la tradición, en 1338 (otros la sitúan en 1358) un grupo de mexicas, descontentos con el reparto de tierras que se había hecho en Tenochtitlán, fundaron la ciudad. En los años de expansión de la potencia mexica, Tlatelolco compartió el destino de Tenochtitlán, pero se distinguió por su vocación comercial. Su mercado era enorme, y de todo el valle de México y de los rincones más apartados de Mesoamérica acudían compradores y vendedores. La ciudad perdió su autonomía en 1473 tras una guerra corta y sangrienta con su ciudad gemela, que probablemente fue provocada por desavenencias en la política exterior y en el reparto de las ganancias obtenidas por los prósperos pochtecas (mercaderes). No obstante, las fuentes indígenas, de acuerdo con su concepto didáctico de la historia, echan toda la culpa a la soberbia del señor de Tlatelolco, Moquihuix. Pese a todo, Tlatelolco fue el último bastión mexica que se rindió a los españoles y, al parecer, sus guerreros fueron los más valientes durante la «noche triste», pues aunque la herida de la guerra civil aún no había restañado del todo, mientras tanto la ciudad había vuelto a tener un rey propio y las dos dinastías reinantes se habían reconciliado. Después de la conquista la población indígena fue relegada a esta ciudad, mientras que los españoles se reservaron Tenochtitlán.

► La escalinata doble del templo Mayor.

El área reservada al mercado, que en origen era mucho mayor. «Quedamos admirados de la multitud de gente y mercaderías que en ella había y del gran concierto y regimiento que en todo tenían. Y los principales que iban con nosotros nos lo iban mostrando» (Bernal Díaz del Castillo).

La iglesia de Santiago de Tlatelolco y el Colegio de la Santa Cruz de Tlatelolco, donde los franciscanos intentaron formar una nueva clase dirigente indígena y donde Bernardino de Sahagún hizo parte de sus investigaciones fundamentales sobre la cultura azteca.

El templo Mayor, corazón del recinto ceremonial de Taltelolco.

El templo Calendárico.

▲ La plaza de las Tres Culturas.

El templo Mayor con los adoratorios de Huitzilopochtli (izquierda) y Tláloc (derecha). En el dibujo está invertida la posición real de los adoratorios, porque la escalinata estaba orientada al oeste y los edificios estaban respectivamente al sur y al norte.

Dos aliados de Moquihuix: los señores de Colhuacán y Coyoacán, que en realidad no se implicaron en la guerra. A su lado, los glifos de sus nombres y de las ciudades.

El señor de Tlatelolco, Moquihuix, sobre el glifo de la ciudad, lucha con un guerrero tenochca con un casco cónico de estilo huaxteco. El glifo de uno de los posibles significados del nombre del rey (El Borracho) está representado por una olla de pulque.

Otro aliado aleatorio de Moquihuix: el señor de Tenayuca. A su lado, el glifo de su nombre y el de la ciudad.

▲ La guerra entre Tlatelolco y Tenochtitlán, *Códice tellerianus-remensis*, 36v, siglo XVI, Bibliothèque Nationale, París.

«Orgullosa de sí misma, surge la ciudad de México-Tenochtitlán. Aquí nadie teme la muerte en guerra. Esa es nuestra gloria» (poema azteca)

Tenochtitlán

Según las fuentes oficiales, los mexicas fundaron Tenochtitlán en 1325, al término de una larga y penosa migración, guiados por su dios tribal Huitzilopochtli. El lugar que escogieron para levantar la ciudad era una isla deshabitada (en realidad, se han documentado asentamientos anteriores) en el centro de la laguna de Texcoco. Durante cerca de un siglo, Tenochtitlán estuvo sometido a Azcapotzalco. En 1428 los mexicas, con un golpe de mano, lograron sacudirse el yugo de la ciudad hegemónica y fundar una confederación con Texcoco y Tlacopán, la Triple Alianza, que en menos de un siglo creó el imperio más grande de Mesoamérica. Desde el punto de vista arquitectónico, la peculiaridad de esta ciudad inigualable era que surgía en el agua. Tenochtitlán, como una Venecia tropical, estaba surcado por canales y calles que se cruzaban en ángulo recto y llegaban directamente al pie de unas pirámides imponentes de más de 45 metros. Cinco calzadas elevadas cortaban la superficie del lago y comunicaban la ciudad con una red de poblaciones menores que formaban una conurbación de unos 600 km² donde vivían más de 400.000 personas. La isla, y por tanto la ciudad, tenía una forma vagamente trapezoidal y una población de 150.000 a 200.000 habitantes, que en gran parte no eran agricultores: en el siglo XVI era el mayor centro urbano de Mesoamérica y uno de los más grandes del mundo.

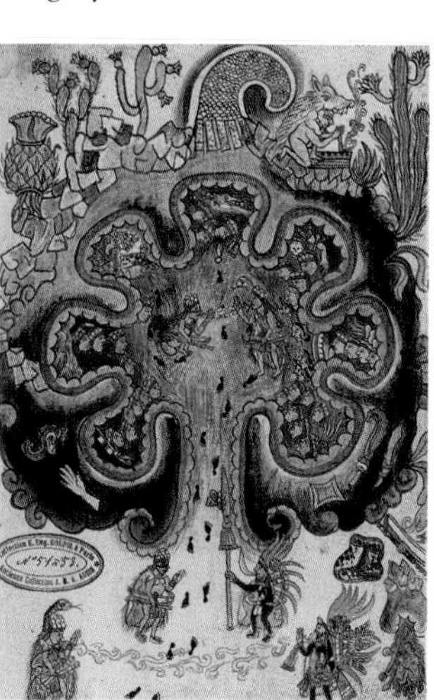

Localización topográfica
México, Distrito Federal
19°25'N, 99°10'O

Ocupación
Desde 1325

Nombre antiguo
Tenochtitlán (Lugar del Nopal sobre la Piedra)

Tamaño
12-15 km²
150.000-200.000 habitantes

Excavaciones
1900, Batres; 1913-1914, Gamio; 1948, Moedano y Estrada Balmori; 1978-1982, Matos; 1980-1982, Hinojosa; 1991-1997, López Luján

Reyes
Además de los mencionados, Huitzilihuitl (Pluma de Colibrí); Chimalpopoca (Espejo que Humea); Itzacóatl (Serpiente de Obsidiana)

◀ Dos de los lugares míticos de los orígenes: Chicomoztoc (Siete Cavernas) y Teo Colhuacan (Sagrado Cerro Torcido), *Historia tolteca-chichimeca*, 16r, siglo XVI, Bibliothèque Nationale, París.

La serie de los años va de arriba abajo en sentido antihorario. El primero de la serie, 2 Casa, *corresponde a 1325, año de la fundación de Tenochtitlán.*

El águila sobre el glifo de Tenochtitlán, el nopal sobre una piedra, en el centro de un espacio cuatripartito que representa los cuatro sectores de la isla-ciudad y los cuatro cuadrantes del plano horizontal. El significado del motivo es evidente: Tenochtitlán es el centro del cosmos.

Tenoch, el fundador mítico de la ciudad, «cabeza y señor» de los mexicas, está representado con dos atributos de los tlatoanos: el glifo de la palabra y el trono de fibras trenzadas. Falta la corona-diadema de turquesas. El rostro pintado de negro y el peinado muestran que es un sacerdote.

Las primeras conquistas mexicas: Colhuacán y Tenayuca.

▲ Los comienzos de Tenochtitlán, *Códice Mendoza*, 2r, siglo XVI, Bodleian Library, Oxford.

Con sus calaveras que sobresalen de las paredes, el adoratorio B se puede considerar una réplica en sillería del gran tzompantli, la sarta de calaveras, que estaba entre el templo de Quetzalcóatl-Ehécatl y la cancha del juego de pelota.

Según Matos, el adoratorio B se encontraba al norte del templo Mayor porque el norte era la dirección del Mictlampa, la región de los muertos.

En total, algo más de 240 calaveras decoraban el adoratorio B.

▲ Adoratorio B (fase VI) del templo Mayor, esquina nordeste.

El zócalo de la actual Ciudad de México.

El templo Mayor era una pirámide truncada de cuatro cuerpos, menos empinada en el lado occidental, del que sobresalía una escalinata doble con alfardas. En la ancha cima se elevaban dos templos de techo alto con una estancia rectangular. El del norte estaba dedicado a Tláloc, y el del sur, a Huitzilopochtli.
La pirámide, con un lado de 80 metros en la base, tenía 35 metros de altura y 45 con los templos.

De acuerdo con el simbolismo del espacio en las civilizaciones mesoamericanas, el templo Mayor era el punto de intersección de las cinco direcciones del cosmos. Por aquí pasaban las cuatro líneas que dividían el plano horizontal y la línea que unía el cénit con el nadir atravesando los trece cielos del Mundo de Arriba y los nueve niveles del inframundo. Alrededor de esta línea giraban los años.

▲ El área del templo Mayor, el sanctasanctórum de los mexicas.

Las escalinatas que llevan a los adoratorios de la pequeña pirámide de la fase II. La fecha 2 Conejo *inscrita delante del templo de Huitzilopochtli nos dice que fue consagrado en 1390.*

Las escalinatas de las sucesivas ampliaciones de la construcción. Como en el resto de Mesoamérica, cada fase englobaba las precedentes. Las fases, según las investigaciones, son siete, pero ascienden a doce si se tienen también en cuenta las ampliaciones parciales: I, II, IIa, IIb, IIc, III, IV, IVa, IVb, V, VI y VII.

▲ Las escalinatas de las fases del templo Mayor.

▲ La pirámide de la fase II.

Las esculturas de serpientes colocadas en el templo Mayor indican que el teocalli *mexica era Coatepec, el Cerro de la Serpiente, lugar donde Huitzilopochtli (el sol en el cénit), dios étnico de los mexicas, había nacido y había vencido a Coyolxauhqui (la luna). Los sacrificios diarios en el templo Mayor eran la repetición de esa victoria. Significativamente, el disco que representa a Coyolxauhqui estaba en la base del* teocalli, *delante del templo de Huitzilopochtli.*

▲ Una de las cabezas de serpiente con restos de la pintura original (fase IVb) en la plataforma del templo Mayor.

La escena representada por el conjunto de las losas parece una procesión de guerreros hacia la bola de heno en la que se clavaban las púas de maguey usadas para el autosacrificio.

El banco está decorado con losas de piedra polícroma que representan a guerreros águila y un friso con serpientes emplumadas.

▲ Banco con restos de las pinturas originales del Recinto de los Guerreros Águila (fase V).

El centro ceremonial de Tlatelolco.

El templo Mayor de Tlacopán.

Aunque en 1945 (año en que se acabó de pintar) los conocimientos sobre Tenochtitlán y la cultura mexica no eran tan precisos como en la actualidad, el mural de Diego Rivera es bastante exacto (solo la laguna es mucho más pequeña).

▲ Diego Rivera, *La Gran Tenochtitlán*, 1945, palacio Nacional, Ciudad de México.

Un funcionario de noble estirpe vigila las actividades del mercado.

El centro ceremonial de Tenochtitlán.

La imagen muestra Tenochtitlán vista desde la orilla occidental del lago de Texcoco, probablemente desde el mercado de Tlacopán, una de las capitales de la Triple Alianza.

El acueducto de Chapultepec, uno de los más importantes de los que llevaban agua potable a la ciudad.

La presa de Nezahualcóyotl, que protegía la ciudad de las crecidas del lago y trataba de impedir que el agua muy salada de la parte septentrional del lago se mezclase con la de la parte central, salobre pero útil para regar.

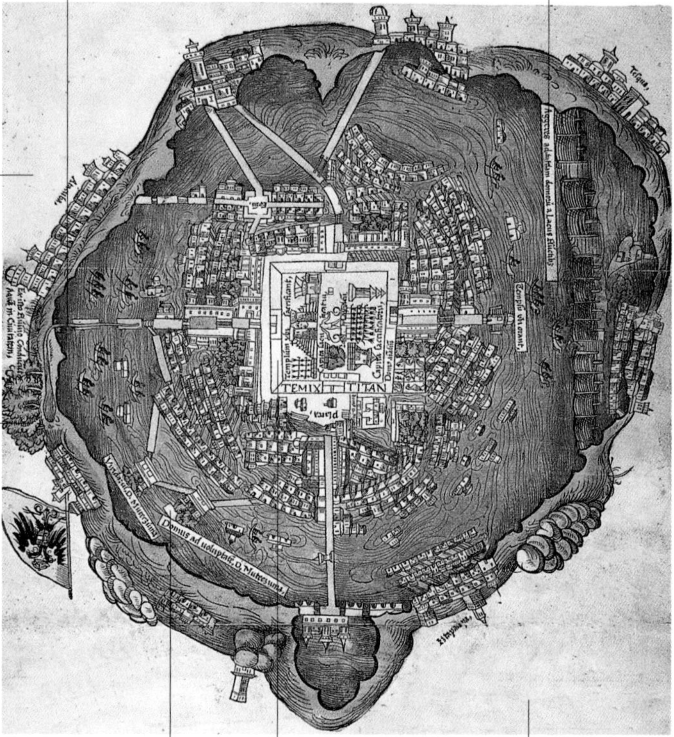

Tlacopan.

El dibujo se ha girado para que el norte esté arriba.

Las casas de recreo del emperador.

El centro ceremonial de Tenochtitlán, con el templo Mayor (Templum ubi sacrificant), *el* tzompantli (capita sacrificatorum) *y el «zoológico»* (domus animalium).

Teniendo en cuenta que se publicó en 1524, el mapa es un pequeño misterio, porque, junto a inexactitudes evidentes, contiene algunos detalles que solo un testigo ocular podía haber dibujado.

▲ Esta imagen de Tenochtitlán se publicó en un libro sobre la conquista de México publicado en Núremberg en 1524; Newberry Library, Chicago.

El mapa es el resultado de las investigaciones (1960-1975) sobre el medio y el poblamiento del valle de México dirigidas por William Sanders, quien, combinando estudios de superficie, fotos aéreas y campañas limitadas de excavaciones, logró reconstruir la situación del área hasta la conquista. Se aprecian los cuatro sectores de Tenochtitlán, los canales (líneas de trazos) y las calzadas (líneas continuas) que cruzaban la ciudad.

1. *Acueducto de Chapultepec.*
2. *Moyotla.*
3. *Cuepopan.*
4. *Presa de Nezahualcóyotl.*
5. *Atzcacozalco.*
6. *Zoquiapan (Teopan).*

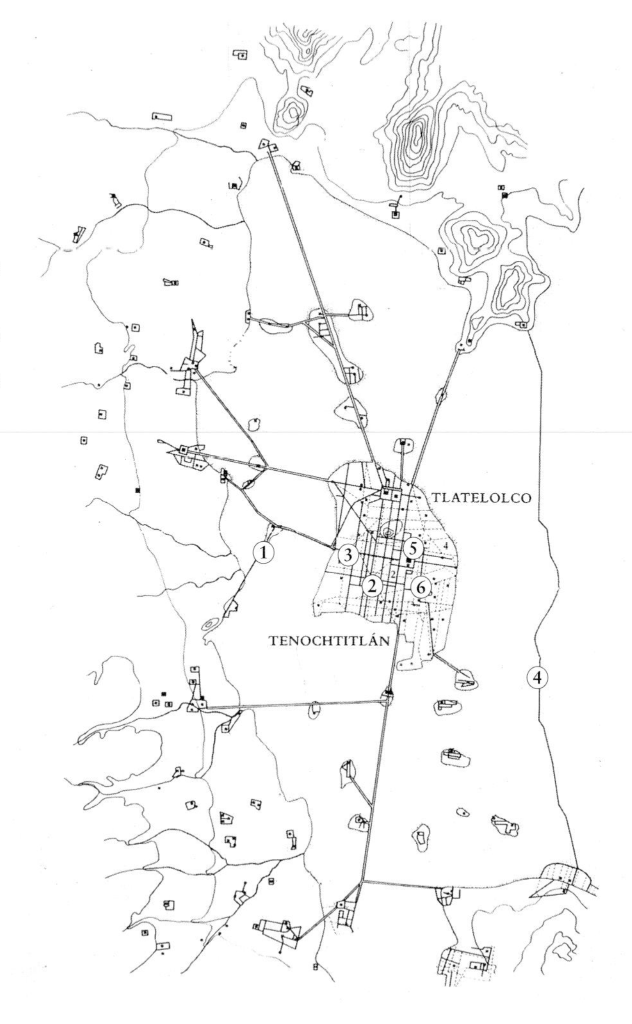

▲ Tenochtitlán, sus cuatro sectores y su área metropolitana (de Sanders 1981, p. 195).

La presencia problemática de murales de estilo maya en plena meseta central.

Xochitécatl-Cacaxtla

Localización topográfica
México, Tlaxcala
19°14'N, 98°35'O

Ocupación
650-823

Nombre antiguo
No se sabe cómo la llamaban sus habitantes. Cacaxtla deriva de *cacaxtli*, un armazón de madera para llevar carga a cuestas

Excavaciones
1941, Armillas; 1972, Tschol y Nickel; 1975, Molia y López; años noventa Serra Puche y Lazcano Arce

En la meseta central, después de la destrucción de la «ciudad de los dioses», quedó un vacío que durante un corto intervalo fue colmado en parte por dos capitales regionales, Xochicalco y Xochitécatl-Cacaxtla. Hacia 650 el pueblo de los olmecas-xicalancas conquistó el valle de Puebla y se asentó en unas prominencias del terreno, donde surgiría la futura Xochitécatl-Cacaxtla; el primer emplazamiento estaba reservado a las actividades civiles y religiosas del pueblo, y el segundo, a la minoría dirigente. Aunque el paréntesis de Xochitécatl-Cacaxtla fue bastante corto y no tuvo ninguna herencia artística, ha dejado unas joyas únicas en la meseta central: sus pinturas murales. En Cacaxtla la pintura alcanzó una plasticidad sin precedentes, a pesar de la excelente escuela de Tenochtitlán. La ciudad sale de escena en 823, cuando una erupción pliniana del Popocatépetl lanzó a la estratosfera una columna de cenizas de 25 km de altura que cubrieron el valle de Puebla, con una avalancha de agua y fango de varios metros de espesor. Cacaxtla, como estaba sobre una pequeña elevación, se libró de la inundación, pero quedó como una isla en medio de una zona completamente devastada. La cultura olmeca-xicalanca desapareció sin dejar el menor rastro, y todavía hoy se desconocen sus contactos con el mundo maya, muy evidentes en el plano artístico.

► Cacaxtla, edificio A, mural Sur (detalle). Los glifos: Ojo Emplumado y Alrededor del Agua.

La cadena de volcanes que separa el valle de México del valle de Puebla. A la derecha, el Iztaccíhuatl (La Mujer Blanca), y a la izquierda, el Popocatépetl (La Montaña que Humea).

La pirámide de la Serpiente.

▲ Panorámica parcial del recinto ceremonial de Xochitécatl.

Un guerrero jaguar. Delante de su cara hay unos glifos: Fisura de Tláloc y 3 Cuerno de Venado. Es posible que los glifos indiquen los nombres de los dos guerreros. Sin embargo, el glifo 3 Cuerno de Venado, por su posición, podría referirse al jefe de los vencidos.

El mural de la Batalla se pintó hacia 650 en dos taludes a ambos lados de la escalinata que baja del edificio B a la plaza Norte. En él se representa una escena de batalla entre dos grupos de guerreros. Los del primer grupo, los vencedores, llevan armaduras y atavíos con el símbolo del jaguar. Los del segundo, los vencidos, llevan tocados y adornos ornitomorfos.

Un guerrero pájaro moribundo con las tripas fuera. A su lado yace el cadáver de otro guerrero pájaro.

Uno de los jefes de los vencidos, quizá el rey. Es el único guerrero pájaro del talud Oriente que aparece de frente y en pie. Todos los demás están sentados o tumbados. Está clavándose una flecha en la mejilla.

▲ Mural de la Batalla, talud Oriente (part.).

Un guerrero jaguar con dije dorsal pardiantropo derriba a un guerrero pájaro moribundo.

Los glifos: Corazón Ensangrentado y Mano con ... (?).

Desde que se descubrió el mural de la Batalla, se han hecho interpretaciones muy distintas. Para algunos, lo que se representa es una victoria de los olmecas-xicalancas sobre sus enemigos, como parece probable. Para otros, es una representación alegórica del conflicto entre fuerzas cósmicas representadas por el jaguar y un ave difícil de identificar, quizá un quetzal.

Los murales del edificio A se pintaron entre 700 y 750. Probablemente todos se leían como una composición única.

Un quetzal (¿o un loro?).

El glifo: 13 Pluma de Águila.

Un rey con traje de ave y pies ornitomorfos pisa una larga Serpiente Emplumada y abraza una barra ceremonial (¿tal vez un xiuhmolpilli*?) con cabeza de culebra.*

▲ Mural Sur, edificio A.

Un rey con traje de jaguar y pies pardiantropos pisa un jaguar rarísimo, ofiomorfo con cuernos de venado y abraza una barra ceremonial (¿tal vez un xiuhmolpilli?*) de la que se escurren gotas de agua.*

Los glifos (de arriba abajo): 1 Estera (según otros 1 Serpiente), 2 Hombre.

El glifo: 9 Ojo Llameante de Reptil (según otros, 9 Viento).

▲ Mural Norte, edificio A.

«Esta cibdad es muy fértil de labranzas porque tiene mucha tierra y se riega la más parte della, y aun es la cibdad más hermosa de fuera que hay en España, porque es muy torreada y llana» (Hernán Cortés)

Cholula

Localización topográfica
México, Puebla
19°12'N, 98°31'N

Ocupación
Desde el período preclásico tardío

Nombre antiguo
Chollolan
(Lugar del Refugio)

Tamaño
10-12 km²
50.000 habitantes

Excavaciones
1930-h. 1940, Reygadas Vértiz y Marquina; 1969, Salazar Ortegón

Cholula es famosa por su pirámide, la más grande de América, y por la matanza que entre el 17 y el 19 de octubre de 1519 despejó el camino de Tenochtitlán a los conquistadores. La ciudad es una de las más antiguas de América, pues en la zona, a orillas de un lago que hoy no existe, entre 500 y 200 a.C. ya había una aldea de cultura Tezoquipan, que más tarde se convirtió en una ciudad auténtica al concentrar a gran parte de la población de sus inmediaciones. Se desarrolló en paralelo al surgimiento de la potencia de Teotihuacán y acusó fuertemente su influencia, aunque mantuvo una independencia cultural y política. Los olmecas-xicalancas la conquistaron alrededor de 650 y rápidamente perdió importancia. Muy afectada por la erupción pliniana del Popocatépetl (la base de la pirámide quedó enterrada bajo varios metros de fango), empezó a renacer con la llegada de los chichimecas poyauhtecas, los toltecas-chichimecas y otros grupos mixtecas, y se convirtió en una encrucijada cultural y un centro comercial, religioso y productivo (su cerámica fue durante siglos la más preciada de la meseta). En la fase final del período posclásico se alió en ocasiones con Tlaxcala para contener la presión azteca, y otras veces se unió a los aztecas en las guerras contra su ciudad vecina. Unos años antes de la llegada de los españoles había entrado en la órbita de Tenochtitlán, aunque mantenía una autonomía considerable. Entonces tenía una población de unas 50.000 almas y estaba dividida en seis sectores.

► Unos personajes celebran un ritual relacionado probablemente con el pulque. Mural de los Bebedores, edificio 3.

A pesar de las investigaciones arqueológicas (la pirámide está atravesada por 8 km de pasadizos), no se conocen bien las etapas de la construcción ni las dimensiones exactas del teocalli *del período posclásico final, porque tras la conquista el edificio se usó como cantera. Parece que la pirámide se construyó en cuatro o cinco fases entre 200 a.C. y 800.*

La iglesia de Nuestra Señora de los Remedios, construida por los españoles en lo alto de la pirámide.

El edificio que vieron los españoles tenía el aspecto de una pirámide truncada de dos cuerpos, planta casi cuadrada y una escalinata orientada al oeste con una desviación hacia el norte de 17° respecto del oeste astronómico. La base medía unos 400 metros de lado (según otros 350 × 310), la altura era de 60 metros sin tener en cuenta los templos cimeros y, con sus 3 millones de metros cúbicos, era la pirámide más voluminosa del mundo. Se cree que estaba dedicada a Quetzalcóatl en tanto que dios de la Lluvia.

▲ Las nieves del Popocatépetl dominan los restos de la pirámide de Cholula, llamada Tlachihualtepec (Cerro Hecho a Mano).

Una pequeña joya construida sobre una alta montaña, reservada a los rituales de la nobleza azteca.

Malinalco

Localización topográfica
Edo. de México
18°57'N, 99°30'O

Ocupación
Período posclásico

Nombre antiguo
Malinalco
(Sobre la Enredadera)

Los primeros asentamientos en Malinalco se remontan probablemente al período clásico; después llegaron los matlatzincas y, más tarde, los aztecas, que a comienzos del siglo XVI emprendieron una complicada reforma del recinto ceremonial, aún no terminada en la época de la conquista. La importancia de estas obras, probablemente encargadas por el propio Motecuhzoma Xocóyotl, está documentada por el *Códice Aubin*, una crónica indígena del período colonial que registra los acontecimientos más importantes del año en pocas líneas (de una a cinco): entre 1502 y 1515 habla tres veces de las obras en este sitio. Es probable que los mexicas malinalcos quisieran (y en parte lograran) convertirlo en uno de los lugares más importantes para la iniciación de los elegidos. Uno de los motivos del interés de los mexicas por Malinalco era que, según los mitos de los orígenes, el lugar fue poblado por los descendientes de Malinalxóchitl, la hermana hechicera de Huitzilopochtli. Malinalco se encuentra en una posición espléndida, sobre una terraza artificial con forma de L que domina el valle desde el Cerro de los Ídolos, a unos cien metros de altura. Una característica de este sitio, bastante insólita en Mesoamérica, es que algunos de los edificios están excavados en la roca.

▼ Interior del edificio 1. En el banco hay una figura de jaguar con dos águilas a los lados. En el centro, otra escultura de águila.

El edificio 1, tallado enteramente en la roca, tiene un zócalo de dos cuerpos con una escalinata, a cuyos lados se ven los restos de dos jaguares que estaban pintados de amarillo ocre con manchas negras. En el centro de la escalinata hay una escultura muy estropeada que representaba a un portaestandarte sentado.

La puerta de entrada a la cámara interior representa la boca de una serpiente con las fauces grabadas en los muros exteriores y en el suelo la lengua bífida en relieve. A la derecha, junto a la entrada, hay una serpiente con escamas transformadas en puntas de flecha. Sobre el animal se ven los restos de una figura que probablemente representaba a un guerrero águila. Al otro lado hay un tambor con los restos de una figura que probablemente representaba a un guerrero jaguar.

La escalinata, que da al sur, tiene 13 escalones (si se observa bien, el decimocuarto forma parte de la plataforma) y lleva a un templo circular de la cima, con techo de hojas de palma (el original probablemente era mucho más empinado).

▲ El edificio 1.

Xochicalco no fue la capital de un imperio, sino, una potencia regional que logró fundir armoniosamente varias influencias distintas.

Xochicalco

Localización topográfica
México, Morelos
18°48'N, 99°17'O

Ocupación
650-900

Nombre antiguo
No sabemos cómo lo llamaban sus habitantes; el topónimo actual, del período posclásico, significa «En la Casa de las Flores»

Excavaciones
1777 y 1784, Alzate; 1887, Peñafiel y Seler; 1909, Batres; 1934-1960, Noguera; 1977, Hirth; 1991-1994, González Crespo

Aunque el territorio que rodea Xochicalco no es muy acogedor (el suelo es bastante pobre y hay pocas zonas adecuadas para el cultivo), la comarca se caracteriza por una sucesión casi ininterrumpida de asentamientos desde 900 a.C. hasta la conquista. Las primeras aldeas surgieron en la fase central del período preclásico medio (900-500 a.C.) y fueron localidades de escasa importancia durante todo el clásico. Después, hacia 650, se produjo un aumento explosivo de población, que se concentró en una superficie de cuatro kilómetros cuadrados, alrededor del cerro de Xochicalco. Casi todos los especialistas relacionan los motivos de este nacimiento repentino de ciudades y de su corto pero intenso esplendor con la crisis y caída de Tenochtitlán, pero no está del todo claro. Según la explicación más plausible, al debilitarse la hegemonía de la capital del valle de México, cuya influencia en la región fue en realidad bastante débil, estallaron conflictos que obligaron a los dirigentes de algunos cacicazgos o ciudades Estado vecinas a confederarse y crear un formidable recinto fortificado en Xochicalco. Sin embargo, el apogeo de la ciudad duró poco, porque ya alrededor de 900 Xochicalco fue destruido y se despobló, aunque en los alrededores quedaron algunas aldeas que en el período posclásico tardío acusaron una evidente influencia tlahuica. Después de la conquista azteca, las ruinas de Xochicalco cobraron cierta importancia como centro religioso y se construyeron en la zona varios altares y un pequeño *tlachtli*.

► La Gran Plaza, vista desde la acrópolis, a la izquierda, la pirámide de las Serpientes Emplumadas.

Cornisa decorada con el motivo del Joyel del Viento.

En el tablero, dividido en recuadros por bandas trenzadas, se representan personajes con los «anteojos» de Tláloc, una bolsa de copal y un sombrero semejante al glifo del año. Junto a ellos suele estar el glifo de la mandíbula y del círculo con cruz. La postura de los personajes, sentados con las piernas cruzadas, es típica de la iconografía maya y en especial recuerda la de los personajes del altar Q de Copán.

En el talud, dentro de la Serpiente Emplumada colocada en círculo, se ve el glifo 9 Casa sujetando una cuerda con la mano izquierda que ata el glifo 11 Mono. La derecha se apoya en un recuadro con el número 1.

▲ Pirámide de las Serpientes Emplumadas, lado norte de la escalinata.

El Marcador de Cabeza de Guacamaya es una extraordinaria obra de arte abstracto en la que destaca la relación dinámica entre los bultos y los huecos. La luz se filtra por los espacios abiertos generando otros planos y otros dibujos, en un juego cadencioso de claroscuros. Vista de perfil, la solidez de la escultura de piedra escuadrada, en parte grabada y remarcada en el contorno, se aligera con los huecos de las narices, los ojos y la boca, y con el movimiento creado por el aumento gradual de estos vacíos redondeados.

No está claro si la figura era un marcador, una meta o si, lo más probable, servía para delimitar los campos del juego de pelota.

▲ Marcador de Cabeza de Guacamaya, Museo Nacional de Antropología, Ciudad de México.

Se encontró junto con las estelas 1 y 2 en una fosa del atrio del templo de las Estelas de Xochicalco. Probablemente las cubrieron de cinabrio, el mineral rojo usado a menudo para cubrir el cuerpo de los muertos, y se sepultaron ritualmente poco antes del abandono del sitio. Tienen la inscripción lineal más larga de la meseta central anterior a los aztecas, pero la escritura de Xochicalco aún no se ha descifrado del todo.

El glifo 4 Movimiento.

Una cabeza que sale de las fauces de una serpiente. Se cree que este personaje puede ser Quetzalcóatl, relacionado por los glifos inferior y superior con el autosacrificio y la función del dios en el nacimiento del Quinto Sol.

El glifo 4 Gotas de Sangre, rodeado por tres lados por un marco que parece una variante de la «faja celeste».

► Estela 3, lado A, Museo Nacional de Antropología, Ciudad de México.

«A fines de marzo del presente año de 1785 Diego Ruiz [...] entre un espeso bosque halló un edificio en forma piramidal con cuerpo sobre cuerpo a manera de una tumba hasta su cima o coronilla» (José Antonio Alzate)

El Tajín

Localización topográfica
México, Veracruz
20°26'N, 97°22'O

Ocupación
Período clásico y posclásico inicial

Nombre antiguo
No sabemos cómo llamaban a la ciudad sus habitantes; el topónimo actual, seguramente indígena, significa «relámpago» o «trueno»

Tamaño
10 km^2
20.000 habitantes

Excavaciones
1934-1936, García Vega; 1939-1940, García Payón; 1983-1984, Brueggemann

El primer núcleo de El Tajín nació alrededor del año 100, cuando una población, quizá llegada del norte, se asentó en la zona, formó un gran núcleo agrícola y construyó un centro ceremonial en la plaza de Armas, con plataformas y pirámides escalonadas de tierra batida y muros de adobe y estuco. La ciudad propiamente dicha empezó a desarrollarse después del año 400; llegó a ser un importante socio comercial de Teotihuacán en las etapas finales del período clásico, y tras la caída de la metrópoli de la meseta, uno de los centros más importantes del norte de Mesoamérica. Casi todos los monumentos del centro ceremonial, como la pirámide de los Nichos y el Juego de Pelota Norte, se construyeron en este período. La ciudad llegó a su apogeo poco después de 900, cuando su influencia se sentía en la costa del Golfo, en las regiones de la meseta central y la Huaxteca, tal como lo documenta la amplia difusión de algunos objetos (sobre todo los arreos del *ulama*) y estilemas de El Tajín. Repentinamente, alrededor del año 1230, la ciudad fue destruida y abandonada. (El hecho de que alrededor de la zona arqueológica no se hayan encontrado murallas parece indicar que el fin de El Tajín fue bastante imprevisto y no estuvo precedido de conflictos generalizados. Tras la caída de la ciudad, el sitio volvió a estar ocupado durante algún tiempo —fase Post-Tajín— antes de que fuera abandonado definitivamente.)

► Pinturas murales del edificio 1 (detalle). Como en las anamorfosis del siglo XVI, el artista ha ocultado un rostro en el enlace totonaco.

Personaje sentado con las piernas cruzadas, con el glifo o un objeto con rayos solares y un gran plumaje. Según ciertos especialistas, podría ser el dios del Pulque o Quetzalcóatl.

Figura con dientes pardiantropos bien visibles, que empuña un bastón de mando y una pluma-serpiente. Podría representar al Tláloc del período posclásico.

Planta de maguey en flor con los símbolos de la «piedra preciada».

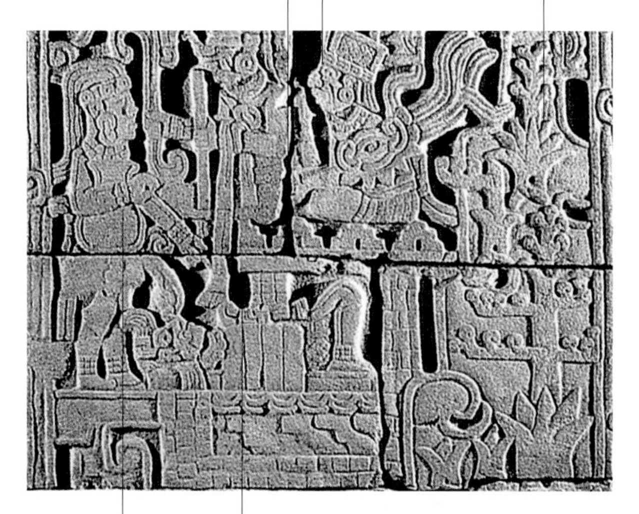

Dignatario con una urna; parece que señala al personaje en la postura del chac-mool.

Personaje en la postura del chac-mool *sobre el glifo Casa de Agua.*

▲ Tablero 5 del Juego de Pelota Sur (detalle).

Aunque en este caso la reconstrucción del artista es muy imprecisa (entre otras cosas, El Tajín no era propiamente una ciudad de cultura totonaca), el mural, con los templos pintados y los trajes ceremoniales, refleja el vivo cromatismo que caracteriza al mundo mesoamericano.

▲ Diego Rivera, *La cultura totonaca*, 1950, palacio Nacional, Ciudad de México.

El poste con los «voladores».

La pirámide de los Nichos. En realidad, el teocalli *era más colorido que en este mural, porque los nichos tenían el interior de color rojo y las cornisas azules.*

Una interpretación artística de los lazos y las volutas del enlace totonaco, estilema característico de las decoraciones de El Tajín.

Un funcionario azteca: es evidente que se trata de una «licencia artística».

La pirámide de los Nichos o edificio 1. Era una pirámide de seis cuerpos y 25 metros de altura. Fue construida alrededor del año 600 sobre otra pirámide tres siglos más antigua que no tenía nichos. Teniendo en cuenta los nichos que hay debajo de la escalinata, cada tablero, de abajo arriba, tiene 88, 76, 64, 52, 40 y 28 nichos, a los que se suman otros 17 del templo superior: en total, 364 nichos (aunque no falta quien considera un poco «traído por los pelos» el recuento que da este total).

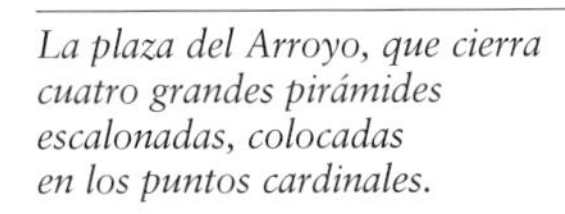

La plaza del Arroyo, que cierra cuatro grandes pirámides escalonadas, colocadas en los puntos cardinales.

► El centro ceremonial.

El edificio 5 que delimita al norte el Juego de Pelota Sur.

El edificio 3, al este de la pirámide de los Nichos.

Uno de los 17 tlachtlis *de la ciudad: el Juego de Pelota 17/27.*

Sacerdote con bolsa de copal. Como los otros tres personajes que están junto al altar, junto a su cabeza se ve el motivo del «ojo con voluta», que parece asociado al dios principal de El Tajín.

Dos Serpientes Emplumadas se entrelazan formando el disco de un escudo y dos veces el glifo del Movimiento.

Personaje de alto rango y edad avanzada. En la izquierda lleva un cuchillo de pedernal. De su gorro sale una mano.

Una tortuga, símbolo de la superficie terrestre, debajo de un altar; a los lados se ve el agua del mar con peces míticos (?)

▲ Altar del edificio 4 (detalle), Museo de Sitio, El Tajín.

Joven con un haz de cañas, símbolo del Fuego Nuevo.

Sacerdote con bolsa de copal.

Según algunos especialistas, la tortuga representa la tierra rodeada de mar (Anahuac, el mundo entre los dos mares); el escudo representa el sol, y las serpientes entrelazadas, con las cabezas y las colas orientadas a los cuatro puntos cardinales, el eje del cosmos.

Una pequeña ciudad de provincia que entró en la historia cuando Hernán Cortés decidió fundar en una playa cercana la ciudad de Villa Rica de la Vera Cruz.

Quiahuiztlán

Localización topográfica
México, Veracruz
19°35'N, 96°24'O

Ocupación
Período posclásico

Nombre antiguo
No sabemos cómo la llamaban sus habitantes.
Para los aztecas, era Quiahuiztlán (Lugar de la Lluvia)

Tamaño
15.000 habitantes

Aunque en otros yacimientos costeros próximos se han encontrado huellas de asentamientos del período preclásico inicial, Quiahuiztlán era una ciudad bastante reciente. Su fundación data de las épocas finales del período clásico, cuando varios grupos totonacos que se habían asentado más al norte tuvieron que replegarse hacia el sur en busca de lugares menos desprotegidos. Formaron terrazas en las laderas que rodean la ciudad tanto para evitar la erosión del suelo como con fines defensivos. A pesar de estas terrazas y de los muros que ceñían la parte más alta del cerro, ya a comienzos del período posclásico la ciudad cayó en poder de poblaciones llegadas de la meseta central y acabó sometida a la Triple Alianza. «A un tiro de arcabuz» de Quiahuiztlán, el 28 de junio de 1519, los españoles fundaron la Villa Rica de la Vera Cruz, su primera ciudad en México, cuya existencia legitimaba hasta cierto punto el golpe de mano de Cortés para sustraerse a la autoridad del gobernador de Cuba, Diego Velázquez. Siempre en presencia de los totonacos de Quiahuiztlán e incluso con su ayuda, el 8 de agosto los españoles avanzaron hacia Tenochtitlán después de quemar (en realidad barrenar) las doce naves de su flota.

► Algunas de las tumbas con forma de templo de Quiahuiztlán.

La pirámide 1, el edificio más grande de la ciudad. Está orientada al sur.

El cementerio oriental.

El pequeño altar en el centro de la plaza.

La pirámide 2.

▲ Panorámica de la plaza mayor del centro ceremonial.

«Y paresçió a uno de los de cavallo que era aquello blanco que reluçía [los edificios encalados] plata, y buelve a rienda suelta a dezir a Cortés cómo tienen las paredes de plata»
(Bernal Díaz del Castillo)

Zempoala

Localización topográfica
México, Veracruz
19°26'N, 96°25'O

Ocupación
Período clásico y posclásico

Nombre antiguo
No sabemos cómo la llamaban sus habitantes; para los aztecas, era Cempoallan (Lugar de las Veinte Aguas [o Aldeas])

Tamaño
8 km^2
20.000 habitantes

Reyes
Xicomecóatl

Excavaciones
1891, Paso y Troncoso; 1938-1939, García y Payón; 1979, Brueggermann

Después de algunos asentamientos en el período preclásico tardío, los restos más antiguos de la ciudad se remontan al siglo VII y presentan una fuerte influencia teotihuacana. Es probable, pues, que durante algún tiempo la ciudad estuviera unida a la ruta comercial que, pasando por Cholula, comunicaba la metrópoli de la meseta central con el golfo. Más tarde, se cree que en el siglo IX, Cempoala fue ocupada por los totonacos, que la convirtieron en uno de sus centros principales. En vísperas de la conquista, el territorio dominado por cempoala, sin ser muy vasto, se extendía unos 30 km a lo largo de la costa y 50 km por el interior. Antes de 1450 Motecuhzoma Ilhuicama la hizo tributaria de la Triple Alianza, aunque el hecho de que varios emperadores, como Motecuhzoma Xocóyotl, se proclamaran sus conquistadores, parece indicar que la ciudad se rebeló varias veces. La ciudad estaba muy extendida y tenía una población dispersa, porque las unidades residenciales estaban separadas por grandes tramos de campos de cultivo. Una de sus características peculiares era un avanzado sistema de acequias que llevaba el agua para usos civiles y agrícolas a gran parte de la ciudad. Al mismo tiempo, otras acequias llevaban a los campos las aguas servidas. Después de la conquista la población de Zempoala disminuyó vertiginosamente, y durante el siglo XVII la vegetación tropical invadió la ciudad.

►Los pilares semicirculares huecos que dan el nombre al templo de las Chimeneas.

Paso y Troncoso localizaron en la ciudad doce sistemas amurallados, que servían para separar el espacio sagrado del profano y, quizá, para impedir que durante la estación de las lluvias el agua anegara el centro ceremonial.

El templo de las Chimeneas, una pirámide de seis cuerpos ligeramente inclinados con escalinata orientada al oeste. Se lo llama así por los pilares semicirculares huecos que están delante de la escalinata.

Uno de los anillos de piedra con almenas escalonadas de los sistemas amurallados. Es posible que se utilizaran para encender grandes hogueras rituales.

Un altar.

▲ Sistema amurallado IV.

«En cierta edad que nadie puede calcular, que nadie puede recordar, hubo un gobierno durante mucho tiempo»
(texto azteca)

La Venta

Localización topográfica
México, Tabasco
18°04'N, 93°57'O

Ocupación
Período preclásico

Tamaño
2 km²
20.000 habitantes

Excavaciones
1925, Blom y La Farge; 1942-1943, Stirling; 1955 y 1967-1968, Drucker y Heizer; 1980-h. 2000, González Lauck

Surgida hacia 1200 a.C. en una elevación natural (unos 4,5 × 1,2 km) rodeada de ciénagas, La Venta empezó a imponerse alrededor de 1100, cuando empezó la construcción del complejo A. Alcanzó su apogeo entre 600 y 400 a.C., cuando controlaba el territorio comprendido entre los ríos Coatzacoalcos y Mezcalapa, y era la ciudad más grande del área metropolitana olmeca y de Mesoamérica. Para hacerse una idea de lo avanzada que era la construcción de La Venta y de su poderío, basta con pensar que el basalto utilizado masivamente en los monumentos (algunas cabezas colosales pesaban 40 toneladas) procedía de canteras situadas a 130 km en línea recta; la serpentina, en cambio, la traían de la Sierra Madre del Sur. Aunque hoy es difícil imaginar el esplendor de la ciudad, no cabe duda de que debía causar una fuerte impresión. Como escribe Coe (2001), para los pavimentos se habían usado «arcillas de varios colores, y los lados de las plataformas estaban pintados con tonos vivos de rojo, amarillo y violeta. En las plazas, delante de estos edificios que exhibían a los lados los colores del arco iris, se alzaban numerosos monumentos esculpidos en el basalto». En circunstancias que aún no se han reconstruido del todo, después de 400 a.C., la ciudad sufrió una rápida decadencia y se despobló.

► Una de las ofrendas masivas de La Venta in situ. En el sanctasanctórum del centro ceremonial, a 8 metros de profundidad, los olmecas colocaron estos impresionantes mosaicos de serpentina.

Se trata de un edificio de arcilla y tierra batida que se eleva 30 metros sobre una gran plataforma que la rodea por tres lados. Tiene un diámetro de unos 130 metros y un volumen de 100.000 metros cúbicos. Todavía no está claro si es una pirámide de base cuadrada o un cono surcado por diez profundos canales a intervalos regulares. En el caso de que el complejo C fuera un cono, habría que relacionarlo con los volcanes de los Tuxtlas.

Réplica de la estela 2. La original se encuentra en el Museo Regional de Antropología de Villahermosa. Representa a un rey con una barra ceremonial. Alrededor de su cabeza fluctúan unas figuras que podrían representar a los antepasados que legitiman su poder.

▲ La plaza B y el complejo C.

Donde las reglas de la simetría se rompen con cierto «desdén» que crea una armonía vaga, extraordinaria.

Monte Albán

Localización topográfica
México, Oaxaca
17°02'N, 96°46'O

Ocupación
500 a.C.-700

Nombre antiguo
No sabemos cómo lo llamaban sus habitantes; se cree que los zapotecas del período posclásico lo llamaban Danibaan (Monte Sagrado)

Tamaño
6,5 km²
24.000 habitantes

Excavaciones
1895-1897, Holmes; 1931-1949, Caso; 1942-1953, Bernal; 1972-1973, Winter; 1978, Blanton

Durante todo el período clásico Monte Albán fue la capital indiscutible de la cultura zapoteca. La ciudad, que ya al final de la fase Monte Albán II (hacia 250) dominaba un vasto territorio que se extendía más allá de los valles centrales de Oaxaca, alcanzó su apogeo en la fase Monte Albán IIIb (450-700). El corazón de la ciudad era su espléndido centro ceremonial, y el corazón del centro ceremonial, la Gran Plaza, situada 400 metros por encima del fondo del valle. Al principio su superficie era bastante accidentada y costó mucho trabajo nivelarla, retirando las rocas que sobresalían o incluyéndolas en los edificios. Como en gran parte de Mesoamérica, en lo alto de las construcciones que daban a la plaza había templos cubiertos de estuco y pintados, por lo general de rojo vivo. Delante de las dos grandes explanadas que cierran la plaza al norte y al sur se alzaban las estelas que conmemoraban las coronaciones y las hazañas de los reyes. De repente, por motivos que desconocemos, en los primeros años del siglo VIII el estado zapoteco se desmoronó y la ciudad se despobló en poco tiempo, aunque los zapotecas y mixtecas siguieron acudiendo a sus ruinas para celebrar ceremonias.

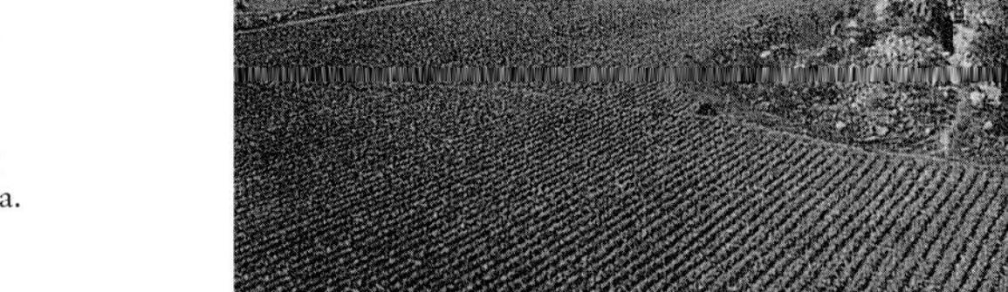

► La Gran Plaza en los años treinta.

La tumba 105 fue excavada en el patio interior de la casa de un personaje importante de la sociedad zapoteca. En las paredes de la tumba, pintadas alrededor de 650-700, aparecen nueve parejas de hombres y mujeres. Se cree que representan a los parientes y antepasados del difunto.

El glifo del nombre (?).

Figura femenina con un quechquémitl *(especie de poncho femenino triangular) y una saya. Lleva un rico tocado con una máscara antropomorfa y un glifo.*

▲ Mural Norte (detalle), murales de la tumba 105.

La plataforma Sur.

Los edificios U, P, S y Q cierran el lado este de la Gran Plaza, que se alza sobre el valle Grande.

En el centro de la Gran Plaza se distinguen los edificios G, H, I y J. Es un rectángulo llano, orientado a lo largo de un eje norte-sur, de unos 300 metros de largo por 200 de ancho, rodeado de edificios orientados a los puntos cardinales, con desviaciones comprendidas entre 4° y 8° respecto del norte astronómico.

El Juego de Pelota, uno de los más antiguos de Mesoamérica.

▲ La Gran Plaza.

Los sistemas M y IV y los edificios O, L y N, que cierran el lado oeste de la Gran Plaza.

La plataforma Norte y el patio hundido. Se cree que el conjunto de los lugares de culto de esta construcción es el más importante de Monte Albán.

Los edificios E, I, D y VG, probablemente reservados a los rituales de la élite.

Sistema M.

Edificio L que en la fase Monte Albán IIIa cubrió el antiguo edificio de los Danzantes, construido probablemente para proclamar el dominio de la ciudad sobre el valle de Oaxaca.

Varias lajas de los Danzantes fuera de su sitio.

Edificio O.

▲ Esquina sudoeste de la Gran Plaza.

El dibujo representa lo que quedaba de la colocación original de las cerca de 350 lajas de danzantes: sin duda, el efecto escenográfico sería impresionante.

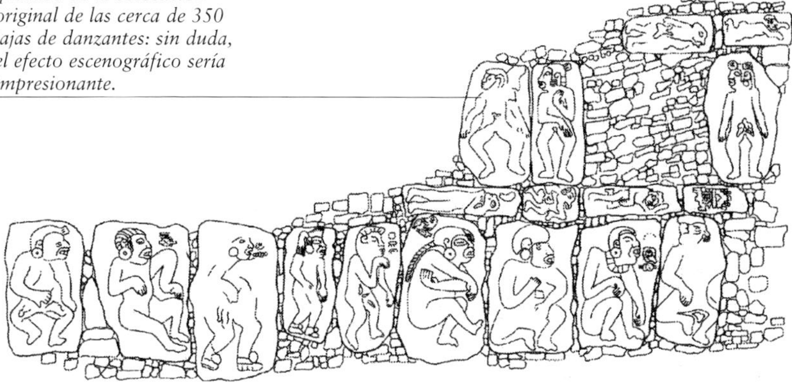

Estos glifos podrían indicar el lugar de procedencia y el año en que fue capturado el prisionero sacrificado.

Este grupo de glifos indica su nombre y rango: arriba, el glifo C con la faja símbolo de soberanía; abajo, el glifo con el nombre de calendario 3 Movimiento.

La sangre mana de las mutilaciones genitales.

▲ Reconstrucción de parte del edificio de los Danzantes.

► Piedra con el Danzante D 55.

«Al iluminar la tierra de la tumba se veía brillar ésta por perlas, las cuentas de oro y las innumerables plaquitas de turquesas que formaron en un tiempo ricos mosaicos. Al salir de la tumba estábamos absolutamente convencidos de la enorme riqueza material, artística y científica que habíamos descubierto, y pensé que no recordaba ni tenía noticia de que se hubiera descubierto en América un tesoro de esta naturaleza» (Alfonso Caso).

Según Alfonso Caso, el descubridor de la tumba 7, el pectoral representa a 5 Cocodrilo; *según otros, a una divinidad femenina mixteca,* 9 Hierba *o* 9 Mono. *El personaje lleva una máscara bucal con forma de mandíbulas descarnadas y un gorro de plumas con dos largas plumas frontales.*

El glifo del año 11 Casa.

Los glifos del año 10 Viento *y del día* 2 Cuchillo de Pedernal.

▲ El pectoral de 9 Cocodrilo. Procede de la tumba 7 de Monte Albán, Museo de las Culturas, Oaxaca.

«Entonces pasaron por un pueblo que se dice Mictlan, adonde hallaron algunos edificios más de ver que en parte ninguna de la Nueva España» (Toribio de Benavente)

Mitla

Mitla, nacida como una pequeña aldea alrededor de 1000 a.C. en una zona de asentamientos muy antiguos, después del fin de Monte Albán (comienzos del siglo VIII) llegó a ser una de las ciudades más importantes de la región de Oaxaca, en la que se sucedieron asentamientos mixtecas y zapotecas que podrían ser el resultado de campañas militares o movimientos migratorios. Los aztecas la conquistaron en 1494, pero siguió estando habitada por una población mayoritariamente zapoteca. En su centro ceremonial hay cinco conjuntos monumentales que se caracterizan por el uso masivo de mosaicos, originariamente pintados, para decorar las paredes de los palacios con motivos geométricos. La población vivía entre estos conjuntos y sobre todo al sur del riachuelo que cruza la ciudad. Recientemente se han encontrado pequeños asentamientos alrededor de Mitla, que abastecían la ciudad no solo de productos agrícolas, sino también de telas y piedras labradas. Una fortaleza construida en un altozano cercano protegía la ciudad en los tiempos turbulentos del período posclásico.

◄ Una de las estancias donde se cree que vivían los sacerdotes, Grupo de las Columnas.

Localización topográfica
México, Oaxaca
16°55'N, 96°18'O

Ocupación
Desde el período preclásico

Nombre antiguo
Los aztecas lo llamaban Mictlan (el inframundo, en este caso «Donde están los Muertos»)

Tamaño
2 km²

Excavaciones
1895-1897, Holmes; 1901, Batres; 1921 Dirección de Estudios Arqueológicos y Etnográficos

La escalinata ancha que da acceso al Salón de la Columnas, llamado así por las seis grandes columnas monolíticas que sostenían el techo de este edificio.

▲ Grupo de las Columnas, escalinata.

«Había un templo del demonio y aposentos de sus ministros, muy de ver, en especial una sala como de artesones. Había en aquellos aposentos otra sala, que tenía unos pilares redondos, cada uno de una sola pieza, tan gruesos, que dos hombres abrazados con un pilar apenas se tocaban las puntas de los dedos» (Toribio de Benavente).

La ciudad más «clásica» de Yucatán, que se contrapuso culturalmente al avance de la cultura «internacional» de Chichén Itzá, su gran vecina.

Ekbalam

Localización topográfica
México, Yucatán
20°53'N, 88°90'O

Ocupación
Período clásico

Nombre antiguo
Talol

Reyes
Ukit Kan Le'k Took'

Excavaciones
1984, Ringle;
1994-2000, Vargas de la Peña y Castillo

Ekbalam no entró en la historia de la cultura maya hasta los años noventa del siglo XX, gracias a una serie de campañas de excavaciones, que sacaron a la luz un mundo paralelo y muy distinto del de los demás yacimientos de Yucatán. El contraste con la cercana Chichén Itzá es muy fuerte, pues Ekbalam es lo contrario de su poderoso vecino. Es conservador, ortodoxo y, sobre todo, sus monumentos no presentan influencias «mexicanizantes». Increíblemente, parece que esto nunca creó problemas con Chichén Itzá, y las dos ciudades mantuvieron pacíficas relaciones diplomáticas y religiosas. Ekbalam es, además, el sitio de Yucatán que ha proporcionado más datos de sus reyes. El más famoso es sin duda Ukit Kan Le'k Took', que mandó erigir uno de los edificios más asombrosos de Mesoamérica, el Sak Xok Naaj (Casa Blanca de la Lectura), un edificio con estucos de bulto redondo en la fachada que tiene pocos precedentes en el área maya. Como otros reyes mayas, Ukit Kan Le'k Took' fue sepultado en el monumento que había mandado construir. En su cámara funeraria, la tumba 1, se ha encontrado un ajuar funerario de más de 7.000 piezas, uno de los más ricos del Yucatán, y una serie de textos glíficos de gran importancia.

► Dos estatuas de estuco de deidades aladas, detalle de la fachada, Casa Blanca de la Lectura.

Toda la estructura es una imagen plástica del dios de la Montaña. La puerta del edificio representa la entrada a una de las cuevas de los mitos cosmogónicos, probablemente aquella donde se guardaba el maíz con que los dioses formaron al primer hombre, o aquella donde estaba el palacio del dios L, el dios del inframundo.

Las fauces abiertas del dios de la Montaña. Los que cruzaban el umbral tendrían la impresión de que se los tragaba la Montaña Primordial.

Sobre la nariz del dios de la Montaña hay una escultura de estuco que representa a un hombre sentado. Se cree que es una imagen del señor de Ekbalan, Ukit Kan Le'k Took'.

▲ La fachada de la Casa Blanca de la Lectura. Es la estructura 35 bajo la acrópolis, una enorme construcción que mide 162 × 68 m de base y 32 m de altura.

A los lados de la entrada hay sendos mascarones que representan rostros antropomorfizados de dioses de las plantas.

«Cuatro Ahau es el katún en que sucedió que buscaron Chichén Itzá. Allí les fueron ofrecidas las sagradas maravillas por sus Padres y Señores» (Chilam Balam de Chumayel)

Chichén Itzá

Localización topográfica
México, Yucatán
20°37'N, 88°26'O

Ocupación
Período clásico y posclásico

Nombre antiguo
No sabemos cómo lo llamaban sus habitantes; para los mayas del tiempo de la Conquista, era «La Gruta (cenote) de los Itzá»

Tamaño
50.000-80.000 habitantes

Reyes
K'ahk' u Pakal K'awiil (Fuego es el Escudo de K'awiil)

Excavaciones
1924-1934, Morley;
1927-1936, Erosa Peniche;
1948, Ruz Lhuillier;
2000, Schmidt

Chichén Itzá, fundado en el siglo VIII por los Itzá, que según las fuentes coloniales eran alianzas de pueblos distintos, presenta en una primera fase numerosos edificios de estilo *puuc* de Uxmal, sobre todo en la llamada Parte Vieja de la ciudad, con las inscripciones tradicionales en cholano, en las que a veces asoma alguna palabra en yucateco, la lengua de los mayas del norte de Yucatán. Aunque no hay representaciones de reyes divinizados, los rasgos culturales correspondientes al período clásico son abundantes. Sin embargo, en los albores del año 900, la ciudad siguió repentinamente un camino completamente distinto del de los otros centros yucatecos y del Petén, ya en decadencia. Fue el momento de la llamada «revolución tolteca» (en realidad conviene aclarar que los toltecas nunca estuvieron en Chichén, porque Tula es posterior), que se muestra con toda su monumental radicalidad en la arquitectura y el arte del centro ceremonial, donde se desarrolla una nueva ideología religiosa en torno al culto a la Serpiente Emplumada. Primero Coba y luego Izamal fueron reacias a las innovaciones de Chichén. El primero es un curioso enclave de cultura del Petén en tierra yucateca. El segundo es un importantísimo centro religioso, meta de peregrinaciones procedentes de todo el Yucatán. Por motivos desconocidos (las fuentes etnohistóricas hablan de la rebelión de Hunac Ceel), hacia 1100 o 1200 Chichén se despobló casi por completo; parte de la población se trasladó a Mayapán, aunque la ciudad siguió recibiendo a los peregrinos.

► Templo de los Guerreros.

Antiguamente el edificio tenía una cubierta de vigas de madera que sostenían una capa de piedras y estuco. Es posible que los españoles usaron las vigas para fortificar su campamento durante las primeras etapas de la conquista.

Las Serpientes Emplumadas que hacen de columnas. Esta serpiente, llamada en maya Ajaw Kan (Señor Serpiente), aparece en gran parte de los edificios de Chichén Itzá.

El chac-mool *situado delante del templo de los Guerreros.*

▲ Templo de los Guerreros.

Con sus 168 metros de largo y 70 de ancho, es el tlachtli *más grande de Mesoamérica. Las paredes inferiores están decoradas con motivos probablemente oriundos de la costa del Golfo.*

▲ La cancha del juego de pelota.

El templo Superior del Jaguar es uno de los edificios más fascinantes de Chichén Itzá. Conserva un ciclo de murales polícromos que narra las conquistas de los itzaes.

El templo Inferior del Jaguar está decorado con relieves de escenas rituales e históricas, muy útiles para reconstruir la historia de Chichén Itzá.

La orientación particular del Castillo, que está desplazado 21°12' al este del norte, no es casual, sino el resultado de una indagación meticulosa que produce un efecto extraordinario de luces y sombras: en los días de los equinoccios, una hora antes de la puesta del sol, las serpientes que están en la base de la escalinata Norte cobran cuerpo y movimiento gracias a la sombra que proyectan las esquinas biseladas de los nueve cuerpos.

El significado sobrenatural del Castillo no se limita a la hierofanía de los días de los equinoccios. Su misma estructura evoca las correlaciones del calendario maya: 364 son los peldaños de las cuatro escalinatas (365 con la plataforma superior); 52, las molduras de cada fachada del Castillo (como los años del «siglo mesoamericano»); 9, los cuerpos del edificio (como los niveles del inframundo).

▲ El foco de atracción de Chichén es el Castillo, una pirámide de nueve cuerpos que domina las explanadas del centro ceremonial.

Del cuello del sacrificado salen siete serpientes retorcidas, símbolos de la sangre y de su poder fecundador. El motivo de las siete serpientes tiene un claro origen «mexicano». Para las poblaciones de lengua náhuatl, *era el glifo y el logograma de la diosa del Maíz, a la que siglos después los aztecas llamaron 7 Serpiente. Por arriba se puede ver la vegetación sobrenatural generada por la sangre.*

El capitán del equipo ganador lleva en la mano izquierda la cabeza cortada del capitán del equipo perdedor. En la derecha empuña un largo puñal de pedernal.

La pelota que se usaba para el juego. La calavera evoca la muerte del padre de los Héroes Gemelos.

El sacrificado en el momento de la muerte.

▲ Bajorrelieve de la cancha del juego de pelota (detalle).

«Cuatro Ahau. Fue conquistada la tierra de Mayapán por los Itzaes, que habían sido arrojados de sus casas a causa de la traición de Hunac Ceel» (Chilam Balam de Chumayel)

Mayapán

Localización topográfica
México, Yucatán
20°37'N, 89°31'O

Ocupación
1221-1441

Nombre antiguo
Mayapán (Bandera de los Mayas) e Ychpa (Dentro de la Muralla)

Tamaño
4,2 km² dentro de la muralla
10.000-15.000 habitantes

Excavaciones
1938, Patton; 1952-1954, Bullard; 1957, Proskouriakoff y Pollock; 2001, Masson; 2001-2004, Peraza Lope

Cuentan las fuentes etnohistóricas que Mayapán se fundó en 1221 (según otros en 1263), cuando una rebelión de ciudades sometidas y familias nobles capitaneadas por Hunac Ceel venció a los dirigentes de Chichén Itzá y obligó a parte de la población a salir de la metrópoli y trasladarse a Mayapán. Pero las investigaciones recientes remiten a fechas más antiguas (1185-1204), que podrían ser anteriores al despoblamiento de Chichén. Lo cierto es que a mediados del siglo XIII Mayapán sustituyó a Chichén Itzá como centro hegemónico del Yucatán, sin que alcanzara nunca el esplendor arquitectónico ni el peso demográfico de la antigua capital. Además, el estilo de los monumentos del centro ceremonial urbano, que imitan a escala reducida los de Chichén, revelan que el traspaso de poder se produjo dentro de la misma etnia o por lo menos de poblaciones que compartían la misma cultura. Aunque la comparación entre Mayapán y Chichén hizo pensar durante mucho tiempo en una decadencia real, recientemente se ha observado que la falta de monumentos grandiosos podría reflejar una transferencia de recursos de la clase dirigente al resto de la población. En 1441, cuando los Xiu derrocaron al linaje dominante de los Kokom (originariamente, la palabra *kokom* significa «juez»), Mayapán se despobló. Para los mayas fue un hecho muy significativo: había durado exactamente 13 *katun*, si se toma como fecha de fundación 1185. Según algunas fuentes etnohistóricas, parte de los itzaes se trasladaron al lago Petén, donde fundaron un pequeño reino que se mantuvo independiente hasta 1697. En Yucatán se formaron pequeños estados que no opusieron resistencia a la invasión española de 1527.

▼ El Castillo.

El edificio actual del Caracol es en gran parte una reconstrucción de los arqueólogos, que se basaron sobre todo en los dibujos de Cartherwood.

Los edificios pequeños que rodean el Caracol son típicos del período posclásico.

Plataforma que quizá sirviera para bailes rituales.

▲El centro ceremonial.

«Las ruinas de Uxmal se presentan a mi vista como el suelo patrio, y yo las miraba con más interés que antes»
(John Lloyd Stephens)

Uxmal

Localización topográfica
México, Yucatán
20°36'N, 88°34'O

Ocupación
700-1100
Nombre antiguo
No se sabe cómo lo llamaron sus habitantes. Uxmal (Tres Veces Construido) es el nombre que le pusieron los mayas en el siglo XV

Tamaño
20 km²
30.000-50.000 habitantes

Reyes
Señor Cielo Chahk

Excavaciones
1913-1917, Eduard Seler; 1929-1930, Blom; 1936-1938, Erosa Peniche; 1941-1942, Morley; 1969-1973, Sáenz

► «Reina» de Uxmal. A pesar de su nombre, este elemento arquitectónico representa a un antepasado asomando de las fauces de una serpiente, Museo Nacional de Antropología, Ciudad de México.

En el caso de Uxmal, la popularidad del sitio contrasta singularmente con la falta de datos arqueológicos y epigráficos que nos permitan reconstruir las vicisitudes de la ciudad. En este sentido tampoco son de mucha ayuda los datos de las fuentes etnohistóricas, a menudo contradictorias, ni la leyenda que narra las gestas del enano tímido y enmadrado que ganó el desafío al que le obligaba el rey y construyó la pirámide principal. La ciudad, habitada desde el período preclásico, empezó a ampliarse y a imponerse como capital regional poco después de la llegada de los Xiu (751). Su prosperidad también fue propiciada por una política de alianzas que en un momento dado incluyó al poderoso Chichén Itzá. Alcanzó el apogeo durante el reinado del único monarca cuyo nombre conocemos: Chan Chahk K'ahk'nal Ajaw (Señor Cielo Chahk del Lugar del Fuego), cuyo reinado está documentado por lo menos durante el período 906-909. A él se deben una serie de guerras victoriosas en las que, al parecer, pudo contar con guerreros itzaes, y los monumentos del centro ceremonial. No obstante, el esplendor de Uxmal no duró mucho. Ya hacia el año 950 la ciudad estaba en plena decadencia y poco después fue conquistada por el poderoso y belicoso Chichén Itzá. Los habitantes que quedaron tuvieron que refugiarse en el centro ceremonial de la ciudad (en el Cuadrángulo de las Monjas se han encontrado cimientos de una gran cabaña) y construir murallas que sugieren un largo conflicto con los itzaes.

Los cuatro mascarones del dios de la Montaña que dieron fama al edificio en Europa y Estados Unidos.

«Descubrimos que en un año se habían producido grandes cambios. El Cuadrángulo de las Monjas casi había desaparecido, la base, la cumbre y las terrazas estaban completamente cubiertas de árboles» (John Lloyd Stephens).

Cuando se decidió reconstruir el Cuadrángulo de las Monjas, para colocar las piedras en su posición original se recurrió a este dibujo de Catherwood.

▲ Frederick Catherwood, *El Cuadrángulo de las Monjas*, siglo XIX.

El Cuadrángulo de las Monjas. En este edificio los elementos del eje vertical están colocados en un plano inclinado: el ala norte, más alta que las demás, representa el cielo; las alas este y oeste, la tierra; el ala sur, más baja que las demás, el inframundo.

▲ El centro ceremonial. Todos los edificios fueron encargados o terminados por Cielo Señor Chahk.

La pirámide del Adivino.

La cancha del Juego de Pelota 1. Por su situación, como una prolongación del ala sur del Cuadrángulo de las Monjas, representa el tlachtli *del inframundo.*

«Siguiendo una callejuela [fuimos a parar a] un gran templo, pintoresco, en ruinas y cubierto de árboles. Desde lo alto se disfruta de un hermoso paisaje» (John Lloyd Stephens)

Kabah

Localización topográfica
México
20°14'N, 89°37'O

Ocupación
Período clásico
y epiclásico

Nombre antiguo
Kabah es un nombre muy antiguo que todavía usaban los mayas del siglo XIX

Tamaño
2-3 km²
7.000-10.000 habitantes

Excavaciones
1894, Maler;
1909, Morley;
1991, Carrasco

Nacida alrededor de 250 a.C., Kabah empezó a tener importancia en el siglo VII como aliada o satélite de Uxmal, como parece confirmar la *sak b'eh* (calzada blanca) de 18 kilómetros que conecta los dos sitios. Según las últimas investigaciones arqueológicas, la ciudad alcanzó su esplendor máximo entre los siglos IX y X, cuando se erigieron sus edificios más importantes, que destacan en el área maya por el uso persuasivo y masivo de mascarones del dios de la Montaña. En la decoración de estos edificios, en vez de estuco, hay teselas de piedra combinadas en formas cada vez más barrocas, de modo que el *horror vacui* transforma los edificios en una obra de arte total. El *Cootz Pop* (estera enrollada) es la joya de este estilo y una de las construcciones más hermosas y famosas de la zona *puuc*. Probablemente era la residencia del rey y tenía funciones de representación. Su lado occidental está totalmente cubierto de mascarones del dios de la Montaña (unos 250, cada uno formado por 30 teselas) para asemejarlo a los palacios de los dioses, construidos a menudo en cuevas o montañas. En el lado opuesto, en cambio, además de figuras sin dioses ni antepasados con garras amenazadoras, hay dos lienzos con escenas de guerra y textos glíficos. Debido a la fuerte erosión del texto y los escasos conocimientos sobre la historia de esta ciudad, lo único que se entiende es que los guerreros de Kabah habían capturado y matado a un enemigo llamado Chahk, probablemente un noble de una ciudad vecina.

▼ *Cootz Pop.*

La crestería de un solo muro que coronaba el Palacio.

La fachada estaba decorada en parte con semicolumnas típicas del estilo puuc.

La escalinata que lleva al primer piso del Palacio, en cuya fachada se abren siete puertas, dos con columna central.

▲ El Palacio, un ejemplo típico del estilo *puuc*.

«Desde nuestra llegada al Yucatán nunca habíamos hallado una cosa que nos emocionase con tanta fuerza»
(John Lloyd Stephens)

Labná

Localización topográfica
México, Yucatán
20°13'N, 89°36'O

Ocupación
Período clásico y epiclásico

Nombre antiguo
Desconocido

Tamaño
3 km²
7.000-10.000 habitantes

Excavaciones
1894, Maler;
1909, Morley;
1991, Gallareta Negrón

Labná, como las demás ciudades de la zona *puuc*, se conoce bastante bien desde el punto de vista arqueológico, pero poco sabemos de sus acontecimientos históricos. De los escasos monumentos con grabados que hay en la ciudad no se han podido extraer informaciones útiles para reconstruir la serie de los reyes, ni tan siquiera un dato histórico aislado. Una de las pocas fechas legibles de Labná se encuentra en un mascarón y corresponde al año 862. En todo caso, parece que fue una de tantas ciudades Estado de la región *puuc* que competían entre sí. Un rasgo típico pero no exclusivo, eran más de sesenta *chutlunes*, aljibes subterráneos con forma de botella, que servían para almacenar el agua de lluvia o como silos de alimentos. Su número elevado hace pensar en una población relativamente más numerosa de lo que sugieren las dimensiones reducidas de su centro ceremonial. La construcción más importante de la ciudad es el Palacio de Labná, un edificio asimétrico de 135 m de largo, que se comunica a través de una *sak b'eh* (calzada blanca) con el famoso «Arco». Pero también son testigos de la grandeza de Labná los edificios monumentales desperdigados por la selva que la rodea. A algunos de ellos se accedía por una red de calzadas que comunicaban las ciudades no solo de la región *puuc*, sino de todo el Yucatán. Además de su finalidad práctica, las *sak b'eh* tenían una importante función ceremonial y religiosa.

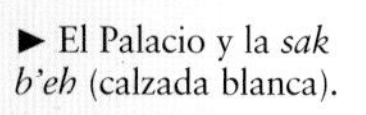

► El Palacio y la *sak b'eh* (calzada blanca).

El dibujo de Catherwood muestra que el «Arco» no era una construcción aislada, como se ve hoy, sino la entrada monumental de un palacio con planta rectangular semejante al de Uxmal.

Aunque los mayas se acercaron bastante al arco verdadero, como en este caso, no inventaron la «clave de bóveda», en cuyo lugar hay una losa apoyada en las otras piedras.

«Si un viajero del Viejo Mundo hubiera visitado esta ciudad cuando aún era perfecta, su relato habría parecido más fantástico que todas las historias orientales» (John Lloyd Stephens).

«Descubrimos una puerta con arco notable por la belleza de sus proporciones y la gracia de sus decoraciones» (John Lloyd Stephens).

▲ Frederick Catherwood,
El «Arco» de Labná, siglo XIX.

«La parte del Castillo que mira al mar se alza al borde de un acantilado cortado a pico que brinda una magnífica vista del océano» (John Lloyd Stephens)

Tulum

Localización topográfica
México, Quintana Roo
20°12'N, 87°25'O

Ocupación
Período posclásico

Nombre antiguo
Zama' (¿de «Mañana»?)

Tamaño
La ciudad se extendía unos 5 km a lo largo de la costa; no se sabe qué anchura tenía
20.000-30.000 habitantes

Excavaciones
1916, Morley;
1937-1938, Fernández;
1954, Sanders

Aunque estaba habitada desde el período clásico (la estela 1 es de 564), Tulum es una de las ciudades mayas más «jóvenes», porque empezó a desarrollarse en el posclásico reciente y llegó a ser uno de los centros urbanos más importantes de la costa oriental. Sus principales activos eran el comercio y el prestigio de los templos dedicados al Dios Descendente. El centro ceremonial y administrativo de la ciudad estaba protegido con una muralla rectangular (de 700 × 300 m y unos 3 m de altura). Sus doce edificios de carácter religioso estaban agrupados alrededor del Recinto Interior, en cuyo lado oriental se alzaba el Castillo, un templo que, con sus columnas ofiomorfas y su perfil, muestra cierto parentesco estilístico con el edificio homónimo de Chichén Itzá. Al pie del Castillo una playa de arena finísima en una caleta constituía el puerto de Tulum. El mercado, según Sanders, estaba un poco más arriba, en una zona con pequeñas plataformas. El puerto era una encrucijada importantísima del comercio prehispánico de larga distancia. De aquí zarpaban las grandes canoas que por un lado llegaban a la costa del Golfo y por el otro a Costa Rica y las otras regiones del Área Intermedia. Los primeros europeos descubrieron Tulum desde el mar. En 1518 Juan de Grijalva avistó la ciudad, pero no se acercó a la costa, probablemente para evitar los peligros de los arrecifes de coral.

► Estructura 16. El edificio de dos plantas guarda en el interior de su planta baja las pinturas murales que lo han hecho famoso. El exterior está decorado con mascarones de Itzamnaaj.

Estas pinturas murales, junto con los códigos prehispánicos, son las fuentes más importantes para el estudio de la religión maya del período posclásico.

El mural se desarrolla en cuatro niveles decorativos conectados entre sí por una gigantesca planta de frijol; por abajo lo delimitan las fauces abiertas de un cenote personificado.

Un dios sobre un felino, imagen ya presente en la iconografía del período clásico.

Varias divinidades desfilan desde los lados hacia el centro con ofrendas en las manos y, en algunos casos, una pequeña imagen de Chahk, el dios de la Lluvia, a hombros. Esto indica que el templo estaba consagrado a los dioses de la lluvia y la fertilidad.

▲ Pinturas murales de la estructura 16.

Con su espléndido emplazamiento a la orilla del Caribe, Tulum fue una de las primeras ciudades que vieron los españoles, pero también una de las últimas en caer.

El Castillo, la construcción más alta de Tulum.

Probablemente los mercaderes mayas que se encontró Colón durante su cuarto viaje en la actual Honduras harían escala en Tulum. «Quiso su buena suerte que llegase entonces una canoa tan larga como una galera, de ocho pies de anchura, toda de un solo tronco. Tenía en medio un toldo hecho de hojas de palma. Bajo aquel toldo estaban los niños, las mujeres y todos los bagajes y las mercancías. Los hombres que llevaban la canoa, aunque eran veinticinco, no tuvieron ánimo para defenderse. [Llevaban] mantas y camisas de algodón, y espadas de madera largas, con un canal al lado de los filos, a los cuales estaban sujetas con hilo y pez navajas de pedernal, hachuelas de cobre y crisoles para fundirlo. Y por vituallas llevaban raíces y granos, y cierto vino hecho de maíz semejante a la cerveza de Inglaterra, y muchas de esas almendras [cacao] que tienen por moneda los de la Nueva España» (Hernando Colón).

► El Castillo y la costa.

El templo del dios del Viento, dedicado a Kukulcán.

Entre dos edificios se abre una cala que era el puerto de Tulum.

La ciudad que por algún tiempo logró imponer su hegemonía sobre el mundo maya, pero luego fue vencida por su eterna rival Tilial.

Calakmul

Localización topográfica
México, Campeche
18°06'N, 89°48'O

Ocupación
Período preclásico y clásico

Nombre antiguo
Chiik Nahb'
reino Kanal

Tamaño
30 km² (toda la zona arqueológica)
50.000-90.000 habitantes

Reyes
Yuhknoom el Grande, Yuhknoom Yich'aak K'ah'k

Excavaciones
1931-1933, Lundell;
1937, Palacios;
1984, Folan;
desde 1993, Carrasco

El rastro arqueológico de los orígenes de Calakmul se pierde en la noche de los tiempos. Aunque no siempre fue la capital de la dinastía de los «señores de la serpiente», estuvo poblada hasta el colapso del período clásico. Fue sede real en el tiempo del poderoso Yuhknoom el Grande, que desde la ciudad dominaba gran parte del Petén con un control directo del territorio o mediante aliados y satélites. Imponentes testigos de aquella época son las pirámides principales de Calakmul, las estructuras 1 y 2. En la segunda fueron sepultados varios reyes con espléndidas ofrendas funerarias, como las célebres máscaras de jade. Pero son pocas las que han podido atribuirse con precisión a personajes históricos, debido a la falta de textos glíficos en el ajuar funerario. La excepción es la tumba 4, donde se halló un plato con el nombre de su propietario legible: Yuhknoom Yich'aak K'ahk'. El descubrimiento de su tumba sorprendió mucho a los arqueólogos, pues se pensaba que, al haber perdido la guerra con Tikal, lo habían hecho prisionero y sacrificado. Su ajuar funerario no tiene nada que envidiar al de los otros reyes y plantea muchos interrogantes sobre las consecuencias de la guerra, aunque parece evidente que con su reinado empezó una decadencia lenta pero inexorable. Los esfuerzos de sus habitantes para frenarla por todos los medios fueron inútiles.

► Estructura 5, una pequeña construcción delante de la estructura 2. Dentro del edificio hay dos estelas muy erosionadas.

Es un edificio de origen muy antiguo. Con sus 55 m de altura y su base de 140 × 140 m, es la pirámide más grande del área maya. A finales del período clásico, en lo alto, se construyó un palacio de nueve estancias.

Abajo está la parte más reciente, erigida delante de la más antigua, que la supera en altura, pero en segundo plano. En esta arquitectura arcaizante no hay ninguna influencia de Tenochtitlán.

▲ Estructura 2, la construcción más importante de Calakmul.

La ciudad quizá más refinada del período clásico, donde vieron la luz muchas de las innovaciones estilísticas y de las obras de arte más extraordinarias del mundo maya.

Palenque

Localización topográfica
17°29'N, 92°03'O

Ocupación
Período clásico

Nombre antiguo
Lakamha, reino de B'akal

Tamaño
30.000-50.000 habitantes

Reyes
Pakal el Grande, Serpiente Jaguar II, Estanque del Papagayo III

Excavaciones
1786, Del Río;
1832-1834, Waldeck;
1890-1891, Maudslay;
1923, Blom;
1949-1952, Ruz Lhuillier;
1997-2003, Morales;
1990-2006, González Cruz

Palenque es una de las ciudades mayas mejor estudiadas por los arqueólogos. Alcanzó su máximo esplendor durante el reinado de Pakal el Grande, que hizo construir el famoso Palacio y el templo de las Inscripciones. Serpiente Jaguar II, sucesor de Pakal el Grande, promovió a su vez la construcción del Grupo de la Cruz, máximo centro espiritual del antiguo Palenque. De todas las ciudades mayas, Palenque es la que tiene una de las historias más conocidas, porque como Pakal, al parecer, no cumplía todos los requisitos para ser rey, él y sus sucesores utilizaron con abundancia el arte y las inscripciones como instrumentos de propaganda política, para proclamar ante todo el mundo maya la legitimidad del linaje real. Un nieto de Pakal el Grande, K'inich Ahkul Mo' Naab' III (Estanque del Papagayo III), intentó revolucionar los cánones arquitectónicos de los edificios rituales de Palenque, pero su intento no tuvo éxito, ya que los nuevos templos se vinieron abajo prematuramente. De todos modos, los estucos y bajorrelieves hallados entre los escombros son extraordinarios. El último rey que aparece en las inscripciones de Palenque no dejó edificios que se le puedan atribuir. Su nombre, Wak Kimi Janaab' Pakal, solo aparece grabado en un cuenco negro: en el pasado había quedado la pompa de los tiempos de Pakal el Grande.

► Base de un brasero con la cara del Dios J como sol del inframundo, Museo Nacional de Antropología, Ciudad de México.

El templo de las Inscripciones, famoso mausoleo de Pakal el Grande.

El templo de la Calavera. Este edificio debe su nombre a un friso de estuco que decora un pilar. Representa un cráneo de conejo, símbolo del antiguo nombre del reino, B'akal, hueso. Dentro se ha encontrado gran cantidad de jade.

El templo de la Reina Roja. En este edificio se descubrió la tumba de una mujer de la aristocracia palenqueña. Su identidad aún no ha podido determinarse, porque no había ningún texto glífico al lado de la difunta; pero los especialistas tienden a pensar que era la esposa de Pakal el Grande.

El Palacio.

▲ El centro ceremonial: sector occidental.

La torre, única en la arquitectura maya, tenía tres pisos y probablemente era un observatorio astronómico. La mandó construir Jaguar Quetzal II.

Probablemente no era la residencia del rey, sino un lugar de reuniones y ceremonias oficiales. Fue construido en varias fases por Pakal el Grande y sus descendientes. Tiene forma rectangular-trapezoidal y mide unos 100 × 80 m. Se alza sobre un edificio anterior enterrado y usado como zócalo.

El edificio D. Sus pilares estaban decorados con imágenes del rey Pakal el Grande. En una de ellas se ve al rey en una danza ritual.

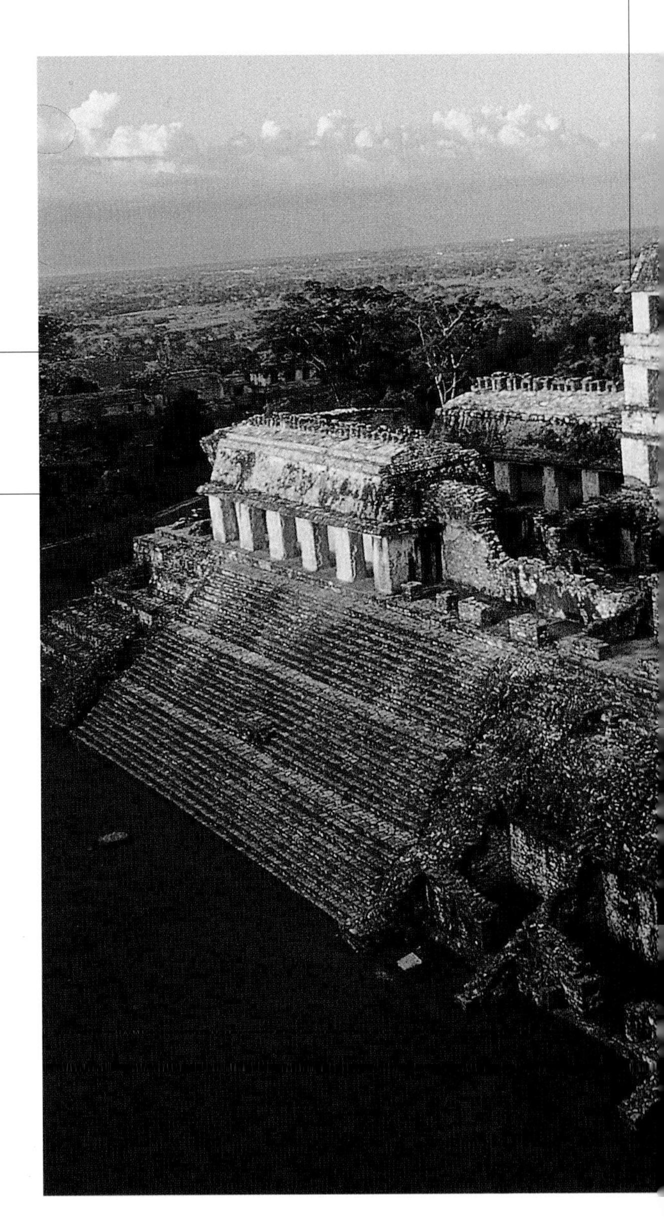

► El Palacio.

Detrás de la torre se entrevé el techo de los edificios que rodean el patio Este, con figuras de prisioneros humillados en sus taludes.

El edificio E, donde estaban la sala del trono y la lápida Oval.

La corona de Palenque con el dios Bufón. Probablemente tenía un armazón de madera cubierto de telas preciadas y un mosaico de jade. Es la misma corona que 106 años antes le ofrecieron a Pakal el Grande. Palenque es el único reino maya donde se ha podido identificar una corona real en el sentido europeo.

La escena muestra a los dignatarios que asisten a la coronación de Estanque del Papagallo. Es el 9.14.10.4.2 (el 28 de diciembre de 721).

El Yajaw K'ahk' de Palenque. Además de desempeñar un elevadísimo empleo militar, probablemente era la eminencia gris de la ciudad. Ninguna persona con su título ocupó una posición tan elevada en la historia maya.

Un Sajal, otro jefe del ejército.

Un dignatario llamado Muwaan, con una curiosa malformación en los dedos de las manos.

▲ Plataforma del templo XIX (detalle).

Los glifos rezan así: «Su Escudo Solar, primer príncipe sagrado señor de Palenque».

Los glifos con el nombre de Pakal el Grande.

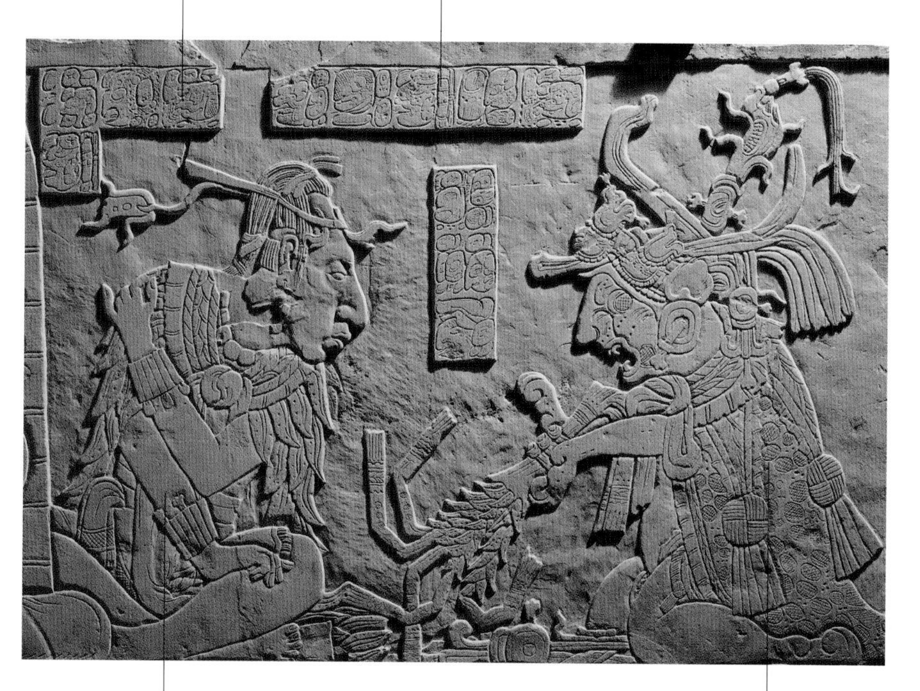

U Pakal K'inich Janaab', bisnieto de Pakal el Grande.

Personaje mítico antropozoomorfo con rasgos felinos y de rata. Parece que está preparando una «limpia», ritual de purificación que aún persiste en el área mesoamericana. Delante de su cara están los glifos de su nombre.

▲ Plataforma del templo XXI (detalle), Museo de Sitio, Palenque.

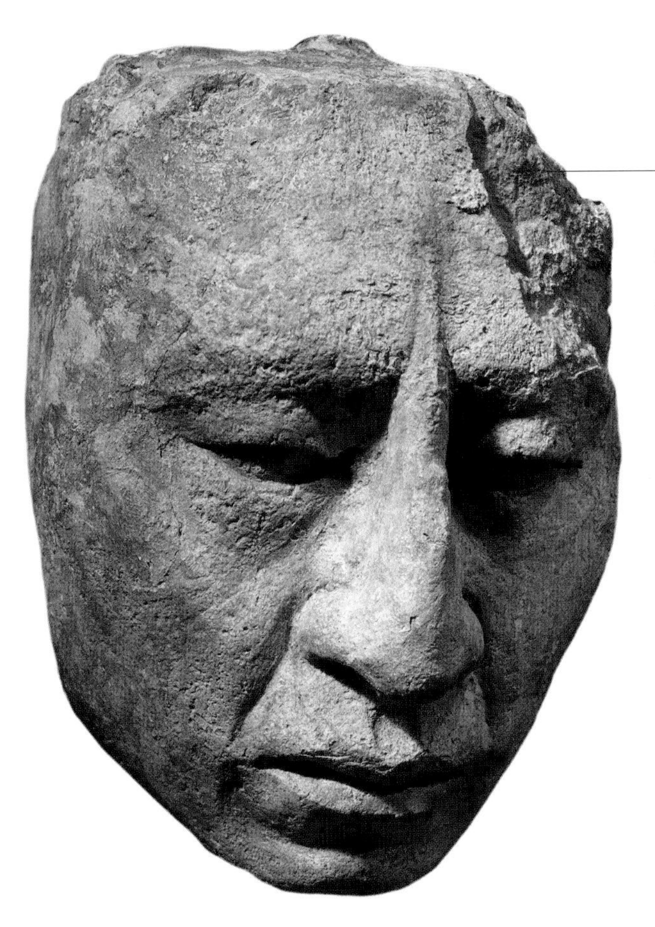

Hace años, en su célebre ensayo El arte de México. Materia y sentido *(1991), Octavio Paz reconoció con lucidez que «lo que sentimos ante un relieve de Palenque no es lo que sentía un maya». Para él, la única certeza ante la obra maestra de una cultura lejana era la realidad de nuestras sensaciones. Hoy, sin embargo, el contexto arqueológico de algunas obras y las firmas de los maestros nos permiten tener otra certeza que hasta hace poco se habría considerado blasfema: nuestro sentido estético no es muy distinto del de los reyes mayas. Esta escultura y su colocación (procede del templo del Sol) lo demuestran.*

▲ Cabeza en estuco de un rey (?) de Palenque, Museo Nacional de Antropología, Ciudad de México.

Toniná estuvo considerada durante mucho tiempo como una especie de Esparta maya, pero el juicio es bastante injusto, porque la ciudad ha dejado obras de arte importantes.

Toniná

Toniná tiene fama de ser la ciudad de los guerreros. Su emplazamiento, encaramada en la ladera de un cerro, y las numerosas figuras de prisioneros que aparecen en sus monumentos no ayudan, desde luego, a dar una imagen pacífica. Su larga rivalidad con Palenque, la favorita de los estudiosos, no ha hecho más que empeorar su fama, ya de por sí negativa. Sin embargo, tras años de estudio se ha descubierto que Toniná se limitaba a defenderse. Durante el reinado de Serpiente Jaguar II, Palenque emprendió una fuerte expansión militar y llegó a controlar casi toda el área del Usumacinta y los territorios de Toniná. En el año 687 Serpiente Jaguar II entró con sus guerreros en la ciudad de Toniná. Pero al año siguiente subió al trono de la ciudad K'inich B'aknal Chank, que con brillantes campañas militares logró conquistar, una tras otra, todas las ciudades que pocos decenios antes habían caído en poder de Palenque. Solo la muerte le impidió al rey ver la caída de su enemigo tradicional. Sin embargo, la situación estaba madura, y esta satisfacción estuvo reservada a su sucesor, que consiguió hacer prisionero al señor de Palenque, K'inich K'an Joy Chitam II. De todos modos, sería simplista recordar a Toniná únicamente por sus victorias militares, porque la ciudad tenía una espléndida acrópolis y extraordinarias obras de arte, además de un complejo de estelas y templos. Una de las estelas, el monumento 101, lleva la última fecha de la Cuenta Larga de la región: 10.4.0. 0.0 12 Ajaw 3 Wo, que corresponde al 15 de enero de 909.

Localización topográfica
México, Chiapas
16°54'N, 91°57'O

Ocupación
Período clásico

Nombre antiguo
Popo'

Tamaño
30.000-50.000 habitantes

Reyes
K'inich Hix Chapaht, K'inich Ich'aak, Chapaht, Uh Chapaht

Excavaciones
1925, Blom y La Farge; 1972-1975, Baudez; 1979-1980, Becquelin; 1986-2006, Yadeun

▼ La acrópolis.

El roedor que encuentra la pelota de ulama *para entregársela a los Héroes Gemelos. A los dos jóvenes les habían escondido los accesorios de este juego para que no los mataran como a su padre, el dios del Maíz.*

▲ Acrópolis, detalle de la decoración que representa la gesta de los Héroes Gemelos.

El muro está dividido en secciones por bandas de plumas con rosetones de cabezas. Es un motivo típico del arte de Teotihuácán.

«Dios de la Muerte con Calzado de Tortuga» es el nombre de la deidad esquelética que lleva en la mano la cabeza del señor de Pipa' (Pomona). En efecto, el dios lleva caparazones de tortuga en los pies.

La Deidad Ornitomorfa Principal vuela sobre Hun Ajaw para arrancarle un brazo.

Al prisionero le han quitado los adornos y la ropa (solo le queda una faldilla). En los lóbulos de las orejas, donde antes llevaba unos preciados cilindros de jade, ahora solo se ve un trapo manchado de sangre.

La oreja del jaguar, el motivo situado debajo del ojo y el dije del collar lo convierten en una personificación del dios Jaguar de la Noche, el dios maya de la guerra. Por lo tanto, se deduce que el prisionero va a ser quemado, con lo que correrá la misma suerte que el dios, según los mitos.

El texto del muslo reza así: «Tortuga Verde Señor de Anaayte».

▲ Prisionero humillado, Museo de Sitio, Toniná.

La ciudad de los dinteles a la orilla del río Usumacinta, arteria del comercio entre Petén y el golfo de México.

Yaxchilán

Nacido en el siglo IV como un pequeño pueblo de pescadores y agricultores en un meandro del río Usumacinta, vía de comunicación fundamental de los llanos mayas, se desarrolló rápidamente y llegó a ser una capital regional de cierta importancia. En el agitado panorama de la política maya del período clásico, por un lado logró imponer su hegemonía a La Pasadita, Laxtunich y, en parte, la provincia Bonampak, y por otro se enfrentó a otras potencias regionales como Palenque y Piedras Negras, aunque logró mantener unas posición autónoma en el conflicto entre las superpotencias Calakmul y Tikal. En el año 508 el rey Joy B'ahlam capturó a un miembro de la familia real de Tikal, pero el audaz golpe de mano no logró afianzar el poderío de Yaxchilán, porque pocos años después el mismo rey cayó prisionero durante una guerra con Piedras Negras. La ciudad alcanzó su máximo esplendor durante los reinados de Escudo Jaguar II y Pájaro Jaguar IV, que ampliaron el centro ceremonial y lo enriquecieron con espléndidas construcciones. Durante su reinado se desarrolló un estilo arquitectónico peculiar de Yaxchilán, caracterizado por altísimas cresterías, al principio enriquecidas con figuras de estuco, y por la transformación de los dinteles de simples estructuras funcionales a elementos narrativo-decorativos. Los dinteles, en particular, además de presentar estampas de los rituales, las guerras y los autosacrificios de los reyes, reservan un lugar y una atención especial a las reinas, que en el resto de Mesoamérica suelen permanecer en la sombra.

Localización topográfica
México, Chiapas
16°54'N, 90°58'O

Ocupación
Período clásico

Nombre antiguo
Reino Pa'Chan

Tamaño
30.000-40.000 habitantes

Reyes
Escudo Jaguar II, Pájaro Jaguar IV, Itzamnaaj B'ahlam I

Excavaciones
1882, Maudslay;
1882, Charnay;
1931, Morley;
1970, Graham;
1973-2006, García Moll

◄ La pequeña acrópolis.

Las estelas, los dinteles y los altares que encargaron Escudo Jaguar II y Pájaro Jaguar IV proclaman, dentro y fuera de estos templos, la legitimidad de su linaje.

El templo 41. Construido entre 650 y 700 sobre una gran plataforma con escalinatas que empezó a ceder ya en la época prehispánica y obligó a intervenir con difíciles labores de nivelación y consolidación.

▲ Los templos de la acrópolis se encuentran en un altozano que domina los terrenos bajos del río Usumacinta.

El templo 39, construido entre 650 y 700 sobre una plataforma de al menos dos cuerpos.

El templo 40, construido por Pájaro Jaguar II. Por dentro estaba decorado con murales de los que no queda casi nada.

La pelota tiene el dibujo de un prisionero atado. Estas representaciones, que también se han encontrado en Tikal y otros sitios mayas, sugieren que durante estas ceremonias se hacía rodar por las escalinatas a los prisioneros para que el rey los golpeara como si fueran pelotas.

Pájaro Jaguar II, vestido como un jugador de ulama, durante el sacrificio de un prisionero que está en un tlachtli *o de algún modo remite al juego de la pelota.*

El texto habla de «tres victorias» en el inframundo, pero no está claro a qué se refiere. El hecho de que impliquen al dios del Maíz sugiere una variante del Popol Vuh.

Uno de los dos enanos que acompañan a Pájaro Jaguar II en este partido ritual. Bajo su brazo aparece el glifo de la estrella, símbolo de su naturaleza divina y de la importancia cósmica del sacrificio.

▲ Escalón 7, escalinata de los Jeroglíficos, estructura 33 (detalle).

La ciudad es famosa por el ciclo de pinturas murales que cuenta una sola historia, el reconocimiento del hijo del rey como heredero y los rituales posteriores.

Bonampak

Descubierto por los arqueólogos en los años cuarenta, Bonampak era desde hacía siglos la meta de las peregrinaciones de los mayas lacandones, que atribuían los antiguos edificios a sus dioses. No obstante, el sitio habría caído pronto en el olvido de no haber contado con una joya del arte maya que lo convierte en único: el ciclo de murales de la estructura 1. Únicos en su género por sus dimensiones y su calidad (junto con los que se descubrieron en 2002 en San Bartolo), son una fuente inapreciable de datos sobre la vestimenta, los músicos, los bailes y la guerra del período clásico. En relación con este último aspecto en particular, su descubrimiento cambió radicalmente la visión que se tenía de la cultura maya, acabando con la imagen, cultivada por Eric Thompson, de un pueblo de sacerdotes dedicados a observar el cielo nocturno y meditar sobre el tiempo. Pero la resistencia a aceptar los nuevos datos fue tenaz, y solo tras la exposición *The Blood of the Kings* (1986) la comunidad de los mayanistas se dio oficialmente por enterada de que los mayas, desde este punto de vista, no eran distintos de los demás pueblos. El rey que encargó los murales fue el único monarca importante de Bonampak, Yahaw Chan, vasallo del señor de Yaxchilán, Itzamnaaj B'ahlam III. La escasez de informaciones sobre la historia de la ciudad contrasta con la importancia de los murales. Lo único que sabemos es que surgió al final del período clásico temprano.

Situación topográfica
México, Chiapas
16°43'N, 90°59'O

Ocupación
Período clásico

Nombre antiguo
Ake'

Tamaño
2,5 km²
10.000-20.000 habitantes

Reyes
Yahaw Chan

Excavaciones
1960, Pavón Abreu;
1977-1985, INAH;
1994-2006, Tovalin

◄ La acrópolis. A la derecha, bajo una techumbre de dudoso gusto, se entrevé la estructura 1, donde se encuentran las pinturas murales.

Los murales de Bonampak se salvaron porque, debido a la construcción defectuosa del techo, el agua de lluvia se fue colando por las piedras de la cubierta y lamió las pinturas, depositando un velo calizo que las ha protegido donde no es muy espeso.

La presentación del heredero tuvo lugar el 9.18.0.3.4 (8 de diciembre de 790). Los espacios azules de arriba, destinados a glifos que no se escribieron, brindan otra información fundamental. Dicen que el ciclo de pinturas murales no se terminó porque poco después de estos rituales, que representan un poder aparentemente sólido, Bonampak sucumbió y fue abandonada.

Nobles en visita de cortesía. Llevan un manto blanco adornado con preciadas conchas de Spondylus spp. *y distintos tocados.*

► Mural de la pared sur, cámara 1, estructura 1 (detalle).

Un paje de la corte lleva en brazos al hijo del rey, nieto de Escudo Jaguar III de Yaxchilán, que probablemente estaba presente en la ceremonia. Es posible que los vencedores de Bonampak borraran los ojos del heredero, en señal de desprecio y desacralización.

Un alto oficial del ejército de Bonampak ofrece al rey una cuenta de jade o de una piedra dura. Lleva un vestido de piel de jaguar y empuña una maza con pequeñas plumas de quetzal. Detrás de él, con mazas, lanzas y tocados vistosos, están los guerreros de más alto rango.

En la escalinata de un templo, probablemente la misma de la estructura 1, se tortura y sacrifica a los prisioneros.

El prisionero mira con una mueca de dolor y terror los dedos ensangrentados. En la grada superior, otro prisionero dirige al señor de Bonampak una mirada implorante.

▲ Mural de la pared norte, cámara 2, estructura 1 (detalle).

Rapaz del Cielo, el señor de Bonampak, empuña una larga lanza ceremonial forrada en parte con piel de jaguar, la misma que lleva en la faldilla, el calzado, la armadura de guerra y el tocado con largas plumas de quetzal. Lleva un collar con cuentas de piedra dura, así como un gran jade.

Un escriba sostiene entre los dedos un pincel u otro instrumento para escribir (o grabar). Según algunos, en el ciclo de pinturas murales de Bonampak se representan varios escribas cuyo destino no está claro.

El cuerpo recostado de un sacrificado. Como han señalado varios autores, la línea oblicua centra la atención sobre el rey.

Tikal, la eterna rival de Calakmul, ganó la guerra, pero no logró escapar del colapso del clásico: la última estela con cuenta larga tiene lleva la fecha 10.2.0.0.0. (11 de agosto de 869).

Tikal

Localización topográfica
Guatemala 17°12'N, 89°35'O

Ocupación
Período posclásico y clásico

Nombre antiguo
Mutul

Tamaño
16 km² (algunos calculan 120 km² incluyendo las zonas agrícolas menos densamente habitadas)
60.000-70.000 habitantes

Reyes
Primer (?) Cocodrilo, K'awiil que Limpia el Cielo, K'awiil que Oscurece el Cielo

Excavaciones
1881-1882, Maudslay; 1926-1937, Morley; 1956-1970, W. Coe; 1996-2006, La Porte

Tikal, habitada ya en el siglo VIII a.C., parecía destinada a seguir el curso y el desarrollo de muchas otras ciudades mayas, cuando, en 378, fue conquistada por un ejército de Teotihuacán, probablemente muy reducido, que colocó en el trono a Primer (?) Cocodrilo. De la conquista no nació una cultura híbrida, porque al poco tiempo los rasgos culturales teotihuacanos (estilemas artísticos, deidades, etc.) fueron asimilados, pero Tikal ya no fue la misma y empezó a tener un peso cada vez mayor entre las ciudades del Petén. La opulencia de Tikal tocó a su fin en 562, cuando su antiguo aliado Caracol, con la ayuda de su enemigo Calakmul, saqueó la ciudad. Tikal se hundió en un abismo, el llamado «hiato» (562-692). Las pocas noticias que se tienen de este período parecen indicar que el linaje real se dividió en dos facciones que lucharon entre sí hasta que una logró expulsar a la otra de la ciudad. Sin embargo, esta expulsión no resolvió los problemas, porque los desterrados se establecieron en Dos Pilas, desde donde, con la ayuda de Calakmul, siguieron peleando por recuperar el trono. En 695, no obstante, K'awiil que Limpia el Cielo dio un vuelco a la situación de Tikal al vencer a Calakmul y asegurarse la posición perdida. Pero a partir del siglo IX Tikal, como las demás ciudades de las llanuras, empezó a despoblarse hasta ser invadida por la vegetación.

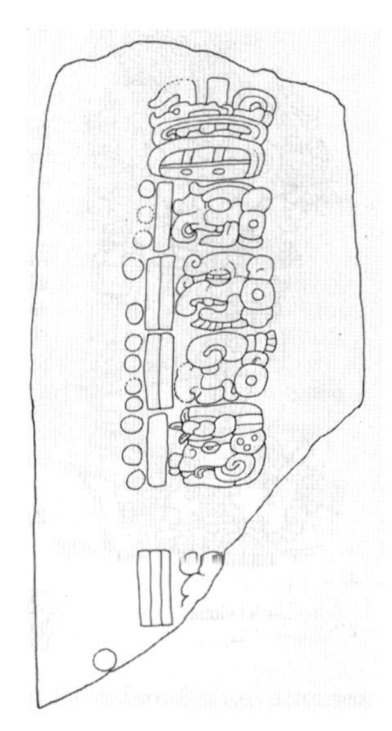

► La estela 29 de Tikal. En el anverso está la fecha: 8.12.14.8.15 (6 de julio de 292).

Vista desde la cima del templo 4, que con sus 64 metros es el más alto de Mesoamérica. Fue construido alrededor de 745 por deseo de K'awiil que Oscurece el Cielo, coronado en 734, que reinó veinte años.

El templo 3. Tiene un dintel grabado con la imagen del misterioso rey de Tikal, conocido como Sol Sagrado.

El templo 1 y el templo 2, frente a frente, ambos construidos por K'awiil que Oscurece el Cielo sobre las tumbas de su padre, K'awiil que Limpia el Cielo (el templo 1) y, quizá, de su madre (el templo 2). Están hechos de una sola vez y no tienen estructuras más antiguas en su interior.

▲ Los templos de Tikal asoman entre las copas de los árboles de la selva pluvial del Petén.

El templo 2.

El patio 5D-2 de la acrópolis central.

La parte occidental de la acrópolis central, el complejo de palacios donde residían los reyes de Tikal.

► El centro ceremonial.

La Gran Plaza.

La acrópolis norte.

La cancha del juego de pelota.

El templo 1.

La acrópolis norte, situada en el lado norte de la Gran Plaza, era un complejo de templos levantados sobre otros edificios más antiguos del período preclásico. Representaba una cordillera sagrada y era el lugar de descanso de los primeros reyes.

La estructura 5D-32. Dentro, en la sepultura 195, estaba la tumba del vigésimo segundo rey de Tikal, llamado Calavera de Animal. Ante la escalinata se alzaba la estela 6.

La estructura 5D-34. Delante de la escalinata estaban las estelas 3 y 4. Dentro, en la sepultura 10, estaba la tumba del rey «filotetihuacano» Primer (?) Cocodrilo, con un espléndido ajuar funerario que incluía piezas, sobre todo cerámicas, de influencia teotihuacana. La estela 26, en cambio, estaba «sepultada» en la estancia interior del templo superior.

La estructura 5D-33. Los arqueólogos la desmantelaron para estudiar las construcciones más antiguas que había dentro. Junto a unos mascarones bien conservados, se descubrió la estela 31, «sepultada» por los mayas dentro de la estructura 33 sub, y en la sepultura 10 la tumba de K'awiil Nacido en el Cielo, que la mandó esculpir. Junto a la escalinata estaba la estela 5, erigida por K'awiil que Oscurece el Cielo.

▲ La acrópolis norte.

Los dioses Remadores acompañan al dios del Maíz al lugar de su resurrección.

El dios del Maíz está sentado en el centro de la canoa. Le llevan al lugar donde, con la ayuda de unas hermosas muchachas desnudas, le pondrán «vestidos» de jade, símbolo de las hojas nuevas y la fertilidad.

El excéntrico representa una canoa con los protagonistas de los mitos cosmogónicos. La cabeza trasera es una síntesis de toda la escena: el dios del Maíz aparece con su triunfante juventud después de resucitar. Al mover la canoa y simular el hundimiento del final, queda el busto del dios del Maíz «resucitado».

Las puntas dobles en el fondo de la canoa simbolizan las olas del agua del inframundo.

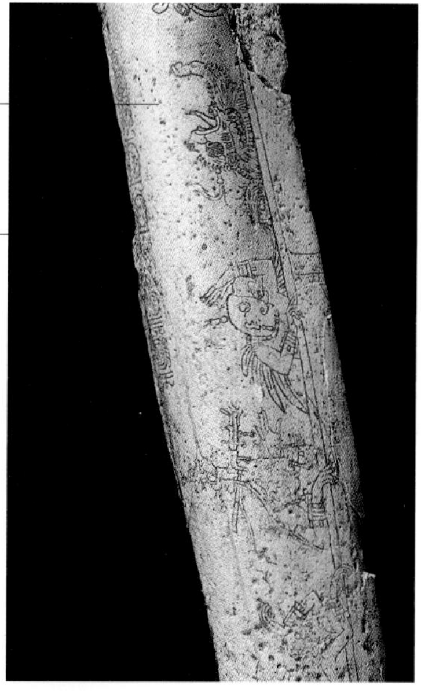

Uno de los dioses Remadores boga sentado en la proa de la canoa. Esta posición probablemente está dictada por razones estéticas, pues no hay ningún tipo de canoa que la permita.

Las líneas grabadas se rellenaron con cinabrio para destacar el fino dibujo. Por motivos religiosos, en las tumbas mayas casi siempre había cinabrio. Con su vivo color rojo, sustituía la carne y la sangre del difunto.

▲ Excéntrico de origen desconocido, probablemente de Petén central (zona de Tikal), Dallas Museum of Art, Dallas.

► Detalle de hueso humano grabado con la misma escena que el excéntrico. Procede de la tumba 116, que custodiaba los restos de rey K'awiil que Limpia el Cielo. Museo de Sitio Sylvanus Morley, Tikal.

Una ciudad que no era maya fue encrucijada fundamental, descentrada y poco conocida, de las culturas del período preclásico y en particular de las relaciones entre los olmecas y los mayas.

Izapa

Localización topográfica
México, Chiapas
14°55'N, 92°11'O

Ocupación
Período posclásico
Clásico
Posclásico temprano

Nombre antiguo
Desconocido

Tamaño
La ciudad se extendía varios km a la orilla del río Suchiate
10.000 habitantes (?)

Excavaciones
1941, Stirling;
1947, Drucker;
1961-1965, Lowe y Norman;
1973, Malmström

Aunque el centro ceremonial de Izapa ya se estudió y restauró en los años cincuenta y sesenta, el papel de la ciudad en la Mesoamérica del preclásico es bastante desconocido. Esta curiosa situación no obedece únicamente a la falta de investigaciones recientes: tampoco se supo apreciar la importancia de la ciudad como encrucijada fundamental de la cultura olmeca, la cultura maya y las demás culturas de la costa del Pacífico. Dos motivos hacen suponer un papel relevante: el hecho de que el estilo de los monumentos de la ciudad, llamado estilo de Izapa (presente no solo en la ciudad, sino también en gran parte de la región del Pacífico) muestre convergencias estilísticas y temáticas significativas con los temas del arte maya y olmeca, y el hecho de que fuera el único centro de notable importancia que alrededor del siglo VII a.C. estaba a caballo del paralelo 15°, es decir, en la estrecha franja de la tierra donde se puede observar el fenómeno (los pasos cenitales del sol separados por períodos de 260 y 105 días) que inspiró la invención del calendario ritual. Aunque Izapa ya estaba habitada hacia 1500 a.C., la ciudad empezó a cobrar importancia en la región alrededor de 850 a.C. y alcanzó su apogeo entre 300 y 50 a.C. Su centro ceremonial ocupaba unos dos kilómetros cuadrados, con 160 pirámides y plataformas (la más alta alcanzaba 20 m de altura) que se alternaban y combinaban con un complejo de 182 estelas, altares y tronos.

► La cancha del juego de pelota del grupo F. Está orientado hacia la estela 60 y el punto por donde sale el sol en el solsticio de invierno.

La estela 1, con la figura del dios de la Lluvia. Lleva la máscara que lo representa, que también aparece en el tocado y en otros cinco lugares de la composición. Tiene pies de cabeza de pez y unas aletas que le salen de los brazos. Sostiene un cesto de pesca con un pescado.

Sobre las Fauces del Cielo, una divinidad sostiene una serpiente enmascarada. Frente a ella, según algunos, una fecha (¿5 ... ?) del calendario ritual.

El recipiente que contiene el agua de lluvia y unas volutas que representan las nubes. La lluvia y los rayos.

El agua evaporándose. Aunque algunos elementos de la estela 1 no están claros o pueden suscitar perplejidad («¿Qué está haciendo el dios de la Lluvia?», «¿Es una representación del ciclo del agua?»), la estela remite a la lluvia y sus rituales.

Las aguas terrestres (el mar, las albuferas, los ríos y los lagos).

Las fauces de la figura zoomorfa del altar 1, con rasgos de pardiántropo y elementos de otros animales (cocodrilo, serpiente y sapo).

▲ La estela 1 y el altar 1 se encontraron en la base del montículo 58 del grupo A, Museo Nacional de Antropología, Ciudad de México.

«Todas las artes que embellecen la vida habían florecido en esta enorme selva. Oradores, guerreros y estadistas habían habitado en aquel lugar y habían desaparecido» (John Lloyd Stepens)

Copán

Localización topográfica
Honduras, 14°50'N, 89°08'O

Ocupación
Período clásico

Nombre antiguo
Reino Xukpi (?)
Tamaño
40.000-60.000 habitantes

Reyes
Sagrado Quetzal Ara Verde, Dieciocho Son las Imágenes de K'awiil, Primera Alba del Cielo

Excavaciones
1885, Maudslay; 1891-1995, Gordon; 1935-1942, Stromsvik; 1975-1977, Willey; 1977, Baudez; 1980-2000, Fash y Agurcia

Copán es el yacimiento más importante del área maya meridional. Su nacimiento «político» fue la entronización de Sagrado Quetzal Guacamayo Verde, quizá oriundo de Tikal y con fuertes vínculos con Teotihuacán, que probablemente tenía a Copán como puesto avanzado. En poco tiempo la ciudad pasó a ser el centro más importante de una región que controlaba el comercio de los mayas con los pueblos de Honduras. En su apogeo, alrededor de 700, el centro ceremonial de Copán se había convertido en una joya que conseguía combinar arte y arquitectura para formar un paisaje jalonado armoniosamente por los altares decorados en bajorrelieve, las esculturas exentas, los espacios abiertos de la Gran Plaza y los relieves de las pirámides y la acrópolis. Pero su hegemonía en la región sufrió un duro golpe cuando el señor de Copán, Dieciocho Son las Imágenes de K'awiil, fue capturado en una emboscada durante una visita a Quiriguá y sacrificado por su vasallo. Después de la derrota, Copán intentó recuperar su poderío, pero no logró reconquistar Quiriguá. Al final de su historia, las dos ciudades intentaron aunar fuerzas para hacer frente a la amenaza invisible que estaba despoblando todos los centros urbanos de las tierras bajas meridionales. De nada sirvió. Hacia el año Mil, en Copán solo vivían grupos dispersos de campesinos que sembraban maíz entre las estelas y los palacios.

► Uno de los *Pawajtuun* colosales, situados a los lados del templo 11, que sostenían simbólicamente el techo del edificio como lo hacían con la bóveda celeste.

«[Cerca del] lugar que se llama Copán, están unas ruinas y vestigios de gran poblazón y soberbios edificios, tales, que parece que en ningún tiempo pudo haber en tan bárbaro ingenio como tienen los naturales de aquella provincia, edificio de tanta arte y suntuosidad» (Diego García de Palacio).

Entre los árboles se entrevé la escalinata de los Jeroglíficos de la estructura 10l-26.

La Gran Plaza con su bosque de estelas. En los textos mayas la estela se llama Lakam Tuun, «Piedra Bandera».

La estructura 10L-4 con escalinatas orientadas a los puntos cardinales.

La cancha del juego de pelota A III.

▲ La Gran Plaza de Copán junto al río del mismo nombre.

La estela C muestra a Dieciocho Son las Imágenes de K'awiil con rasgos juveniles. Sobre la cabeza lleva un tocado formado por dos mascarones.

La plataforma que delimitaba el borde de la Gran Plaza.

La estela 4 es otro de los monumentos erigidos por voluntad del prolífico rey Dieciocho Son las Imágenes de K'awiil.

La estela B, donde Dieciocho Son las Imágenes de K'awiil aparece con el turbante típico de los gobernantes de Copán.

Detrás de la estela C se ve un altar con forma de tortuga. Para los mayas, el mundo era una enorme tortuga, y el dios del Maíz también resucitaba del caparazón de este animal.

▲ La Gran Plaza donde se encuentran las estelas C, B y 4 con sus altares respectivos.

La gran escalinata de los Jeroglíficos, que es la inscripción más larga del mundo maya.

La parte superior es obra de los escultores de K'ak' Yipyaj Chan K'awiil (K'awiil que Llena el Cielo). Con el paso de los siglos, los escalones de esta sección fueron desprendiéndose, y los primeros arqueólogos los colocaron desordenadamente. Hicieron falta años de estudio para colocarlos en el orden original. Hoy sabemos que el texto es una impresionante crónica de la dinastía de Copán y un intento de restaurar su prestigio tras la caída de Dieciocho Son las Imágenes de K'awiil.

Dieciocho Son las Imágenes de K'awiil encargó la escultura de la parte inferior.

La estela M representa a K'awiil que Llena el Cielo.

▲ Estela M con la escalinata de los Jeroglíficos de la estructura 10L-26.

Una deidad sale de las fauces esqueléticas del Monstruo Bicéfalo. La cabeza izquierda del Monstruo Bicéfalo tiene las características de la escolopendra, un insecto muy temido por los mayas que se asociaba a la muerte.

Los ojos del Monstruo Bicéfalo muestran el glifo de la palabra ek' *(estrella), que ratifica su carácter astral.*

El Monstruo Bicéfalo, ser mitológico que representaba la eclíptica. Tenía una cabeza esquelética (lado oeste) y otra carnosa (lado este).

La parte central del Monstruo Bicéfalo está formada por un texto que narra la consagración por Primera Alba del Cielo de otros edificios. Nótese que el escultor ha evitado labrar un material distinto encajado en la piedra, para no fracturar el monolito.

▲ El altar G 1.

Fue descubierto por Ricardo Argucia el 23 de junio de 1989 al cavar un túnel bajo el templo 16. Construido por el rey Luna Jaguar sobre la tumba de Sagrado Quetzal Guacamayo Verde, probablemente se consagró el 9.6.17.3.2 8 (el 19 de febrero de 571).

Las paredes interiores estaban tiznadas por el humo de las antorchas y los incensarios que quemaban copal.

Era el templo más importante de Copán, dedicado al dios Sol y al divinizado fundador de la dinastía. Mide casi 13 m de altura y tiene una base rectangular de 18,5 × 12,5 m.

Llamado así por el color del estuco que la recubre, su extraordinaria conservación se debe a que fue sepultado ritualmente en 690 y cubierto por el templo 16.

▲ Reconstrucción del templo de Rosalilla, Museo de Sitio (Museo de Escultura Maya), Copán.

Apéndices

Mapa de Mesoamérica
Museos
Cronología
Glosario
Índice general
Bibliografía
Referencias fotográficas

◄ Tlaltecuhtli, cultura mexica, período posclásico, Museo del Templo Mayor, Ciudad de México.

Mapa de Mesoamérica

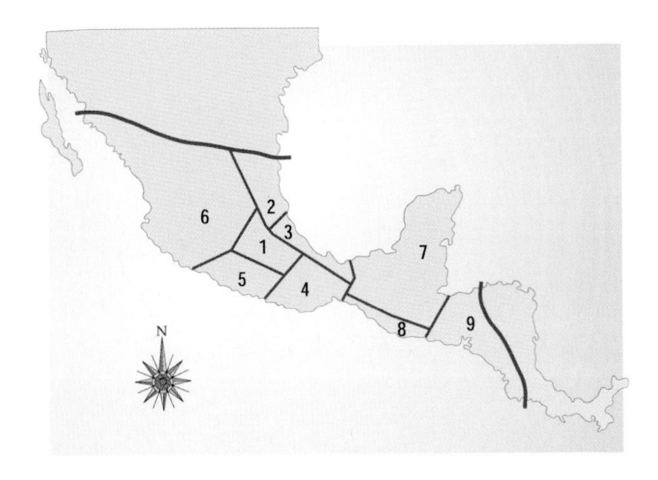

Mapa de Mesoamérica
Mesoamérica y sus áreas

1 Meseta central
2 Huaxteca
3 Costa del Golfo
4 Oaxaca
5 Guerrero
6 Occidente y periferia septentrional
7 Área maya
8 Vertiente Pacífica de Chiapas y Guatemala
9 Periferia meridional

El imperio azteca y los estados limítrofes en 1519

1 Imperio azteca
2 Reino de Zaachila
3 Corredor hacia Soconusco
4 Reino tarasco
5 Tlaxcala
6 Metztitlán
7 Yopitzinco
8 Tututepec
9 Teotitlán del Camino

El color azul oscuro señala las regiones disputadas o sobre las que no se tienen datos precisos

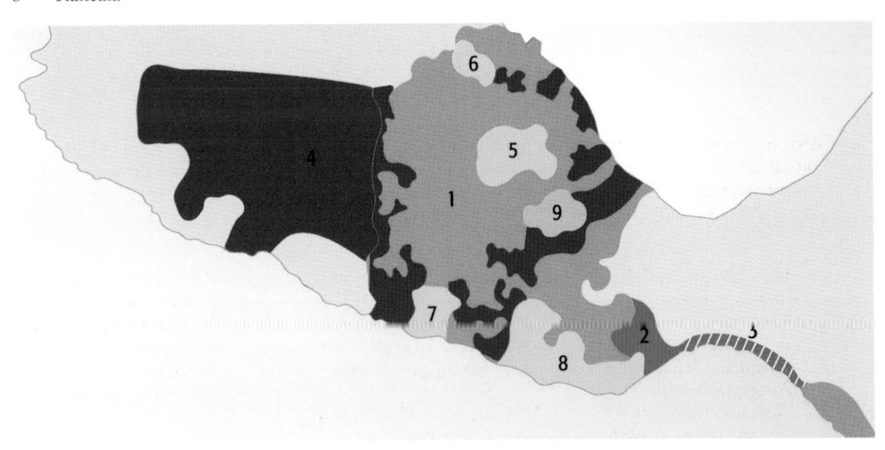

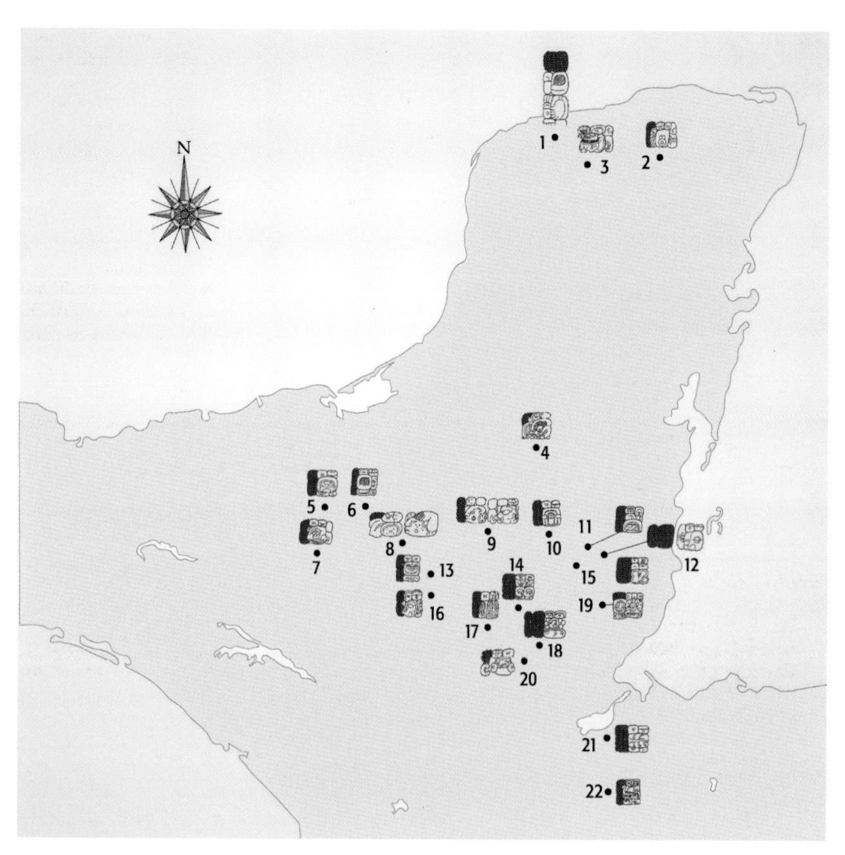

Glifos emblemas de las principales ciudades mayas del período clásico según N. Grube (con modificaciones). Los glifos marrones, que aparecen con distintas variantes, significan *k'uhul* (= sagrado), y con el glifo *ajaw* (= señor) casi siempre acompañan al emblema de la ciudad propiamente dicho.

1 Dzibilchaltun - Chantiho' ?
2 Ek Balam - Talol
3 Acanceh - Akanchij
4 Calakmul - Kanal
5 Palenque - Bakal
6 Pomona - Pakaabal
7 Toniná - Popo'
8 Piedras Negras - Yokib
9 El Perú - Waka'
10 Tikal - Mutul
11 Naranjo - Sal
12 Yaxha - Yaxa'
13 Yaxchilán - Pa'chan
14 Seibal - ?
15 Ucanal - K'an Witznal
16 Bonampak - Ake
17 Dos Pilas - Mutul
18 Machaquila - ?
19 Caracol - K'antumaak
20 Cancuen - Yak ?
21 Quiriguá - ?
22 Copán - Kuup ?

El área maya hacia 650 d.C.

— Frontera de reino
······ Frontera de reino imprecisa
■ Dominio directo de Calakmul
■ Zona de influencia de Calakmul
■ Dominio directo de Tikal
■ Zona de influencia de Tikal
□ Ciudades Estado «no alineadas»

1. Dzibilchaltun
2. Ek Balam
3. Chichén Izá
4. Coba
5. Yaxuna
6. Oxkintok
7. Uxmal
8. Kabah
9. Loltun
10. Labna
11. Muyil
12. Jaina
13. Sayil
14. Almuchil
15. Halat
16. Xcocha
17. Tzum
18. Pixoy
19. Etzna
20. Dzibanche
21. Xpujil
22. Becan
23. Chicanna
24. Río Bec
25. Calakmul
26. Los Alacranes
27. Río Azul
28. Moral
29. El Mirador
30. Naachtun
31. Nohmul
32. Nakbe
33. Xultun
34. Uaxactun
35. Palenque
36. Santa Elena
37. La Corona
38. Nakum
39. El Perú
40. El Zotz
41. La Florida
42. Piedras Negras
43. Tikal
44. Naranjo
45. Pajaral
46. Motul de San José
47. Sapote Bobal
48. Xunantunich
49. Yaxha
50. Itzime Sacluk
51. Ucanal
52. San Diego
53. Yaxchilán
54. Tonina
55. Caracol
56. Polol
57. El Chal
58. Bonampak
59. Itzan
60. Ixkun
61. Sakul
62. Ixtutz
63. Seibal
64. Dos Pilas
65. Machaquila
66. Naj Tunich
67. Labaantun
68. Río de la Pasión
69. Cancuen
70. Quiriguá
71. Copán

río Usumacintagua
río Usumacintagua
río Montagua
1
2
3
4
5
6
7
8
9
10
11
12
13
14
15
16
17
18
19
20
21
22
23
24
25
26
27
28
29
30
31
32
33
34
36
37
38
39
40
41
42
43
44
45
46
47
48
49
50
51
52
53
55
56
57
58
59
60
61
62
63
64
65
66
67
68
69
70
71

Museos

México

Museo Nacional de Antropología, Ciudad de México
Es el museo de arte mesoamericano más importante del mundo. Su inauguración en 1964 fue la culminación de un largo proceso de recuperación del pasado prehispánico para basar en él la identidad nacional mexicana. En ningún otro país el rescate de una historia violada y negada se ha vinculado tan estrechamente con la valorización en museos de unos restos arqueológicos que son símbolos de dicha historia. El núcleo más antiguo de sus colecciones está formado por la Piedra del Sol y la Coatlicue Mayor, desenterradas en 1790, que, por su accidentado itinerario desde que se descubrieron, son el mejor ejemplo de esta búsqueda de identidad. La planta baja está reservada al arte y las culturas mesoamericanos, y la primera planta, a las poblaciones indígenas del México actual.

Museo del Templo Mayor, Ciudad de México
Es quizá el más bello de México, porque las piezas descubiertas a partir de 1978 están presentadas con excelentes criterios expositivos que introducen en la museografía mexicana tradicional una capacidad casi esteticista de resaltar las calidades artísticas de cada una. Está construido en el área arqueológica del sanctasanctórum de los mexicas, y la disposición de las salas reproduce la del antiguo *teocalli* mexica. En el norte están los restos relacionados con Tlaloc y en el sur los relacionados con Huitzilpochtli.

Anahuacalli o Museo Diego Rivera, Ciudad de México
El edificio, de estilo «neomayatolteca», fue proyectado por el propio Diego Rivera para albergar la colección reunida por el pintor a partir de los años cuarenta. Destaca el núcleo dedicado a las piezas de Occidente.

Museo de Antropología, Xalapa
Es el más importante del mundo para las culturas de la costa del Golfo. Conserva, entre otras cosas, siete de las diecisiete cabezas colosales olmecas que se han encontrado hasta hoy. Como no recibe muchas visitas, ofrece la extraordinaria ventaja de poder contemplar sus numerosas piezas en el silencio más absoluto.

Museo Amparo, Puebla
Creado por el banquero Manuel Espinosa en memoria de su esposa Amparo Rugarcía, da más importancia a la estética que a la antropología. En las salas hay piezas de casi todas las culturas mesoamericanas y algunas obras excepcionales.

Museo Regional de Oaxaca, Oaxaca
Conserva las joyas de la tumba 7 de Monte Albán, la más rica en oro de toda Mesoamérica, y los mejores ejemplares de urnas zapotecas y estelas mixtecas.

Museo Rufino Tamayo, Oaxaca
El museo presenta la colección del famoso muralista en un recorrido expositivo centrado en el arte. Ofrece una buena panorámica de las culturas mesoamericanas, sobre todo la de Oaxaca, la costa del Golfo y Occidente.

Guatemala

Museo Nacional de Arqueología y Etnología, Ciudad de Guatemala
En sus vetustas instalaciones se pueden admirar obras extraordinarias de la cultura maya del período clásico.

Estados Unidos

National Museum of American Indian, Washington
El nuevo museo nació con la fusión de las ricas colecciones de la Heye Foundation y la Smithsonian Institution. El núcleo dedicado a Mesoamérica presenta obras de enorme calidad.

Los Angeles County Museum of Art, Los Ángeles
La joya del museo son las colecciones de México Occidental.

Europa

British Museum, Londres
La salita dedicada a Mesoamérica, inaugurada en 1994, presenta obras únicas en el mundo, como el núcleo de Dinteles de Yaxchilán que Maudslay llevó a Inglaterra en 1882-1883, y los mosaicos aztecas, entre los que destaca una máscara de Tezcatlipoca.

Musée du Quai Branly, París
El nuevo museo, inaugurado en junio de 2006, no solo ha heredado las importantísimas colecciones mesoamericanas del Musée de l'Homme, sino que reúne adquisiciones muy selectas. Algunas se exponen en el Pavillon des Sessions del Museo del Louvre.

Ethnologisches Museum, Berlín
En las colecciones mesoamericanas destacan las esculturas aztecas y de Occidente.

Museum für Völkerkunde, Viena
Aquí se conservan algunas piezas excepcionales que podría haber enviado a Europa el propio Hernán Cortés en 1519 (aunque la cuestión es objeto de controversia quizá insoluble), como la diadema de Motecuhzoma y el escudo de Ahuítzotl.

Museo de América, Madrid
Las colecciones mesoamericanas cuentan con importantes núcleos de la costa del Golfo, Occidente y el área maya; destacan las piezas traídas de Palenque por la expedición de Antonio del Río en 1785.

Museo Nazionale Preistorico Etnografico, Roma
Presenta una extraordinaria máscara de mosaico de estilo mixteca-puebla, quizá la más hermosa que ha llegado hasta nosotros, y otras piezas importantísimas incluidas en las colecciones italianas ya en el transcurso del siglo XVI.

Cronología

Período	Fechas	MESETA CENTRAL	OAXACA	COSTA DEL GOLFO	ÁREA MAYA	OCCIDENTE
POSCLÁSICO	1521–1200	TARDÍO	TARDÍO	TARDÍO	TARDÍO	TARDÍO
	1200–900	TEMPRANO	TEMPRANO	TEMPRANO	TEMPRANO	TEMPRANO
CLÁSICO	900–750	EPICLÁSICO			TARDO	
	750–600					
	600–300				INIZIALE	
	300–100		PROTOCLÁSICO	PROTOCLÁSICO	PROTOCLÁSICO	TARDÍO
	100–1 d.C.	PROTOCLÁSICO		TARDÍO	TARDÍO	
PRECLÁSICO	100–700	TARDÍO	TARDÍO			
			MEDIO	MEDIO	MEDIO	MEDIO
	700–1200	MEDIO	TEMPRANO	TEMPRANO	TEMPRANO	
	1200–1500	TEMPRANO				TEMPRANO
	1500–1800					
ARCAICO	1800–7000					
PALEOINDIO	7000–30-12.000 a.C.					

Glosario

Almena: elemento arquitectónico que remata techos y cornisas con función decorativa.

Anahuac (Cerca, entre las Aguas): la tierra entre los dos mares. Es el nombre dado por los aztecas a todo el México prehispánico.

Anatropismo: técnica del arte precolombino que consiste en la unión de dos o más imágenes, más o menos estilizadas, para crear otra completamente distinta de las que la han formado.

Alma: para los aztecas, está formada por tres entidades materiales, pero muy sutiles. Es probable que las demás culturas mesoamericanas tuvieran concepciones semejantes.

Año solar: en Mesoamérica el año solar de 365 días está dividido en 18 meses de 20 días, seguidos de cinco días «inútiles», que se consideran infaustos. Desconoce el bisiesto, por lo que siempre está desfasado con respecto a los ciclos astronómicos (la estación de las lluvias, etc.), que se identifican y definen mediante la observación directa del sol y las estrellas.

Átlatl: propulsor usado para dar más potencia y radio de acción a los dardos y las jabalinas.

Autosacrificio: ofrenda de la propia sangre a los dioses mediante perforación de los lóbulos de las orejas y las rodillas (sobre todo entre los aztecas), y de la lengua y el pene (sobre todo entre los mayas).

Azteca: aunque se usa a menudo como sinónimo de mexica, en este libro el término azteca indica el conjunto de poblaciones de lengua y cultura náhuatl que a comienzos del siglo XVI formaban parte del imperio mexica.

Calendario ritual: tiene 260 días y se forma combinando los 20 glifos del día y los números del 1 al 13.

Chac-mool: término de origen reciente utilizado para indicar las esculturas que representan un personaje recostado con un plato sobre el vientre en el que se colocaban los corazones de los sacrificados.

Chichimecas (pueblos del perro): término despectivo con el que las poblaciones nahua se referían a las tribus de cazadores-recolectores de los desiertos septentrionales.

Cacicazgo: forma de organización sociopolítica que se sitúa entre la tribu y el estado.

Cuauhxicalli (vaso del águila): recipiente, a menudo con forma de águila, donde se echaban los corazones de los sacrificados. A veces el *cuauhxicalli* podía llegar a ser una escultura de gran tamaño con una cavidad superior.

Chamán: en la bibliografía antropológica es el técnico del éxtasis, capaz de alcanzar un estado alterado de conciencia que le permite «viajar» a los «Otros» Mundos. En las sociedades colombinas preestatales es la figura religiosa más importante, en las estatales su función la desempeñan, en parte, el rey y los sacerdotes, y en parte los especialistas de lo sagrado de las clases subalternas (sanadores, etc.).

Fuego Nuevo: en las culturas de la meseta central, era la ceremonia que se celebraba al final de cada ciclo de 52 años, y culminaba con el encendido de un fuego, el primero del nuevo ciclo, que se llevaba a todos los templos de las ciudades. *Véase* «Siglo» mesoamericano.

Glifo: elemento básico de las escrituras mesoamericanas. Puede tener valor ideográfico con un componente fonético oscilante y en algunos casos, aún sin esclarecer, logosilábico.

Hacha: elemento decorativo, a menudo zoomorfo, incluido en los yugos que llevaban los jugadores de *ulama*.

Huipil: prenda femenina semejante a una blusa.

Atado de años: es la traducción literal de la expresión náhuatl *xihuitl molpia*, que indicaba la ceremonia del Fuego Nuevo. *Véase* Fuego Nuevo y «Siglo» mesoamericano.

Mesoamérica: es el área cultural donde florecieron las civilizaciones de los aztecas, los mayas, los tarascos y los otros pueblos mencionados en este libro; abarca gran parte de México y el sector septentrional de América Central.

México (el origen del término es incierto, quizá provenga de *metztli* [= luna] y *xictli* [= ombligo, centro], y signifique La [Ciudad] en el Centro [del Lago] de la Luna): nombre de la ciudad de los mexicas, la más importante de las capitales de la Triple Alianza. En la literatura se emplea como sinónimo de Tenochtitlán y también para indicar el conjunto de dos ciudades, Tenochtitlán propiamente dicho y Tlatelolco.

Mexica: era como se llamaban a sí mismos los habitantes de México-Tenochtitlán. Aquí lo usamos para indicar colectivamente tanto a los habitantes de Tenochtitlán como a los de Tlatelolco.

Misográfica: cultura que rechaza la escritura.

Nagual: el álter ego de un chamán, de una persona, de una divinidad.

Nagualismo: conjunto de creencias y rituales relacionados con el álter ego del chamán.

Náhuatl: era la lengua de los aztecas y otras etnias de la meseta central. Hoy todavía la hablan cerca de millón y medio de personas.

Nahua: referido a la cultura de las poblaciones de lengua náhuatl.

Palma: elemento decorativo, a menudo proyectado hacia arriba, presente en los yugos que llevaban los jugadores de *ulama*.

Pardiantropo (en inglés, *were-jaguar*): hombre jaguar. Figura con muchas variantes típica del arte olmeca. Se caracteriza por presentar un personaje con rasgos de jaguar o en proceso de transformarse en jaguar.

PSS (Primary Standard Sequence): la serie convencional de glifos pintados en la cerámica maya.

Pulque (en náhuatl, *octli*): bebida alcohólica obtenida por fermentación del líquido del maguey (pita).

Quechquemitl (¿prenda para el cuello?): pequeño poncho triangular que forma parte de la indumentaria femenina.

«Siglo» mesoamericano: expresión poco ortodoxa para indicar el período de 52 años que separa dos años con el mismo nombre (por ejemplo, el año *1 Caña* cae en 1519, 1467, 1415 y así sucesivamente). Se origina al combinar el calendario solar con el calendario ritual: 52 es el mínimo común múltiplo de 365 y 260. En México-Tenochtitlán, el «siglo» mesoamericano empezaba el año *2 Caña*. *Véanse* Fuego Nuevo y Atado de años.

Talud-tablero (o talud abierto): elemento arquitectónico de muchas construcciones mesoamericanas que combina un plano inclinado (el talud) con otro vertical (el tablero).

Temalacatl (rueda de piedra): piedra circular para el sacrificio gladiatorio. Sobre esta piedra, un prisionero con una pierna atada y un mazo de madera debía luchar con uno o varios guerreros mexicas, armados con mazos de madera recubiertos de hojas cortantes de obsidiana.

Tenochtitlán (Lugar del Nopal sobre la Piedra): es el nombre de la ciudad de los mexicas, la capital más importante de la Triple Alianza. En la literatura se emplea como sinónimo de México y también para indicar el conjunto de dos ciudades, Tenochtitlán propiamente dicho y Tlatelolco.

Tenochca: habitante de Tenochtitlán.

Teocalli (Casa de Dios): templo. En México central solía ser una pirámide truncada y escalonada, en cuya cima se situaba el adoratorio (templo propiamente dicho).

Teotl: dios y, en general, lo que es sagrado.

Tlachtli: campo para el juego de pelota.

Tlalocán (Lugar de Tláloc): era el más allá adonde iban las «almas» de quienes morían ahogados, fulminados o por algún accidente relacionado con el agua o la lluvia. Concebido como un lugar de delicia y abundancia, los cronistas lo consideraron el equivalente mesoamericano del paraíso terrenal.

Tlaotani (El Que Habla): rey, soberano. El emperador azteca recibía el nombre de *huey tlaotani* (gran orador).

Tollán (Lugar de Cañas): topónimo hispanizado como Tula, que se usa tanto para designar el actual yacimiento arqueológico próximo a la ciudad homónima de Hidalgo, como para el *topos* de la sabiduría y la abundancia sobre el que había reinado Quetzalcóatl. Aunque en 1941, en una mesa redonda organizada por la Sociedad

Índice general

Mexicana de Antropología, se decidió que los dos lugares coincidían, cada vez resulta más evidente que en el México antiguo Tollán era una suerte de título honorífico reservado también a otras ciudades: Teotihuacán, Cholula, etc. En el libro, para no confundir al lector, Tollán es el *topos* de la sabiduría y la abundancia, y Tula, el yacimiento arqueológico.

Tonal (de Tonalli): término polisémico que indicaba el calor del sol, el verano, el glifo del día y el destino. Según los aztecas, el carácter y la vida de un hombre estaban influidos por la combinación especial de los ciclos calendarios el día de su nacimiento. El ciclo más importante era el del calendario ritual.

Trance: estado alterado de conciencia provocado por la ingestión de sustancias psicotrópicas o por danzas, ejercicios o posturas especiales. Gracias al trance, el chamán puede «viajar» a los Otros Mundos.

Tzompantli (Sarta de Calaveras [literalmente: Estandarte de Cabellos]): estructura arquitectónica de los centros ceremoniales formada por sartas de calaveras empaladas o fijadas a la pared. Aparece a partir del período posclásico temprano.

Ulama (de *ulli* = hule, caucho): juego de pelota.

Zacatapayolli (= bola de zacate): bola de paja con púas de maguey y punzones de hueso usada para el autosacrificio.

6 Mono Quechquemitl de Guerra, 47
8 Venado Garra de Jaguar, 44
Acamapichtli, 50
Ahuítzotl, 72
Aj Maxam, 36
alimentación, 148
artesanos, plebeyos, esclavos, 162
autosacrificio, 97
Axayácatl, 62
Bonampak, 349
Calakmul, 332
calendario, 107
Chichén Itzá, 312
cholulas, 278
Coatlicue, 220
Copán, 362
Cuauhtémoc, 84
dioses del inframundo, 232
dioses de la fertilidad agrícola, 226
dioses de la lluvia, 204
educación e instrucción, 140
Ek Balam, 310
El Tajín, 286
Héroes Gemelos, 215
Fiesta del Fuego Nuevo, 110
fiestas, 114
juegos y pasatiempos, 146
juego de pelota, 118
justicia, 166
guerra, 171
incensarios y braseros, 130
Itzamnaaj B'ahlam II, 23
Itzamnaaj, 194
Ix K'ab'al Xook, 26
Izapa, 360
Jasaw Chan K'awiil, 20
K'ah'k Tiliw Chan Yopaat, 31
K'awiil, 196
K'inich Kan B'ahlam 11, 17
Kabáh, 324
La Venta, 298
Labná, 326
Luna, 202
Malinalco, 280
matrimonio, 142
Mavapán, 318
medicina, 153
mercaderes, 159
Mitla, 307
Monte Albán, 300
muerte, 150
muertos divinizados, 212
Motecuhzoma Ilhuicamina, 57
Motecuhzoma Xocóyotl, 75
música y baile, 168
nacimiento y «bautismo», 138
Nezahualcóyotl, 52
Nezahualpilli, 70
horóscopo y presagios, 174
Pakal el Grande, 12
Palenque, 334
Piedra del Sol, 132
Quetzalcóatl, 188
Quiahuiztlán, 294
sacerdotes, 94
sacrificios en Tezcatlipoca, 101
sacrificios para la lluvia, 99
sacrificio gladiatorio, 105
chamanes, 90
escritura, 176
Sihyaj Chan K'awiil II, 10
Sol, 198
reyes y nobles, 156
Tenochtitlán, 261
Teocalli de la Guerra Sagrada, 128
Teocalli, 126
Teotihuacán, 246
cabezas colosales, 134
Texcoco, 256
Tezcatlipoca, 184
Tikal, 354
Tízoc, 66
Tlacaélel, 55
Tlatelolco, 258
Tlazoltéotl, 222
Toniná, 341
Tula, 240
Tulum, 328
Uxmal, 320
Xipe Tótec, 224
Xiuhtecuhtli, 210
Xochicalco, 282
Xochitécatl-Cacaxtla, 272
Yax Pasaj Chan Yopaat, 41
Yaxchilán, 345
Yaxuun B'ahlam IV, 28
Yuhknoom Took' K'awiil, 34
Zempoala, 296

Bibliografía

Aimi, Antonio, *La «vera» visione dei vinti: la conquista del Messico nelle fonti azteche*, Bulzoni, Roma, 2001.

—, *Messico*, Mondadori, Milán, 2002.

—, *Mesoamerica*, Leonardo Arte, Milán 2003.

Anales de Cuauhtitlan [1570], en *Códice Chimalpopoca*, UNAM, México, 1992, pp. 3-68.

Anales de Tlatelolco [1528], Antigua Librería Robredo, México, 1948.

Asturias, Miguel Ángel, *Hombres de maíz*, Alianza, Madrid, 2003.

Aveni, F. Anthony, *Observadores del cielo en el México antiguo*, FCE, México 1993.

Aveni F. Anthony; Edward E. Calnek, «Astronomical Considerations in the Aztec Expression of History: Eclipse Data», en *Ancient Mesoamerica*, 10, 1, 1999, pp. 87-98.

Baudot Georges, «Il contesto etnostorico», en T. Todorov, G. Baudot, *Racconti aztechi della Conquista*, Einaudi, Turín, 1988, pp. 37-69.

—, «Fray Toribio Motolinía denunciado ante la Inquisición por Fray Bernardino de Sahagún en 1572», en *Caravelle*, 55, 1990, pp. 13-17.

—, *Utopia e Storia in Messico*, Biblioteca Francescana, Milán, 1991.

Botta, Sergio, *Le acque preziose*, Bulzoni, Roma, 2004.

Braswell, Geoffrey (ed.), *The Maya and Tteotihuacan*, University of Texas Press, Austin, 2003.

Burland, Cottie, *Montezuma, signore degli Aztechi*, Einaudi, Turín, 1976.

Carrasco, David; Matos, Moctezuma Eduardo (eds.), *Moctezuma's Mexico: Vision of the Aztec World*, University Press of Colorado, Niwot, 1992.

Caso, Alfonso, «Nuevos datos para la correlación de los años aztecas y cristianos», en *Estudios de Cultura Náhuatl*, 1, 1959, pp. 9-25.

—, *Calendrical Systems of Central Mexico*, en G. F. Ehholm, I. Bernal, *Archaeology of Northern Mesoamerica, HMAI 10*, University of Texas Press, Austin, 1971, pp. 333-348.

—, *Il popolo del Sole*, Feltrinelli, Milán, 1982.

Clendinnen, Inga [*Códice Nuttall*] [siglo xv], en A. Miller, *The Codex Nuttall*, Dover, Nueva York, 1975.

—, [*Códice Magliabechi*] [1529-1533], en E. Hill Boone, The *Codex Magliabechiano and the Lost ProtoType of the Magliabechiano Group*, University of California Press, Berkeley-Los Ángeles-Londres, 1983.

—, *Aztecs: an interpretation*, Cambridge University, Press, Cambridge, 1991.

— [*Códice Cospi*] [siglos xiv-xv], en L. Laurencich Minelli (ed.), *Calendario e Rituali Precolombiani: Codice Cospi*, Jaca Bok, Milán, 1992.

— [*Códice Mendoza*] [1541-1542], en F. F. Berdan, P. R. Ariawalt, *The Essential Codex Mendoza*, University of California Press, Berkeley, 1992.

— [*Códice Borgia*] [siglos xiv-xv], en G. Díaz, A. Rodgers (eds.), *The Codex Borgia*, Dover, Nueva York, 1993.

— [*Códice florentino*] [1577-1579], en B. de Sahagún, *Historia Universal de las Cosas de Nueva España I-III*, Giunti [Florencia], 1995.

— [*Códice tellerianus remensis*] [1554-1563], en E. Quiñones Keber, *Codex tellerianus-remensis*, University of Texas Press, Austin, 1995.

Coe, Michel, *Breaking the Maya Code Maya*, Penguin, Londres, 1994.

—, *I Maya. Le civiltà dell'antico Messico*, Newton Compton, Roma, 1998.

—, *Le civiltà dell'antico Messico*, Newton Compton, Roma 2001.

Coe, Michel y Justin Kerr, *The art of the Maya Scribe*, Thames Hudson, Londres, 1997.

Coe, Michel, *et al.*, *The Olmec Worls*, The Art Museum, Princeton, 1995.

Cortés, Hernán, *Cartas de Relación* [1519-1526], en *Historiadores Primitivos de Indias*, BAE 22, Atlas, Madrid, 1946, pp. 1-153.

Culbert, Patrick (ed.), *Classical Maya Political History*, Cambridge University Press, Cambridge, 1996.

Davies, Nigel, *Gli Aztechi*, Editori Riuniti, Roma, 1975.

—, *The Toltec Heritage*, University of Oklahoma Press, Norman-Londres, 1980.

—, *The Aztec Empire*, University of Oklahoma Press, Norman-Londres, 1987.

Díaz del Castillo, Bernal, *Verdadera Historia de los Sucesos de la Conquista de la Nueva España* [1568], en *Historiadores Primitivos de Indias*, BAE 26, Atlas, Madrid, 1947, pp. 1-317.

Domenici, Davide, *I linguaggi del potere*, Cluep, Bolonia 2005.

Durán, Diego, *Historia de las Indias de Nueva España e Islas de La Tierra Firme I-II* [1581], Porrúa, México, 1984.

Edmonson, S. Munro, *Sistemas calendáricos mesoamericanos*, UNAM, México, 1995.

Fagan, M. Brian, *Gli Aztechi*, Garzanti, Milán, 1989.
Fash, William, *Scribes, Warriors, and Kings*, Thames & Hudson, Londres, 1993.
Fields, Virginia, y Dorie Reents-Budet (eds.), *Lords of Creation: the Origin of the Sacred Maya Kingship*, LACMA-Scala, Los Ángeles-Londres, 2005.
Freidel, David *et al.*, *Maya Cosmos: Three Thousand Years on the Shaman's Path*, Morrow, Nueva York, 1993.
Gillespie, D. Susan, *The Aztec Kings*, The University of Arizona Press, TucsonLondres 1989.
Graulich, Michel, *Mitos y Rituales del México antiguo*, Istmo, Madrid, 1990.
—, *Montezuma*, Fayard, [París], 1994.
—, «Entre el mito y la historia: las migraciones de los Mexicas», en *AM*, 8, 4-5, 2000, pp. 74-79.
Grube, Nikolai (ed.), *Maya: dei incoronati della foresta vergine*, Könemann, Colonia, 2001.
Guzmán, Eulalia, *Relaciones de Hernán Cortés a Carlos V sobre la Invasión de Anáhuac*, Libros Anáhuac, México, 1958.
Hassig, Ross, *Aztec Warfare*, University of Oklahoma Press, Norman, 1995.
—, [*Histoire du Mechique*] [1547-1575], en A. Garibay (ed.), *Teogonía e Historia de los Mexicanos: Tres Opúsculos del Siglo XVI*, Porrúa, México, 1985, pp. 91-120.
—, [*Historia de los Mexicanos por sus Pinturas*] [15471, en A. Garibay (ed.), *Teogonía e Historia de los Mexicanos: Tres Opúsculos del Siglo XVI*, Porrúa, México, 1985, pp. 23-90
Jones, Grant, *The Conquest of the Maya Last Kingdom*, Stanford University Press, Stanford, 1998.
Joralemon, David, *A Study in Olmec Iconography*, Dumbarton Oaks, Washington, 1971.
—, [*Lienzo de Tlaxcala*] [h. 1550], en A. Chavero (ed.), *Antigüedades Mexicanas I-II*, Junta Colombina-Secretaría de Fomento, México, 1892.
León-Portilla, Miguel, *Visión de los vencidos*, UNAM, México, 1976.
—, [*Leyenda de los Soles*] [1558], en *Códice Chimalpopoca*, UNAM, México, 1992.
—, *La Filosofía Nahuátl*, UNAM, México, 1993.
López Austin, Alfredo, *La Constitución Real de México. Tenochtitlan*, UNAM, México 1961.
—, «Cuarenta clases de magos del mundo náhuatl», en *Estudios de Cultura Náhuatl*, 7, 1967, pp. 87-116.
—, *Hombre-Dios*, UNAM, México 1989.
—, *Cuerpo humano e ideología I-II*, UNAM, México 1989-1990.
—, *Tamoanchan y Tlalocan*, FCE, México 1994.
López Austin, Alfredo, y Leonardo López Luján, *El pasado indígena*, Colegio de México-FCE, México 1996.
Malmström, H. Vincent, *Cycles of the Sun, Mysteries of the Moon*, University of Texas Press, Austin 1997.
Manahan, Kam, «The way things fall apart», en *Ancient Mesoamerica*, 15, 1, 2004, pp. 107-125.
Manzanilla, Linda, «The Emergence of Complex Urban Societies in Central Mexico: the Case of Teotihuacan», en G. G. Politis, B. Alberti (eds.), *Archaeology in Latin America*, Routledge, Londres-Nueva York, 1999.
Manzanilla, Linda, *et al.*, *Dating Results from Excavations in Quarry Tunnels Behind the Pyramid of the Sun at Teotihuacan*, *Ancient Mesoamerica*, 7, 2, 1996, pp. 245-266.
Marcus, Joyce, *Mesoamerican Writing Systems*, Princeton, University Press, Princeton 1992.
Martin, Simon, y Nikolai, Grube, *Chronicle of the Maya Kings and Queens*, Thames & Hudson, Londres, 2000.
Matos, Moctezuma Eduardo, «The Great Temple of Tenochtitlan», en *Scientific American*, 251, 2, 1984, pp. 70-79.
—, «Surgimiento y caída de Teotihuacan: dos hipótesis», en A. Guadalupe Mastache *et al.*, *Arqueología mesoamericana: homenaje a William T. Sanders I*, INAH-AM, 1996, pp. 209-212.
Matos, Moctezuma Eduardo, Felipe Solís Olguín (eds.), *Aztecs*, Royal Academy of Arts, Londres, 2002.
Michel, Genevieve, *The Rulers of Tikal*, Vista, Ciudad de Guatemala, 1991.
Milbrath, Sudsan, y Carlos Peraza Lope, «Revisiting Mayapan: Mexico's Last Maya Capital», en *Ancient Mesoamerica*, 14, 1, 2003, pp. 1-46.
Miller, Mary, *et al.* (eds.), *Courtly Art of the Ancient Maya*, Fine Arts Museums of San Francisco-Thames and Hudson, San Francisco-Londres, 2004.
Millon, René, «Teotihuacan: City, State, and Civilization», en J. A. Sabloff (ed.), *Archaeology SHMAI I*, University of Texas Press, Austin, 1981, pp. 198-243.
—, «The Place Where Time Began: An Archaeologists Interpretation of What Happened in Teotihuacan History», en K. Berrin, y E. Pasztory (eds.), *Teoti-*

huacan, Thames and Hudson-The Fine Arts Museums of San Francisco, San Francisco-Londres, 1994, pp. 16-43.
Motolinía, Toribio de Benavente, *Memoriales e Historia de los Indios de la Nueva España* [1556-1560], BAE 240, Atlas, Madrid, 1970.
Nicholson, B. Henry, «Religion in Pre-Hispanic Central Mexico», en G. E. Ekholm, I. Bernal, *Archaeology of Northern Mesoamerica, HMAI 10*, University of Texas Press, Austin, 1971, pp. 395-446.
Olivier, Guilhem, *Moqueries et métamorphoses d'un dieu aztèque*, Institut d'Étimologie, París, 1997.
Orefici, Giuseppe (ed.), *I Maya di Copan*, Skira, Milán, 1997.
Pasztory, Esther, *Aztec Art*, Abrams, Nueva York, 1983.
Teotihuacan Unmasked, «A View through Art», en K. Berrin, E. Pasztory, *Teotihuacan*, Thames and Hudson-The Fine Arts Museums of San Francisco, San Francisco-Londres, 1994, pp. 44-63.
Tedlock D. (ed.), *Popol Vuh* [1554-1557], Rizzoli, Milán, 1998.
Paz, Octavio, «L'arte del Messico antico», en *La rivista dei libri*, 1991, pp. 12-14.
Ragghianti, Carlo Ludovico, y Licia Ragghianti, *Il Museo Antropologico di Città del Messico*, Mondadori, Milán, 1970.
Reents-Budet, Dorie, *Painting the Maya Universe Royal ceramics of the Classic Period*, Duke University Press, Durham-Londres, 1994
Ringle, William, y Tomás Gallareta Negrón, y George J. Bey III, «The Return of Quetzalcoatl: Evidence for the Spread of a World Religion During the Epiclassic Period», en *Ancient Mesoamerica*, 9, 2, 1998, pp. 183-232.
Sahagún, Bernardino de, *Historia General de las Cosas de Nueva España* [1577-1579], Porrúa, México, 1989.
?, *I colloqui dei Dodici* [1564], Sellerio, Palermo, 1991.
—, *Primeros Memoriales* [1559-1561], University of Oklahoma Press, Norman, 1997.
Sanders, T. William, «Ecological Adaptation in the Basin of Mexico: 23.000 B.C. to Present», en J.A. Sabloff (ed.), *Archaeology SHMAI I*, University of Texas Press, Austin, 1981, pp. 147-197.
Sartor, Mario (ed.), *Il libro di chilam balam di Chumayel*, Cleup, Padua, 1989.
Schele, Linda, y David Freidel, *The Forest of Kings*, Morrow, Nueva York, 1990.
Schele Linda, y Peter Mathews, *The Code of Kings*, Scribner, Nueva York, 1998.
Schele Linda, y Mary Miller, *The Blood of the Kings*, Thames & Hudson, Londres, 1992.
Schmidt, Peter *et al.* (eds.), *I Maya*, Bompiani, Milán, 1998.
Serra Puche, Mari Carmen, y J. Carlos Lazcano Arce, *Xochitécatl-Cacaxtla en el periodo Epiclásico (650-950 d.C.)* 1996 dnp.
Siebe, Claus, *et al.*, «La destrucción de Cacaxtla y Cholula: un suceso en la historia eruptiva del Popocatépetl», en *Ciencias*, 41, 1996, pp. 36-45.
Smith, E. Michael, *The Aztecs*, Blackwell, Malden, 1998.
Solís Olguín, Felipe (ed.), *I tesori degli Aztechi*, Electa, Milán, 2004.
Soustelle, Jacques, *La vida cotidiana de los Aztecas en las vísperas de la Conquista*, FCE, México, 1977.
Tezozómoc, Fernando Alvarado, *Crónica mexicana* [1598], Porrúa, México, 1987.
—, *Crónica mexicáyotl* [1609], UNAM, México 1992.
Thomas, Hugh, *La Conquista de México*, Patria, México, 1994.
Tzvetan, Todorov, *La Conquista dell'America*, Einaudi, Turín, 1984.
—, «I racconti della Conquista», en T. Tzvetan, G. Baudot (eds.), *Racconti aztechi della Conquista*, Einaudi, Turín, 1988, pp. 9-35.
Tzvetan Todorov, y Georges Baudot (eds.), *Racconti aztechi della Conquista*, Einaudi, Turín, 1988.
Zantwijk, Rudolph van, *The Aztec Arrangement*, University of Oklahoma Press, Norman, 1985.

WI ODC 2009

© Chicago Art Institute, Chicago: 77, 138.
© MARG, Florencia: 76.
© MFV, Viena: 224.
© Scala Group, Florencia: 22, 86-87, 171, 231, 296.
Archivio Aimi, Verbania: 240, 258, 264, 265, 282, 362.
Art Museum Princeton University, Princeton: 196.
AZA/Archive Zabé, Lomas de Chapultepec: 12, 14, 15, 21, 25, 35, 90, 95, 135, 136, 143, 167, 185, 188, 194, 220, 262, 294, 324, 325, 342-343, 344, 361, 366, 368.
Banco de Imágenes de Arqueología Mexicana, Col. Lomas de Sotelo Deleg. Miguel Hidalgo: 18, 23, 24, 181, 208, 233, 256, 257, 274-275, 278, 280, 281, 292, 293, 310, 311, 332, 345.
Biblioteca Apostólica Vaticana, Ciudad del Vaticano: 186.
Biblioteca Medicea Laurenziana, Florencia: 112, 159, 160.
Biblioteca Nazionale Centrale, Florencia: 234.
Bibliothèque Nationale, París: 71, 82-83, 113.
Bodleian Library, Oxford: 51, 63, 140, 172.
© Corbis, Milán: 2, 13, 19, 122, 123, 201, 206, 241, 251, 279, 283, 302-303, 314-315, 320, 330-331, 339, 348, 365.
George DeLange, Ciudad de México: 360.
INAH, Instituto Nacional de Antropología e Historia, Ciudad de México: 27, 53, 75, 78-79, 85, 93 arriba, 94, 105, 108, 120, 127, 128, 129, 142, 145, 150, 152, 162, 169, 184, 198, 190, 191, 202, 207, 209, 210, 212, 214, 221, 227, 229, 232, 235, 249, 261, 263, 268-269, 284, 288, 289, 334.
Justin Kerr, Nueva York: 10, 11, 36, 37, 38-39, 40, 124-125, 170, 180, 195, 197, 215, 216, 217, 218-219, 236-237, 359 arriba.
Kimbell Art Museum, Fort Worth: 173.
Erich Lessing / Agenzia Contrasto, Milán: 189.
Germanisches National Museum, Núremberg: 118.
Marka, Milán: 243, 247, 248, 308-309, 312, 317, 328, 335, 358.
Museo Histórico Fuerte de San Miguel, Campeche: 34.
Museo La Venta, Villahermosa: 99.
Museo del Templo Mayor, Ciudad de México: 203.
Museo de Antropología, Xalapa: 222.
Museo Regional, Copán: 1-6.
Museum der Kulturen, Basilea: 179.
National Geographie Image Collection, Washington / E. Ferorelli: 349; /D. Stern: 350-351, 352-353.
Rijikmuseum voor Volkenkunde, Leiden: 107, 121, 230.
The Art Archive, Londres: 8. 16, 42, 43, 56, 60-61, 88, 91, 92, 116, 131, 133, 141, 177, 204, 213, 225, 242, 250, 270, 277, 285, 301, 305, 306, 313, 316, 322-323, 327, 338, 340, 359 abajo.
The Bridgeman Art Library, Londres: 20, 31, 41, 67, 252-253, 297, 326, 367.
The British Museum, Londres: 26, 29, 98.
University Art Gallery, New Haven: 114, 178.
White Star, Vercelli: 130, 238, 321.

El editor se pone a disposición de los posibles propietarios de los derechos iconográficos sin identificar.